잇지마, 기억해

잊지마, 기억해

초판 1쇄 발행 | 2015년 10월 15일
지은이 | 이동우
펴낸이 | 이봉순
펴낸곳 | 다인미디어

주소 | 서울시 중구 예장동 1-51 | 전화 02-2274-7974, 팩스 02-743-7615
등록번호 | 제 301-2009-108호
등록일자 | 2009. 6. 2.
ISBN 978-89-87957-82-1   13810

순수의 시절을 찾아 떠나는 사계절 추억여행

잊지마, 기억해

머릿말

대부분의 사람들은 아침에 일어나는 시간이 일정 하지만 나는 그렇지 않다. 새 봄이 시작되는 3월에는 6시 30분쯤 눈을 뜨고, 이후에는 기상시간이 점점 빨라져 여름이 한창인 7월과 8월에는 새벽 5시만 되면 저절로 눈이 떠진다. 5시를 전후한 기상시간은 9월까지 이어진다. 10월부터는 다시 기상시간이 조금씩 늦어져, 겨울이 되면 7시는 돼야 잠자리에서 일어난다. 아침에 일어나는 시간이 계절에 따라 다른 것은 어렸을 때부터 농촌에서 살아왔기 때문이다. 농촌에서는 해 뜨는 시각에 맞춰 일어나고, 해가 지면 잠을 잔다. 동녘이 어슴푸레 밝아오면 호미나 삽을 들고 들에 나가 일을 하고 해가 서산으로 넘어가 어둑어둑해지기 시작하면 일을 마치고 집으로 돌아온다. 시골에서 태어나 성년이 되어 도시로 나올 때까지 이런 생활을 반복했다.

학교에 다니는 학생이 새벽에 일어나 무에 할일이 있겠느냐고 반문할수도 있지만, 농사일이 바쁠 때면 새벽에 일어나 일을 하다가 등교를 했으며, 하교 후에도 들에 나가 일을 했다. 주말이나 여름방학에는 어른들과 같은 시간에 일어나 들에 나갔다. 부모님은 사물이 분간되기 시작하면 자리에서 일어났는데 아버지는 마당일을 했고, 어머니는 아침밥을 준비했다. 창호지문 틈으로 어른들이 움직이는 소리가 들리는데 이불을 뒤집어쓰고 잠자리에 누워 있을 수는 없었다. 이런 생활을 반복하다 보니 해가 뜨면 잠자리에서 일어나는 것이 몸에 배었고 계절에 따라 해 뜨는 시간이 다르니 아침에 일어나는 시간도 계절에 따라 달라진 것이다.

어렸을 때는 들에 나가 일을 하는 게 싫었다. 새벽에 일어나 밭에 가서 풀을 뽑다가 등교하는 것도 싫었고, 학교에서 돌아오면 가방을 마루에 던져두고 들에 나가야했던 것도 싫었다. 여름방학 내내 농사일을 거들어야했기에 여름은 사계절 중에 가장 싫어하는 계절이었다. 하지만 세월이 흐르고 어느 정도 나이가 들고나니, 시골에서 살던 그 시절이 그리워지기 시작했다. 삭막한 도시생활에 시달리고 가슴이 터져버릴 듯 직장생활의 답답함이 밀려올 때면 야트막한 구릉지대가 그림처럼 펼쳐져있고, 물장구 치며 고기 잡던 앞개울이 있는 시골 고향이 못내 그리워진다. 가을이면 황금빛으로 물든 논에서 메뚜기를 잡고, 여름밤이면 반딧불을 잡아 놀던 그 시절로 돌아가고픈 생각이 간절하기만 하다.

옛날에는 모두가 함께 했다. 봄에는 두레를 결성해 모내기를 하고 겨울이면 사랑방에 새끼를 꼬고 가마니를 짰다. 제사를 지내면 이웃집과 음식을 나누어 먹고, 잔치가 있으면 일주일 전부터 아주머니들이 모여 함께 음식을 만들었으며 잔치가 끝나고 나서는 동네 사람들이 모두 모여 밤새 흥겹게 놀았다. 나보다는 이웃을 먼저 생각했고 내 일 보다는 이웃의 일을 우선했다. 서로 이해하고 배려하고 아끼고 사랑 하며 모든 사람들이 함께 어울려 행복하게 살았다.

그 시절의 모습을 이야기 하고 싶었다. 이제는 잊힌, 하지만 다시 되 돌아가야만 할 아름다운 자연과 그 속에서 살아가는 사람들의 이야기 를 하고 싶었다. 이 책을 읽는 독자들이 마음속에 있는 옛 시절의 모 습을 되살려 볼 수 있는 기회가 되었으면 하는 작은 바람을 가져본다.

책이 출간될 수 있도록 물심양면으로 도와주신 다인미디어의 이봉순 사장님께 감사를 드린다. 무엇보다도 나를 이렇게 키워주고 올바르게 길러준 부모님께 감사드리며 가족들에게도 고마움을 전한다. 독서를 함께 하며 교육에 대해 고민을 나누고, 글을 쓸 수 있도록 용기를 북 돋아 준 '동살' 모임 선생님들과 '청사포' 모임 선생님들께도 감사한 마음을 전한다.

2015년 여름, 지은이

차례

봄

귀밝이술 · 12 / 잃어버린 것들 · 15 / 밥 훔치기 · 22 / 마법의 손목시계 · 26 / 벚꽃나무 아래서 · 30 / 봄 · 34 / 목련화 · 39 / 모내기 · 41 / 난 생선머리가 젤 맛있더라 · 46 / 찔레꽃 · 50 / 나는 괜찮다 · 53 / 윷놀이 · 60 / 산과일 · 69 / 오래된 미래 · 72 / 성장소설-나뭇잎 배 · 74

여름

삼성면 · 104 / 오디와 까치 · 108 / 옥수수 · 111 / 숨바꼭질 · 116 / 물놀이 · 121 / 책가방이 둥둥 · 126 / 물고기 · 130 / 소 · 136 / 된장찌개 · 141 / 비의 교향곡 · 147 / 빨래 · 151 / 카세트라디오 · 154 / 아름다운 추억으로 기억될 오늘 · 159 / 성장소설-불주사는 무서워 · 162

가을

소풍 · 186 / 참새사냥 · 191 / 응답하라 1986 · 201 / 사진은 그리움의 공간 · 208 / 아내와 어머니는 닮았다 · 211 / 양말 · 217 / 엄마의 꿈 · 220 / 미역국 · 224 / 이발소 · 227 / 이웃사촌 · 233 / 고구마 · 238 / 담배농사와 옥수수 · 242 / 전화기 · 248 / 성장소설–소풍 가는 날 · 251

겨울

겨울이야기 · 274 / 썰매와 운동화 · 279 / 지게에 걸린 책가방 · 285 / 설날 · 289 / 달집태우기 · 296 / 변소는 무서워 · 300 / 국수 · 305 / 밥 · 309 / 편지 · 312 / 두 대의 핸드폰 · 318

시모음 · 325

봄

귀밝이술

정월 대보름이면 어머니는 꼭 귀밝이술을 마시라고 따라주었다. 어머니가 담가 논 동동주를 귀밝이술로 사용했다. 그 술은 시간이 흐르고 어른이 되어서 마셨던 동동주와는 다른 오묘한 맛이 났다. 어머니가 대보름마다 귀밝이술을 굳이 먹였던 이유는 귓병을 앓았던 누나 때문인지도 모른다. 두 살 터울의 누나는 어려서 귀에 고름이 생기는 귓병을 앓았다. 처음엔 대수롭지 않게 여겼는데 날이 갈수록 심해졌다.

죽을병이 아닌 이상, 병원에 간다는 건 생각지도 못했던 궁핍한 시절이었다. 누나가 몇날며칠을 끙끙 앓고 열까지 오르자 이윽고 어머니는 단단히 마음먹고 할머니에게 '아무래도 병원에 한번 다녀와야 할 것 같다'고 했다. 하지만 할머니는 애들 때는 원래 다 그렇다며 조금 있으면 괜찮아질 텐데 병원은 무슨 병원이냐며 말도 꺼내지 못하게 했다. 서슬 퍼런 시어머니의 호통에 어머니의 속은 까맣게 타들어갔다. 누나의 귓병은 날이 갈수록 심해졌고, 나중에는 젖도 빨지 못할 정도가 됐다.

그렇게 며칠을 앓다가 겨우 기운이 돌아왔지만, 그때 이후로 귀가 먹어 사람들이 하는 소리를 잘 듣지 못했다. 아들만 귀하게 여기고 딸은 천덕꾸러기 같던 그 시절, 그런 세월의 아픔 속에 누나는 치료 한번 제대로 받지 못했다. 말귀를 잘 알아듣지 못하던 누나는 초등학교도 남들보다 1년 늦게 입학했다. 학창시절 내내 귀머거리라는 놀림을 받아야했을 뿐만 아니라 선생님이 말하는 소리도 잘 듣지 못해 공부는 언제나 꼴찌였다. 집에서도 누나와 대화를 하려면 큰 목소리로 얘기를 해야 했다. 내 목소리가 다른 사람보다 커진 것도 그 영향 때문인지도 모른다.

그래도 누나는 씩씩하고 밝게 자랐다. 어려서부터 농사일에 바쁜 어머니 대신 밥도 하고 빨래도 하는 등, 집안 살림을 도맡아했다. 어느 여름 날, 봉당에 걸어 놓은 양은솥에 불을 지펴가며 수제비를 끓이던 앳된 누나의 모습이 아직도 생생하다. 슬프지만 아름다운 기억이다. 뒷동산의 초록이 마당에 챙을 친 그런 여름날이었다. 그때 먹었던 수제비는 정말 맛있었다. 고등학교 때는 누나와 둘이 자취를 했는데 언제나 집안 살림은 누나가 다 했다. 친구들과 놀러 나갔다가도 끼니 때가 되면 집으로 돌아와 밥을 해서 동생을 먹였다. 누나가 아침에 내 도시락을 쌀 때면 무슨 반찬을 하나 늘 고민을 했다. 덕분에 내 도시락은 학교에서도 인기가 많았다.

누나는 고등학교를 졸업하고 직장에 다니다가 스물두 살에 결혼을 했다. 나는 당시 군복무 중이었는데, 휴가를 받아 누나의 결혼식에 참석했다. 누나가 결혼하는 모습을 보며 앞으로는 고생 그만하고 편하게 살기를 기도했다. 그러나 사람의 일이란 참 알 수가 없다. 누나는 결혼을 하고나서 셋째 며느리인데도 불구하고 시어머니를 모시고 살았다. 방 두 칸짜리 신혼집에서 홀로 된 시어머니를 모시고 살면서도 누나는 불평 한마디 하지 않았다. 오히려 엄마 같다며 좋아했다.

설날, 오랜만에 누나네 가족을 만났다. 그 동안 밀린 이야기도 나누고, 살아가는 이야기를 나누느라 한동안 수다를 떨었다. 누나가 돌아가고 나자 어머니는 '누나도 용돈을 줬는데 매형도 따로 용돈을 주더라' 며 '저 살기도 힘든데 뭐 하러 둘씩이나 주는지' 라며 안타까운 눈빛으로 말끝을 흐렸다. 어머니는 세월이 흐른 지금도 그때 누나를 병원에 데려가지 못한 게 평생 한이라고 말한다. 지금이야 보청기가 있어 소리를 듣는데 불편함이 없지만 학창시절 소리를 듣지 못하는 건 정말 큰 슬픔이고 아픔이었을 게다. 죽고 싶은 심정도 들었다고 하니 그 마음이 오죽했을까. 누나만 보면 그래서 지금도 안타깝고 미안한 마음이 든다.

잃어버린 것들

서울 역에서 문산 역까지 운행하는 경의선 전철에 가방을 두고 내렸다. 의자에 앉아 책을 읽다가 백마 역에 도착한다는 안내방송을 듣고 서둘러 내리다가 가방을 깜빡 잊었다. 평소엔 가방을 신경 써서 가지고 다니는 편이다. 가방 안에 노트북이 들어 있는데다가 아내가 선물한 가방이라 잃어버리지 않기 위해 항상 조심하고 다녔다. 전철 의자에 앉더라도 가방을 무릎 위에 올려놓고 앉았다. 그런데 가방을 잃어버린 날은 평소와 다르게 선반 위에 가방을 올려놓았다.

전철이 출발하기 직전 서둘러 전철에 올라탔다. 빈자리에 앉으려고 보니 양 옆에 앉아있는 사람들이 덩치가 커서 가방을 무릎 위에 올려놓고 책을 보기가 불편했다. 내릴 때 들고 내릴 요량으로 가방을 선반 위에 올려놓고 책을 읽다가 그만 깜빡한 것이다. 생전 처음 가져보는 값비싼 가죽가방이고 더구나 아내의 정성이 깃든 가방이라 더 소중하게 가지고 다녔던 가방이다.

가방을 전철 안에 두고 내렸다는 사실을 깨닫자마자 바로 백마 역무실로 찾아갔다. 다행히 역무원이 내가 탔던 전철의 도착예정지였던 금천 역에 급히 전화를 해서 그곳 역무원을 통해 가방을 찾을 수 있었다. 가방을 찾아준 역무원에게 따뜻한 음료를 건네며 안절부절못했던 마음을 덜 수 있었다.

경의선 전철에서 물건을 잃어버린 게 처음은 아니다.
몇 해 전에는 카드지갑을 잃어 버렸다. 백마 역에서 내려 개찰구를 빠져나오려고 교통카드를 꺼내려는 순간 카드지갑을 통째로 잃어버렸다는 사실을 알았다. 틀림없이 주머니에 넣었는데 어디서 빠졌을까? 개인카드뿐만 아니라 회사카드도 잃어버렸는데 어떻게 하나 걱정스런 마음에 어쩔 줄 몰랐다. 카드가 들어 있어 누군가 주웠더라고 돌려주지 않을 것이라 생각했다. 한참을 고민하다가 혹시나 하는 마음에 역무실을 찾아 갔다. 이때도 천만다행으로 어떤 사람이 주워 금릉 역에 맡겨놓았다고 해서 찾을 수 있었다.

핀란드 출장을 다녀오는 길에는 지갑을 통째로 잃어버리기도 했다. 헬싱키에서 택시를 타고 공항에 내렸는데 잠시 후에 보니 지갑이 보이질 않았다. 택시회사에 전화를 해서 택시기사의 연락처를 알아내 전화를 했는데도 택시 안에는 아무것도 없다고 했다. 항공권은 물론 현금, 개인카드, 회사카드, 출장지에서 쓴 카드 영수증도 모두 그곳에 들어있었다. 지갑을 잃어버렸다는 자책감과 함께 회사에 돌아가면 카드를 잃어버렸다는 소문이 퍼질 것을 생각하니 눈앞이 캄캄했다. 한

국도 아닌 외국에서 지갑을 잃어버렸으니 그 막막함이야 오죽했겠는가. 혹시나 해서 화장실에도 가보고 공항청소부에게도 물어봤으나 지갑은 어디에도 없었다.

결국 마지막으로 택시에서 내린 이후의 동선을 처음부터 따라가기로 했다. 공항에 도착해 처음 앉았던 의자를 살펴보는데 함께 따라나섰던 동료가 의자 밑을 보더니 '저거 아냐?' 라며 묻는다. 의자 밑을 보니 창가와 의자 등받이 사이에 지갑이 떨어져있었다. 의자에 앉아 손을 등받이에 걸치고 뒤로 하고 있을 때 떨어뜨린 것이다. 지갑을 찾고 나서 안도감이 몰려왔다. 그 안도감은 소나기가 지나간 후의 파랗게 갠 하늘 같았다. 창백했던 얼굴색이 돌아오고 마음의 여유가 생겼는지 농담도 할 수 있었다.

중학교 1학년 때는 보온도시락을 잃어버렸다. 점심 때마다 식은 밥을 먹어야 하는 아들이 안쓰러워 어머니는 큰맘 먹고 보온도시락을 사주셨다. 당시 보온도시락은 시골에서는 구경하기 힘든 귀한 물건이었다. 학교 전체에서 보온 도시락을 가지고 다니는 학생들이 열 명도 되지 않던 시절이었다. 돈 한푼이 아쉽던 시절이었다. 어머니는 보온도시락을 사주기 위해 몇날며칠, 아니 여러 달 동안 품을 팔러 다녔을 것이다. 그토록 귀한 보온도시락을 학교에 가져간 첫날 잃어버리고만 것이다.

하굣길에 현관에서 운동화를 신으려 책가방과 보온도시락을 옆에 내려놓았다가 그만 보온도시락을 깜빡한 것이다. 자전거를 타고 막 집으로 출발하려다 보온도시락을 두고 왔다는 사실을 깨닫고 급히 현관으로 달려갔지만 이미 보온 도시락은 자취를 감춘 후였다. 그 보온도시락은 끝내 찾지 못했다. 잃어버리고 나서 되찾은 물건도 많지만 영영 잃어버리고만 물건들도 꽤 많다. 어머니가 처음 사준 운동화를 개울물에 빠뜨려 잃었고, 자전거를 매어놓았다가 잃어버리기도 했다. 심지어는 집에서 기르던 검둥 강아지를 잃어버리기도 했다. 검둥이가 없어진 것은 아직도 미스터리다.

사람들은 살면서 무언가를 잃어버린다. 비가 내리다 맑게 갠 날 우산을 잃어버리기도 하고 지갑이나 시계, 심지어 안경을 잃어버리기도 한다. 최근엔 노트북이나 스마트 폰을 분실하는 경우가 늘고 있다. 살면서 무언가를 잃어버린다는 건 가슴 아프고 슬픈 일이다. 잃어버린 물건이 애지중지 아끼던 물건이거나 특별한 사연이 있는 경우는 더 그렇다. 사랑하는 사람에게서 받은 선물을 잃어버렸거나 지금은 만날수 없는 누군가의 기억에 대한 물건이라면 더더욱 그렇다. 봄 햇살처럼 따스했지만 한 여름 소나기처럼 짧았던 첫사랑의 추억에 대한 물건은 지금은 하나도 남아있지 않다. 헤어짐의 고통을 감내할 수 없어첫사랑 그녀와 관련된 물건을 모두 버렸기 때문이다. 가끔 첫사랑이생각날 때면 첫사랑을 추억할 수 있는 물건 하나 정도는 간직하고 있을 걸 하는 아쉬움이 든다.

지금은 볼 수 없는 사라진 자연이나 환경에 대한 아쉬움과 안타까움
도 있다. 어렸을 적 고향마을엔 아카시아 나무가 지천에 있었다. 5월
이면 아카시아 꽃향기가 온 동네에 진동했다. 달콤한 아카시아 꽃향
기는 어린 마음을 설레게 했다. 꽃향내를 맡으며 나는 꿈을 꾸었다.
바람에 실려 날리는 꽃향기에는 어린 시절의 풋풋한 감정들이 고스란
히 담겨있다. 가위 바위 보를 해서 아카시아 이파리를 손가락으로 쳐
내는 놀이를 했고, 파마를 한다며 이파리를 모두 떨어뜨린 줄기를 머
리에 둘둘 말고 다니기도 했다. 아카시아 꽃이 눈처럼 휘날리면 나무
아래 누워 한없이 흩날리는 꽃잎을 바라봤다. 순결한 빛깔로 허공에
날리다 달콤한 향기를 품고 사뿐히 땅에 내려앉는 아카시아 꽃잎은
황홀한 정도로 아름다웠다. 아카시아 꽃향기를 맡으며 걷던 길을 추
억할 때면 지금도 가슴이 설렌다. 하지만 그 많던 아카시아 나무는 도
로를 넓힌다며 산을 깎아버리는 바람에 모두 베어져 사라졌다. 때로
누군가의 편리함 때문에 다른 사람의 추억이 삭막해지기도 한다.

할머니가 곱게 머리에 바르시던 동백기름을 몰래 훔쳐 바르고 거울을
보며 한참 웃다가 어른들에게 들킬세라 뛰어나가 머리를 감던 도랑과
수로통도 사라졌다. 도랑물을 논으로 돌리기 위해 나무를 깎아 만든
수로통에 머리를 대고 한참동안 머리카락을 헹궜다. 비누도 없이 머

리에 잔뜩 바른 동백기름을 씻어내기는 생각보다 어려웠다. 윗옷은 모두 젖고 머리에 떨어지던 도랑물은 사방으로 튀었다. 실눈을 뜨고 바라본 물방울이 햇빛을 머금어 수백 개의 무지개를 만들어냈다. 무지개는 맑고 투명했으며 세상 그 무엇보다 아름다웠다.

개울가의 버드나무도 사라졌다. 봄이 되면 물 오른 버드나무 가지를 잘라 버들피리를 만들어 불며 논밭을 뛰어다녔다. 버드나무 가지를 잘라 손가락 두 마디 길이만큼 껍질을 비틀어 뽑아 안에 있던 나뭇가지를 빼내고 한쪽 끝의 겉껍질을 살짝 벗겨내면 은은하면서도 울림이 큰 버들피리가 만들어졌다. 입속에 쏙 들어갈 정도로 작게 만든 버들피리는 입속에 감춰져 보이지 않았는데도 울림은 더 컸다.

잃어버린 가방과 카드, 지갑은 되찾았지만 어린 시절의 추억과 그때의 자연 환경은 되찾을 수 없다. 그것을 되찾기에 이미 나는 너무 성숙했고 세상을 너무 많이 알아버렸다. 진정 가슴이 아픈 건 잃어버려서는 안 될 것들을 잃어버린 것이다. 어린 시절의 순수하고 맑았던 마음은 어른이 되면서 점차 희미해지고 급기야 형태를 알아볼 수 없을 정도가 됐다.

산업화, 도시화, 정보화의 물결에 세상은 빠르게 변했고, 빠르게 변하는 세상에서 사람들의 마음에 품고 있던 사랑, 믿음, 이해, 배려, 공감

같은 것도 함께 사라졌다. 소중한 것들을 잃어버린 세상은 삭막하고 사람들의 마음은 황폐하다. 잃어버리지 말아야할 소중한 것들을 너무 많이 잃어버리고 사는 세상에 마음이 쓰리다.

밥 훔치기

대보름이면 빼놓을 없는 행사가 밥 훔치기였다. 우리 동네에서만 그랬는지 아니면 다른 동네도 비슷한 놀이가 있는지는 모르겠지만, 학창시절 우리는 밥을 훔치러 다녔다. 대보름엔 집집마다 동네를 돌아다니며 밥을 나눠먹는 풍습이 있었다. 다른 날은 보통 두 끼나 세 끼를 먹지만 대보름에는 집에서도 다섯 끼를 먹고, 집집마다 마실을 다니며 밥을 얻어먹기 때문에 하루 종일 배가 꺼지지 않았다. 어머니들도 이날만큼은 음식을 아끼지 않는다. 가마솥 가득 오곡밥을 하고 나물도 종류별로 다양하게 많이 무쳐놓는다. 이렇게 마련한 밥과 나물은 대보름이 지나고 나서도 며칠 동안 먹기 마련이다. 냉장고도 없던 시절, 동네사람들은 대보름에 해놓은 오곡밥과 나물을 가마솥과 부엌 찬장에 보관해 두었는데 아이들은 밤이 되면 이걸 훔치러 남의 집 부엌을 드나들었다. 어른들도 아이들이 밥과 나물을 조금씩 덜어가는 것을 용인했고, 나물이 쉬어서 버리느니 아이들이 몰래 훔쳐가기를 바라는 어른들도 있었다. 이런 이유로 대보름이 지나고 일주일 정도는 동네를 돌아다니며 밥을 훔쳐 먹는 게 전통처럼 굳어졌다.

대보름이 지나고 나면 누구네 집에 맛있는 나물이 있다는 식의 정보가 아이들 귀로 흘러 들어왔고, 아이들은 저녁을 먹고 배가 출출해질 때 쯤 삼삼오오 모여 밥을 훔치러 다녔다. 어떤 날은 서로 다른 무리의 아이들이 밥을 훔치러 다니다가 동네 골목에서 마주치곤 했다. 그럴 땐 서로 밥을 훔치러 들어갔던 집에 대해 애기하고 누구네 집은 우리가 찜했으니 너희 들은 딴 집으로 가라는 주문도 했다. 가끔은 밥을 훔치러 들어간 집에서 다른 무리의 아이들을 만나기도 했다. 그럴 때면 뒤꼍에 주저앉아 서로 낄낄대고 웃느라 밥을 훔칠 생각도 잊었다. 낄낄대는 소리에 인기척을 느낀 어른들이 방문을 열고 '누구냐'고 소리치면 걸음아 나 살려라 도망가기 바빴다. 급히 도망가느라 돌부리에 채어 넘어지고도 했지만, 아픈 줄도 모르고 배꼽이 빠져라 웃어댔다. 아이들의 숨죽인 웃음을 열린 방문 사이로 흐릿한 등잔불이 빼꼼 바라보고 있었다.

어른들이 아이들의 밥 훔치기를 용인하기는 했지만 인기척을 너무 내며 돌아다니거나 한 집에 여러 무리들이 번갈아가며 밥을 훔치러오면 창호지 문을 열고 '거기 누구냐'며 한마디 했다. 아이들은 어른들에게 들키지 않기 위해 발소리가 들리지 않도록 고양이걸음을 했으며, 여러 명이 밥을 훔치러 다녀도 부엌에 들어가는 사람은 한두 명뿐이었다. 남의 집 부엌 불을 어디서 켜는지 잘 알고 있는 사람과 가마솥이나 찬장을 소리 내지 않고 잘 여는 사람만이 부엌에 들어갔고, 다른 친구들은 밖에서 망을 보며 기다렸다. 그런데 정작 밥을 훔치다가 들키는 경우는 부엌에 들어간 사람 때문이 아니라 밖에서 낄낄대고 웃는 녀석들 때문이다. 친구들이 아무리 조용히 하라고 해도 웃음보가 터진 친구는 낄낄거리는 소리를 멈추지 못하고, 종국에는 어른들에게 들키고 말았다. 어른들은 너무 시끄럽게 떠들지만 않으면 '저 녀석들 밥 훔치러 왔구나' 하며 모른 척 하기도 했지만 매번 그렇게 넘어가지는 않았다. 큰 바가지를 들고 이집 저집 돌아다니며 밥을 훔쳐서 다 같이 사랑방에 모여 밥을 비벼 먹었다. 웃고 떠드느라 밥이 입으로 들어가는지 코로 들어가는지 몰랐지만 그 시간이 얼마나 재미있었고 즐거웠는지 모른다.

그해 대보름에도 우리는 밥을 훔치러 다녔다. 밥 훔치러 가서 망을 볼 때 너무 낄낄대고 웃느라 정신이 없는 친구들은 가끔 빼놓고 다니기도 했다. 그날도 나와 친구 둘이서 초등학교 동창 여학생이 살고 있는 집으로 소리도 없이 미끄러져 들어갔다. 친구가 부엌 불을 켜고 내가 가마솥 뚜껑을 열려고 하는데 낄낄대기를 잘하는 친구가 어느새 따라왔는지 자기가 한번 가마솥 뚜껑을 열어 보겠다고 나섰다. 네가 열면 들킬 염려가 있으니 바가지를 들고 있으라며 건네주었다. 우리 집에 하나 밖에 없는 소중한 플라스틱 바가지였다. 조심스럽게 솥뚜껑을 여는데 그 친구가 여지없이 낄낄대기 시작했다. 안방과 가까운 부엌에서 낄낄대는데 어른들이 모른 척 할 수는 없는 일이다. 동창 여학생 할머니가 '거기 누구냐' 며 방문을 열고 마루로 나섰다. 그 소리에 놀라 정신없이 도망을 쳤다. 불빛 한 점 없는 어두운 논 한가운데까지 도망쳤을 때까지도 그 친구는 여전히 낄낄대고 있었다. '네가 괜히 따라와서 들켰다'고 핀잔을 줘도 웃음은 멈추지 않았다.

그렇게 한참을 웃다가 바가지 생각이 났다. 바가지는 어디 있냐고 묻자 도망 나오느라 여학생네 부엌에 던져두고 나왔단다. 그 길로 그 날 밥 훔치기는 끝이 났다. 집에 하나 밖에 없는 플라스틱 바가지를 잃어버렸으니 걱정이 이만저만이 아니었다. 부모님이 잠든 방문을 살며시 열고 들어가 아무 일도 없는 척 자리에 누웠으나 잠이 올 리 만무했다. 설핏 잠이 들었다 깼다를 반복했다. 다음날 해가 뜨자마자 동창 여학생 집에 찾아가 방문 앞에서 할머니께 '다음부터는 절대 밥 훔치러 오지 않겠다' 손이 발이 되도록 싹싹 빌었다. 그런 나를 할머니는 한동안 바라보더니 '껄껄' 웃으며 바가지를 건네주었다.

우리가 밥을 훔치러 다닐 나이가 한참 지났을 때 어머니는 그때 그 집 할머니가 네가 '바가지를 돌려 달라'며 마당에서 싹싹 비는 모습이 얼마나 웃겼는지 몰랐다는 말을 했다고 전해 주었다.

마법의 손목시계

잠을 잘 때는 손목시계를 풀어 놓는다. 일상생활에서는 시계를 차고 있는지도 잊어버릴 정도로 익숙하지만 잠을 잘 때는 아무래도 불편하기 때문이다. 간혹 손목시계를 풀어놓은 걸 잊어버리고 잠자리에 들 때도 있는데, 그럴 땐 잠을 자다가 무의식적으로 손목시계를 풀어놓곤 한다.

그때도 그랬다. 손목시계를 찬 채 잠이 들었다가 새벽에 일어나 손목시계를 풀지 않고 잠이 들었다는 걸 깨달았다. 기지개를 켜다가 손끝에 무언가 닿는 느낌이 들었는데 손목시계라는 걸 금방 알아차릴 수 있었다. 불을 켜고 시계를 보니 시계바늘은 10시 50분에 멈춰 있었다. 손목시계는 항상 10시 50분을 가리키고 있었다. 고장이 났기 때문인지 건전지가 없어서인지는 모르겠지만, 시계를 선물로 받고 나서 얼마 지나지 않아 곧 멈춰버렸다. 시계의 가장 중요한 기능인 시간을 알려주는 역할을 수행하진 못하지만 그래도 손목시계를 항상 차고 다녔다. 아들이 아빠 생일이라며 선물해준 시계이기 때문이다.

아들은 초등학교 때부터 시계를 갖고 싶어했다. 자신의 생일이나 크리스마스 같은 때 무슨 선물을 받고 싶으냐고 물어 보면 '시계를 받고 싶다'고 대답했다. 그러나 아들의 바람은 아직 이루어지지 않았다. 가격도 가격이지만, 시계를 차고 다니다가 잃어버릴까봐 그렇다고 아내와 내가 핑계를 댄다. 아들이 얼마나 시계를 갖고 싶어했는지 초등학교 때는 장난감시계를 차고 다녔고, 중학교에 가서는 모형시계를 차고 다녔다. 시계바늘이 고정돼 있는 모형시계를 손목에 차고 '아빠 이거 멋있지'하면서 폼을 잡기도 했다.

아들은 그렇게 멋진 손목시계가 아빠에게 없다는 것이 안타까웠던 모양이다. 아빠 생일을 며칠 앞두고 받고 싶은 선물이 없냐고 물어보더니 검은 가죽 끈이 달린 손목시계를 선물로 주었다. 손목시계를 갖고 싶어 하는 아들이 본인의 손목시계 대신, 아빠의 손목시계를 선택한 것이다. 시계바늘은 멈춰 있지만, 시간을 알려주는 것 이상의 의미를 갖고 있는 손목시계다. 길을 가다가 시계방이 보이면 고쳐야지 생각만 하면서 멈춰 버린 시계를 아직도 차고 다닌다.

십 년 넘게 강의 현장에서 만나왔던 선생님들이 책을 선물로 준 건 그 다음 해이다. 찰스 디킨스의 '위대한 유산'을 비롯해 알베르트 까뮈의 '이방인'까지 십여 권이나 선물로 받았다. 그리고 며칠 뒤 같은 회사에서 근무했던 직원들이 또 다른 선물을 보내왔다. 직원들은 주민등록번호에 표시된 생일에 맞춰 선물을 보내왔는데, 선물이 독특했다.

돈으로는 도저히 살 수 없는 그들과 나의 추억이 담긴 물건이었다. 며칠 간격으로 배달된 선물이 더 없는 기쁨과 행복을 안겨주었다.

연이은 선물을 받고 기쁘고 행복한 마음으로 잠이 든 밤이었다. 손목시계를 벗어 놓는 걸 깜박하고 잠이 들었다가 새벽에 침대 위에서 굴러다니는 손목시계를 발견했다. 기지개를 켜다가 손목시계가 거기 있다는 걸 깨달았다. 무의식적으로 손목시계를 차고 물을 마시고 노트북을 켜고 책상에 앉아 손목시계를 바라봤다.

그런데, 그만 깜짝 놀랐다. 오랫동안 멈춰져 있던 시계바늘이 다시 돌아가기 시작한 것이다. 10시 50분에 멈춰 있던 손목시계가 12시를 가리키고 있는 것으로 보아 내가 깨어나기 한 시간 전부터 다시 움직이기 시작한 모양이었다. 이게 어떻게 된 일일까 궁금한 마음에, 혹시나 하는 마음으로 현재 시각으로 시간을 맞추고 다시 시계를 바라봤다. 여전히 시계바늘이 돌아갔다. 눈앞에서 일어나는 데도 믿지 못할 놀라운 광경이었다. 밤새 잠든 사이에 무슨 일이 벌어졌던 걸까?

마법이라고 생각했다. 선물을 전해준 사람들의 마음, 선물을 받고 즐거웠던 마음이 방안에 마법의 가루를 뿌려놓은 게 틀림없다. 그렇지 않고서야 시계바늘이 다시 돌아갈 수는 없을 테니까. 세월이 한참 지났지만 그때 다시 돌아가기 시작했던 시계는 아직 잘 돌아가고 있다.

중간에 건전지를 갈아 끼우거나 하지도 않았다. 손목시계에 걸린 마법은 아직 풀어지지 않고 있다.

어렸을 적 아버지가 전자시계를 사다준 적이 있다. 전자시계가 처음 나왔을 때라 무척 귀하고 신기하던 때였다. 전자시계는 태엽시계와 달리 시간을 표시해 주는 곳의 바탕이 검은색이었다. 어느 날, 밭에서 일을 하다가 잠시 쉬면서 시계를 바라보다가 시계에 비친 하늘을 보고 순간 놀랐던 경험이 있다. 그 이후로 전자시계는 시간을 알려주는 기능보다 거울의 기능에 더 충실했다. 작은 손목시계를 통해 비춰지는 세상은 그때까지 봐왔던 세계와 전혀 다른 느낌이었다. 시계속 세상을 보며 나는 상상에 잠기곤 했는데, 마치 마법에 나오는 세상처럼 느껴졌다. 나도 모르는 사이에 시계의 마법에 빠져들었고, 그 마법을 한동안 잊고 있다가 아들이 선물해준 시계를 통해 다시 만나고 있는 건지도 모른다.

벚꽃나무 아래서

벚꽃나무 아래서 책을 읽는다. 찰스디킨스의 '위대한 유산' 이다. 주인공 핍이 식품창고에서 음식을 훔쳐 탈옥수에게 가져다주는 이야기, 크리스마스의 오찬, 탈옥수를 잡으러 온 군인들의 이야기가 책장을 넘길 때마다 꽃밭처럼 펼쳐진다.

남녘에 벚꽃이 개화하기 시작한 3월 말, 수영 강이 눈앞에 흐르고 강변에 조성된 산책로를 따라 각자 다른 표정의 사람들이 서로 다른 옷을 입은 채, 다른 발걸음으로 봄을 만끽하고 있다. 강아지를 데리고 나온 젊은 여인들, 유모차에 아이를 태우고 나온 부부, 라디오를 손에 쥐고 음악을 들으며 걷는 사람, 불편한 걸음으로 서두르지 않고 천천히 걷는 노인들이 눈앞을 스쳐 지난다.

산책로를 따라 조성된 자전거 길에도 쉼 없이 자전거가 다닌다. 자전거 전용 옷을 입고 헬멧까지 갖춰 쓴 사람도 있고, 평상복을 입은 사람도 있다. 중학생으로 보이는 아이들은 체육복에 헬멧만 썼다. 학생부터 시작해 청년, 노인들까지 많은 사람들이 자전거를 탄다. 조용히 앉아 책을 읽기엔 시끄럽다고 생각할 수도 있겠지만 그건 책을 읽는 사람의 마음가짐에 달렸다. 온정신을 책을 읽는데 집중한다면 주변의 시끄러운 소리는 이내 들리지 않고, 책 속에 펼쳐진 풍경과 그곳에서 나는 소리, 등장인물들의 대화만이 들릴 뿐이다.

야외에서 책을 읽는 것은 내 오랜 바람이었다. 시골에서 살았던 어린 시절에는 시원한 밤나무 그늘 아래서 돗자리를 펴고 책을 읽고 싶었다. 한 해는 고추를 심고, 한 해는 담배를 심던 재 너머 큰 밭에는 무성하게 가지를 뻗은 큰 밤나무가 있었다. 야산을 개간에 만든 밭이라 주위에 밤나무가 많았다. 시골에서 밭은 힘들게 작물을 심고 가꿔야 하는 그야말로 치열한 노동의 현장이었으니, 그 밭가에 드리운 나무 그늘은 일을 하다 잠깐씩 앉아서 쉴 수 있는 공간이었다. 땀 흘려 일을 하다가 물을 마시거나 새참을 먹을 때 겨우 밭에서 벗어나 밤나무 그늘에 앉아 쉴 수 있었다. 돗자리도 없이 풀 위에 앉아 잠깐 쉬는 것이었지만 밤나무 그늘이 주는 편안함은 한가롭고 평온했다.

밤나무 가지 너머에 푸른 논과, 그 뒤로 조그만 개울과 옹기종기 모여 있는 비탈 밭이 그림처럼 펼쳐졌다. 파란 하늘에 하얀 구름이 몇 조각 떠 있고 바람은 시원하게 불었다. 파란 하늘은 늘 그 자리에 돗자리를 깔고 책을 읽고 싶게 만들었다. 책을 읽다가 졸리면 자고 깨어나면 산딸기나 오디, 두릅을 따먹으며 그렇게 하루를 보내고 싶었다. 그러나 그 바람은 그저 바람일 뿐이었다. 밭에 나갈 때는 언제나 손에 책 대신 호미를 들었다. 농사일이 없는 한가한 어느 여름날에 책을 들고 밤나무 그늘을 찾았는지는 기억이 흐리다. 자라나면서 밤나무 그늘에서 책을 읽었던 기억은 언뜻 떠오를 듯하다가도 이내 사라지기를 반복했다. 아마도 밤나무 그늘에서 책을 읽고 싶은 욕망이 기억의 한쪽을 마련해 몰래 어렴풋한 그림을 그려놓은 건 아닌가 싶다.

이후로도 야외에서 책을 읽은 적은 없다. 고등학교 국어시간에 벚꽃이 눈처럼 휘날리는 교정에서 야외수업을 할 때 벚나무 아래에서 국어책을 읽었던 기억과 대학교 때 야외 수업시간에 두꺼운 전공서적을 읽은 기억밖에 없다. 대학을 졸업하고 직장에 다니면서 부터는 더더욱 이런 기회가 생기지 않았다. 가족들과 여름휴가를 갈 때 몇 번 책을 가져가기는 했지만 물놀이를 하거나 화투놀이를 하기에 바빴지 책을 읽지는 않았다. 그러다가 어느 날 갑자기 야외에서 책을 읽을 기회가 찾아왔다. 그것도 벚꽃이 화사하게 피기 시작하는 조용한 토요일에.

아무도 출근하지 않는 토요일, 사무실에 나와 신문도 보고 책도 읽고 커피도 마시며 한가롭게 시간을 보내고 있었다. 휴일에 사무실에 나오는 건 의외로 많은 즐거움을 준다. 사무실에 나왔지만 일을 하지 않아도 되고, 내가 하고 싶은 것을 아무거나 할 수도 있고, 집에 가고 싶으면 언제든지 가도 된다. 넓은 공간에 혼자 있는 여유도 한껏 누릴 수 있다. 책을 읽다가 졸리면 잠깐 잠을 청할 수도 있다. 그렇게 한가롭게 휴일을 즐기고 있는데 직원 한명이 마무리할 일이 있다며 사무실에 출근했다. 나만의 공간과 시간에 갑자기 뛰어든 직원이 야속하기는 했지만 서로 배려만 한다면 문제될 건 없었다.

나는 조용히 책을 읽기 시작했다. 그런데 그 직원이 라디오를 켜더니 이어폰도 꽂지 않고 스피커로 듣기 시작했다. 처음엔 좀 있다가 끄겠지 생각했는데 한참 시간이 흘러도 끌 생각을 안 한다. 그렇다고 라디오를 꺼달라고 부탁하기도 어색했다. 라디오를 들으며 일을 하는 것은 그 사람의 시간이고 그 사람의 공간이기에.
라디오 소리에 신경을 거슬리다가 벚꽃을 떠올렸다. 그리고 벚꽃나무 아래서 책을 읽고 싶은 욕망이 불쑥 생겼다. 오랫동안 내 안에 숨어 있던 오랜 바람이 벚꽃이 피어나듯 고개를 내밀었다. 주저하지 않고 밖으로 나왔다.

벚꽃이 피어나는 나무 밑 벤치에 앉아 책을 읽었다. 시끄러운 주변의 소음도 책을 읽겠다고 마음먹으니 들리지 않고 정신은 오직 책에 집중되었다. 바람은 시원했다. 벚꽃나무는 수영 강변에 아름답게 투영되고 가지 끝에 닿은 강물은 조용히 흘렀다. 강 건너엔 공원이 보이고 그 위로 파란하늘이 드리워있었다. 그 옛날처럼 파란 하늘에 하얀 구름 몇 조각이 유유히 흘러간다. 오래된 기억 속으로 여행을 다녀온 느낌이었다.

봄

가장 인상 깊게 남아있는 봄의 기억은 고등학교 1학년 때다. 나는 경기도 안성에 있는 안법 고등학교에 입학을 했다. 1909년에 개교한 안법 고등학교는 지역의 사립명문으로 경기도는 물론 충북, 충남 등 각지에서 학생들이 몰려들었다. 하지만 명문학교라는 점보다 더 마음에 든 것은 교정에 흐드러지게 피던 개나리와 벚꽃이었다.

주택가에서 교문으로 이어지는 진입로에는 개나리가 담장을 따라 피었다. 학교 진입로는 대략 50미터 정도였다. 그 길을 따라 노란 개나리가 그야말로 흐드러지게 피었다. 담장 위에서 가지를 늘어뜨려 피어나던 개나리는 장관이었다.

학교 운동장에는 벚나무가 있었다. 교문 바로 옆으로 수십 년이 넘은 벚나무가 몇 그루나 서있었다. 벚나무가 해를 등지고 그림자를 만들면 학교 운동장을 반이나 뒤덮을 정도로 무성했다. 수십 년 된 벚나무에서 흰 꽃이 일제히 피어나는 모습은 탄성을 자아내기에 충분했다. 벚꽃은 교실에 앉아서도 훤히 보였다. 수업시간에 창문을 통해 순백의 벚꽃을 하염없이 바라보던 기억이 선명하다. 봄바람에 벚꽃이 떨어지는 모습은 너무나도 아름다웠다. 흩날리는 벚꽃 외에는 아무것도 보이지 않을 정도로 하얀 꽃비가 쏟아졌다. 그 모습은 다른 세상에 와 있는 듯한 착각을 불러일으켰다.

신작로에 대한 기억도 있다. 논과 밭 사이로 나있는 시골의 좁은 길만 보아오던 나에게 양쪽으로 버스가 왕래해도 충분한 넓은 신작로는 꿈의 길이었고 희망의 길이었다. 흙먼지가 풀풀 날리는 신작로를 보면 심훈의 '상록수'가 떠올랐다. 신작로를 따라 걸으며 언젠가 '상록수' 같은 소설을 쓰고 싶다는 생각을 했다.

자전거로 신작로를 달리다가 시골의 작은 중학교에 간 적도 있다. 같은 반 친구와 함께 자전거를 타고 달리다가 친구가 사는 동네까지 가버린 것이다. 친구가 중학교 때 음악선생님을 만나러 간다고 해서 나도 따라나섰다.

우리는 교실 뒤편의 작은 화단 앞에 앉아 고등학교 생활을 애기했고 선생님은 미소를 머금은 채 우리의 이야기를 들어 주셨다. 선생님의 대학생활에 대한 애기도 들려 주셨다. 그러면서 우리가 앞으로 어떤 꿈을 품고 살아야 하는지 말씀도 해주셨다. 어깨에 닿을락 말락한 선생님의 머리카락 사이로 햇살이 따사롭게 내리쬐던 고등학교 1학년 어느 봄날이었다.

고등학교 1학년의 봄이 이토록 머릿속에 깊게 자리하고 있는 것은 그

때까지 보아 왔던 봄과는 다른 모습이었기 때문이다. 초등학교와 중학교를 시골에서 졸업한 나에게 안성은 새롭고 낯선 도시였다. 처음으로 부모님과 떨어져 혼자 독립해 살던 시기였고 친구들도 낯설기만 했다. 하지만 안성에 대한 추억은 아쉽게도 고등학교 2학년 봄에 끝나고 말았다. 고등학교 2학년에 올라가면서 나는 이과를 선택했다. 2학년이 되면 문과나 이과 중 하나를 선택해야 한다는 사실도 몰랐으며 문과와 이과가 어떻게 다른지는 더더욱 몰랐었다.

고등학교 2학년이 되자 야간자율학습을 받게 되었다. 학교에서 학생들을 밤 10시까지 붙잡아 두었는데 나도 그 무리에 끼게 되었다. 물리, 지구과학, 화학 등 이과에서 배우는 과목은 나를 당황스럽게 했다. 수학은 그런대로 쫓아갈 만했으나 이과의 다른 과목들은 내겐 너무나도 생소하고 어려웠다. 논리적으로 이해해야 하는 과목에 대한 두려움이 커졌고, 원하지도 않는데 밤 10시까지 학교에 붙들려있어야 한다는 것도 나를 지치게 했다.

그러던 중 결정적으로 내가 학교에 적응하지 못하게 된 사건이 발생했다. 어느 날 야간자율학습시간에 뒷자리에 앉아있던 친구에게 모르는 문제를 물어보다가 선생님의 지적을 받았다. 선생님은 나를 앞으로 불러내 왜 떠드느냐고 물었다. 난 모르는 문제를 물어보는 중이었다고 대답했다. 선생님은 그게 떠든 게 아니면 뭐냐, 난 모르는 문제를 물어봤을 뿐이라고, 그렇게 몇 번 실랑이가 오간 끝에 선생님은 나를 복도로 불러내 벽을 잡고 엎드리게 한 뒤 체벌을 했다. 선생님은 체벌을 하면서도 왜 떠들었냐고 따졌다. 난 계속 떠든 게 아니라는 주장을 굽히지 않았다. 이때부터 선생님은 쉬지 않고 나를 때렸다. 선생님은 살이 터져 피가 나오는 모습을 보고서야 매질을 멈추었다.

그 일이 있고 난 뒤 얼마 후 교실에서 친구와 시비가 붙어 싸움이 났다. 수업시간이 되어 싸움이 일단락난줄 알고 있었는데 수업 중에 그 친구가 뒤에서 날카로운 물건으로 내 어깨를 찔렀다. 나는 비명을 지르며 쓰러졌다. 이 일로 나와 가까운 친구들과 그 친구들 패거리 사이에 일촉즉발의 긴장감이 한 달 넘게 지속되었다. 학교폭력의 문제까지 커지지는 않았지만 난 학교에 대한 흥미를 서서히 잃었다. 학교를 다녀야하는 이유를 찾지 못했다. 또한 같은 반 친구들 사이에 싸움이 날 뻔했다는 사실도 나를 자책감에 빠지게 했다. 밤 10시까지 하는 야간자율학습도 견디기 힘들었다. 난 부모님께 자퇴를 하겠다고 얘기했다. 결국 그해 6월, 벚꽃이 다 져버린 교정을 쓸쓸히 떠났다. 고등학교 2학년의 봄이 막 끝나가던 무렵이었다.

봄은 늘 설레게 다가왔다.
새싹이 돋아나던 들판을 걸어 초등학교에 입학하고 봄마다 새 학년이 되었다. 중학교, 고등학교 그리고 대학교도 봄에 입학했다. 매년 봄이

왔지만 우리는 항상 새 봄을 맞이했다. 새 봄은 늘 가슴을 설레게 했다. 새로운 희망을 주었고 새로운 용기를 심어주었다. 초등학교 시절의 봄은 기척도 없이 산속에 홀로 피었다가 사라지는 진달래 꽃잎처럼 희미한 기억만을 남긴 채 지나갔고 중학교 시절의 봄은 사춘기의 홍역을 앓았다. 설레는 마음으로 들어간 대학시절의 봄은 아련함으로 기억된다. 첫 MT, 첫 미팅, 그리고 첫 사랑. 좋아한다는 말 한마디 못하고 떠나버린 첫 사랑처럼, 대학시절의 봄은 아쉬움만 가득하다.

봄을 느끼기도 전에 봄날은 늘 지나가지만, 그래도 봄에 만났던 설렘과 새로움은 기억속에 남아있다. 해마다 긴긴 겨울을 이기고 찾아오는 봄을 새로운 마음과 기분으로 맞는다. 지금까지 지나왔던 봄처럼 이번 봄도 아쉬움을 남기고 지나가겠지만 학창시절의 봄을 기억하듯이 봄도 새로운 기억으로 남을 것이다.

며칠 전, 봄꽃을 촬영하기 위해 카메라를 들고 집을 나섰다. 스마트폰으로 전국의 봄꽃 소식이 실시간으로 전송되는 세상이지만 직접 몸으로 봄을 느껴보고 싶었다. 길가에 만개한 목련, 벚꽃, 개나리를 촬영하다가 문득 요즘의 학생들은 봄을 어떻게 기억하고 있을까 궁금했다. 그 아이들도 나처럼 설렘과 새로움으로 봄을 기억할까 생각하다가 갑자기 가슴 한쪽이 답답해지는 걸 느꼈다.

목련화

1980년대 중반의 어느 해 봄, 당시 나는 고등학교 1학년이었다. 중학교를 졸업하고 대처에 있는 고등학교에 진학한 나에게 그해 봄은 새로웠다. 시골과 달리 학교가 많았고 학교마다 다른 교복을 입고 다니는 것도 신기했다. 버스터미널 근처에서 자주색 교복을 입고 스쳐 지나간 여학생에 대한 기억은 오랫동안 머리속에 남았다.

그해 사월, 같은 반 친구가 자기가 사는 동네에 놀러가자고 했고, 자전거를 타고 친구가 사는 동네에 함께 갔다. 토요일이었다. 자전거를 타고 일직선으로 쭉 뻗은 도로를 시원한 바람을 맞으며 달려갔다. 얼굴을 스치는 바람은 신선했고, 짙푸른 나뭇잎에서 풍기는 신록의 향기는 상큼했다. 우리는 친구가 졸업을 했다는 중학교에 찾아갔다. 그곳에서 중학교 때 친구를 가르쳤다는 음악선생님을 만났다. 긴 머리에 아름다운 외모를 가진 여선생님이었다. 우리는 하얀 미소로 우리를 반겨준 여선생님과 함께 웃고 떠들며 즐거운 시간을 보냈다. 선생님은 우리를 음악실로 데려 갔고 피아노를 치며 노래를 불러 주었다. "오오 내 사랑 목련화야, 그대 내 사랑 목련화야. 희고 순결한 그대 모습 봄에 온 가인과 같고~."

생전 처음 들어보는 노래였다. 노래는 아름다웠다. 노래를 부르는 선생님의 목소리는 더 아름다웠다. 신록의 푸른 그늘이 음악실 유리창을 통해 들어왔다. 선생님의 청아한 목소리에 나는 넋을 잃었다.

그날의 기억은 거기서 끝났다. 선생님과 어떻게 헤어졌고, 어떻게 집으로 돌아왔는지도 기억나지 않는다. 다만 기억나는 건 선생님의 환한 미소와 신록의 푸른 숲으로 번져 나갔던 낭랑한 노랫소리뿐이다.

모내기

'모내기철이 되면 온 동네 사람들이 두레를 결성해 힘을 모아 모를 심는다. 누구네 논이 먼저랄 것 없이 가까운데 있는 논부터 모를 심어 나간다. 동이 트기 시작하면 하나둘 못자리 논으로 모여들고 한 뼘 크기로 오밀조밀하게 파종되어 있는 모를 일일이 손으로 뽑아 한 손에 쥐기 좋을 정도의 묶음으로 만든다. 짚으로 묶은 모는 지게를 이용해 논에 옮겨 놓는다.

아침 햇살이 물살에 찰랑일 때면 본격적으로 모내기가 시작된다. 못줄을 길게 띄워놓고 못줄을 따라 적당한 간격으로 사람들이 늘어선다. 그리곤 묶어놓은 모를 풀어 심기 시작한다. 모를 심을 때는 손발이 잘 맞아야 한다. 많은 사람들이 동시에 모를 심기 때문에 누구 하나 어긋나면 그만큼 일이 늦어진다. 모를 심으며 사람들은 흥겨운 농부가를 부르고 그 소리에 맞춰 파릇파릇 일정한 간격으로 모가 심겨진다.

오전 10시쯤 되면 새참이 나온다. 큰 소쿠리를 머리에 이고 물주전자와 술주전자를 양손에 나눠든 아낙은 미끄러운 논둑길을 잘도 걸어온다. 시원한 나무그늘에 새참을 펼쳐놓고 아주머니는 '어여들 나오라' 며 사

람들을 손짓해 부른다. 흐르는 물에 대충 손발을 씻고 논 밖으로 나온
농부들은 커다란 사발 가득 막걸리를 따라 단숨에 들이킨다.'

예전에 손으로 모를 심을 때의 풍경이다. 이제 손으로 모를 심지 않는
다. 1990년대에 들어서면서 이앙기가 보급되기 시작했고 묘하게도 농
촌이 기계화되면서 젊은 사람들이 농촌을 떠나기 시작했다. 농촌의
기계화가 먼저인지 젊은 사람들이 농촌을 떠난 게 먼저인지는 명확하
지 않다. 요즘은 시골에 남아 농사를 짓고 있는 몇몇 젊은이들이 커다
란 이앙기를 끌고 온 동네의 논에 모를 모두 심어준다. 젊은이라고 해
봐야 쉰 살을 훌쩍 넘긴 사람들이지만 이젠 그 사람들 중에서도 전업
으로 농사를 짓는 사람들이 별로 없어 그네들의 손을 빌리기도 점점
힘들다. 그러다보니 시골에서는 논에 모를 심기 위해 동네사람들끼리
때 아닌 다툼이 생기는 경우도 종종 생긴다. 남들 논에 다 모를 심었
는데 자기네 논에 모를 심지 못하면 괜스레 조바심이 나기 마련이다.
모를 심어주러 다니는 사람이 순서대로 다 심어준다고 철썩 같이 약
속을 해도 팔순을 바라보는 시골노인들은 그저 모를 늦게 심는 게 안
타깝고 조바심이 들 뿐이다.

시골에 계신 어머니도 그렇다. 모를 심을 철이 되면 하루에도 몇 번씩
논을 오가며 언제 모를 심을 수 있을지 걱정이 태산이다. 그렇게 몇날
며칠을 걱정하다가 나에게 전화를 한다. 전화에 대고 다른 집은 모내

기를 다 했는데 우리는 언제 모내기를 할지 날도 못 잡고 있다며 걱정이 태산이다. 이웃동네에 살고 있는 초등학교 선배한테 전화를 넣어 날을 잡을 테니 걱정하지 말고 논에 물이나 잘 대놓으시라고 했다.

모 심을 날짜를 정하고 다시 어머니께 전화를 했다. 돌아오는 일요일에 모를 심기로 했으니 모 심기 며칠 전부터 물을 자박자박하게 빼놓으시라고 부탁했다. 이앙기로 모를 심을 때는 논에 물이 거의 없다싶을 정도가 돼야 한다. 그래야 모가 물에 뜨지 않고 잘 심겨진다. 논에 물이 많으면 모가 뜨고, 결국 사람이 논에 들어가 일일이 뜬 모를 다시 심어야 한다. 모를 심기 며칠 전부터 시골에 전화를 해 '논에 물을 빼 놓았냐'고 물었다. 물을 때마다 아버지는 '그렇다'고 대답했다. 교통사고를 당한 이후 몸이 성치 않은 아버지라 내심 불안하기는 했지만 내가 직접 내려가 보지 못하니 어쩔 수 없었다.

모를 심는 날 새벽, 아내와 아이들을 태우고 시골로 갔다. 모를 심기 위해서는 이앙기판에 길러놓은 모를 논으로 실어 날라야 했기 때문이다. 시골에 도착해 아침밥을 먹고 경운기에 모를 싣고 논으로 갔다. 그런데 물을 쭉 빼놓았다는 아버지 말과 달리 논에 물이 그득했다. 몸이 성치 않으면서 정신까지 흐릿해진 아버지가 물꼬를 열어 물을 빼다 하면서 수로에서 물이 들어오는 입구를 막지 않은 것이다. 서둘러 물꼬를 다시 열고, 논둑 중간을 허물어 물꼬를 하나 더 냈다. 물꼬를

다 열고, 없는 물꼬도 더 만들어 물을 빼지만 2천 평이 넘는 논의 물은 줄어들 기미가 없었다. 모를 심을 정도가 되려면 반나절은 더 지나야 할 것 같았다. 학교 선배에게 전화를 걸어 '논에 물이 덜 빠져 아침나절엔 심기 힘들 것 같다'고 하자 '그럼 조금 천천히 가겠다'고 했다. 그렇게 한참을 논바닥에 앉아 물이 빠지기를 기다렸다.

그런데 논에 물이 다 빠지지 않았는데 이앙기를 끌고 선배가 왔다. 논을 둘러보더니 살살 심어 보겠단다. 이앙기가 지나간 자리에 8줄씩 나란히 모가 심기고 물결만 일렁이던 논이 파릇하게 변해갔다. 모내기가 반 정도 끝났을 무렵 아내와 어머니가 새참을 가져왔다. 예전엔 어머니가 광주리를 머리에 이고, 나는 막걸리 주전자를 들고 어머니를 따라 논에 가곤 했다. 막걸리 주전자를 들고 가다가 어머니 몰래 한 모금씩 마시곤 했는데 몇 모금만 마셔도 하늘이 빙글빙글 돌았다. 그런 상태로 논둑길을 걸어가다가 미끄러져 넘어지기도 했는데, 신기하게도 막걸리 주전자는 떨어뜨리지 않았다.

논둑에 자리를 펴고 새참을 먹었다. 막걸리를 그득하게 한잔 따라 쭉 들이켰다. 선배에게 한잔 권하자 일 할 때는 마시지 않는다며 물만 들이켰다. 많은 사람들이 시원한 나무그늘에 둘러앉아 마시는 막걸리는 아니지만, 그래도 힘든 농사일 뒤에 마시는 막걸리는 시원하고 맛있다. 모내기는 반나절이 지나기 전에 끝났다. 예전 같으면 며칠 걸렸을 일이 반나절 만에 끝나다니 새삼 세월의 흐름과 변해버린 세상의 모습을 실감했다.

모내기를 마치고 서울로 돌아오며 어머니에게 일주일 동안은 절대 논에 들어가시지 말라고 신신당부했다. 논에 심겨진 모가 일주일은 지나야 땅내를 맡고 뿌리를 내리기 때문이기도 하지만 고령의 어머니가 논에 들어가 힘든 일을 하는 게 안타깝기 때문이었다. 일주일 뒤에 다시 내려와서 뜬 모도 심고 논에 물도 댈 테니 아무 걱정 말고 집에서 편히 쉬라고 몇 번이나 다짐을 받았다. 어머니는 알았다며 이제 모도 심었으니 아무 걱정 없다며 어여 가라셨다. 어머니가 그렇게 말은 하지만 내가 가고 나면 당장 내일부터 논에 들어가 뜬 모를 심으실 게 뻔했다. 평생을 농사를 지으며 살아왔는데 단 하루라도 논에 가보지 않고는 당신 스스로가 견뎌내지 못한다. 그렇게 힘들게 농사를 지으며 자식들을 키우고 건사시킨 어머니다. 이 세상 모든 어머니는 위대하다.

난 생선머리가 젤 맛있더라

순창에 가야할 일이 생겼다. 9시까지 도착하려면 집에서 새벽 3시에 출발해야 한다. 밤눈이 어두워 야간운전이 마음에 걸리고 혼자 몇 시간을 운전해야 한다는 부담도 있었다. 하루 먼저 출발해 음성에서 자고 새벽에 순창으로 가면 훨씬 편하지 싶었다. 부모님을 찾아 뵌 지 서너 달이 지났으니 고향에 한번 들를 때도 됐다.

"멀리까지 힘들어서 어떡하니?"
어머니는 아들이 순창까지 가야 한다는 말에 걱정부터 앞선다. 퇴근하고 가면 밤늦게 도착하니 아무것도 준비하지 마시고 그냥 계시라고 당부했다.
"그래. 알았다. 조심해서 내려와라."
목소리에 약간의 책망과 반가움, 설렘이 묻어난다.

"삐~걱."
대문 열리는 소리를 듣고 잰걸음으로 어머니가 나온다.
10시를 코앞에 둔 시간. 9시 전에 잠자리에 드는 게 일상인데 눈꺼풀을 대들보에 매달아 두고 잠 못 들고 계셨을 게 분명하다.

46

어깨에 둘러맨 조그만 가방을 당신 달라며 말보다 손이 먼저 달려온다.

"얘야. 이것 좀 먹어 봐라."

집으로 들어서니 마루의 조그만 반상에 뽀얀 국물과 소금종지, 김치가 놓여있다.

"그게 뭐예요?"

"닭 두 마리 사다 고았어. 너도 먹고 아버지도 잡숫게."

"저녁 먹고 왔어요."

옷을 갈아입겠다며 방으로 들어서며 말했다.

"그래도 조금만 먹어 봐라. 저 건너서 샀는데 닭이 얼마나 좋은지 몰라. 인삼도 한 뿌리 넣었다."

목소리에 서운함이 가득하다.

옷을 갈아입고 물을 마실 요량으로 다시 마루로 나섰다.

"푹 고아졌네."

어머니는 가스 불에 올려놓았던 닭을 꺼내 살을 찢어 반상 위에 올려놓는다.

"이런 거 왜 하셨어요. 힘들게."

아이 손목 굵기 만한 인삼이 접시 한가득이다. 인삼이 담긴 접시에 어머니는 연신 닭고기를 찢어놓는다. 한 점 입에 물고 먹어본다.

"맛있어요."

배고프지는 않지만 부러 쩝쩝 소리를 내며 먹는다.

"저 건너서 두 마리를 만원에 팔더라. 아버지도 아까 한 그릇 드셨어."
어머니의 얼굴에 비로소 엷은 웃음이 퍼진다.

어머니는 늘 이렇다. 고향에 오면 무언가를 잔뜩 해놓는다.
'아무것도 하지 말라'고 전화로 신신당부를 해도 말로만 '알았다' 할
뿐이다. 언젠가 손주가 팥죽을 맛있게 먹는 걸 보고는 다음번에 고향
에 내려가니 팥죽을 한 함지박이나 해 놓았다. 손주는 그 팥죽을 몇
그릇이나 먹었다. 인절미가 맛있다고 하면 쌀을 한 말 빻아서 떡을 만
들어놓고, '물김치 맛있네' 하면 한 항아리 가득 물김치를 담가놓고 집
에 가져가 먹으란다.

명절이 되면 어머니의 손은 더욱 커진다. 송편을 만든다며 찹쌀을 세
말이나 빻아놓고 커다란 고무 함지박에 만두 속을 그득하게 다져놓는
다. 그래 놓고는 "여기 저기 주고 나면 남는 것도 없다"고 말한다. 유
독 만두를 좋아했던 자식을 떠올렸을 게다. 차례 상에 올릴 전도 한
없이 부쳐낸다.
"애비가 옛날에 이걸 엄청 좋아 했어, 몰래 하나 집어 먹으려고 하면
제사 때 쓸 거라고 못 먹게 했지."
목멘 소리를 하신다.
배고프고 없던 시절, 제대로 먹이지도 입히지도 못했다고 한이 맺힌
듯 습관처럼 되뇌신다.

"얘야. 이것 좀 먹어 봐라."

금방 부쳐낸 전을 건네주신다.

음식을 하는 열기 때문인지, 뜨거운 전 때문인지 모를 습기가 눈가에 밀려든다. 옛날, 어느 날. 어쩌다 생선이라도 한 마리 굽게 되면 어머니는 늘 이렇게 말하셨다.

"난 생선머리가 젤 맛있더라!"

찔레꽃

찔레꽃 노래를 들으면 고향 생각이 난다. 노래 가사처럼 내가 살던 시골에도 찔레꽃이 흐드러지게 피었다. 햇살이 따뜻해지기 시작하는 5월이면 야산의 양지바른 곳에 찔레꽃이 군락을 이루며 피었다. 하얀 꽃이 무리지어 있는 모습은 몇 백 미터 떨어진 곳에서도 보였다. 바람에 실려온 연한 꽃향기가 코끝을 간질이곤 했다.

찔레의 연한 새순은 꺾어서 고추장에 찍어먹기도 했다. 찔레순은 물기가 많다. 입에 넣고 씹으면 물방울이 연잎을 타고 구르듯 혀에 물기가 또르르 굴렀다

시골집 마당에도 찔레나무가 있었다. 마당을 빙 둘러싼 찔레나무는 마당과 바깥을 구분 짓는 담장역할을 했는데 야산과 달리 군데군데 작은 구멍이 있었다. 담장처럼 둘러친 찔레나무의 하얀 꽃을 한참동안 바라보면 무성한 꽃잎 때문인지, 봄 햇살 때문이지 아찔한 어지럼증이 생기기도 했다. 그럴 때면 흐드러진 찔레꽃 그늘을 헤집고 빠져나가면 이곳과는 다른 세상이 펼쳐질 것만 같은 생각이 들었다. 찔레순을 따다가 몇 번이고 덤불을 헤집고 반대편으로 가보았지만 거기에 새로운 세상은 없었다. 다만 찔레 가시에 찔리고 할퀴어진 몸에 실핏

줄 같은 붉은 상처들만 남았다.

찔레꽃 노래를 들으며 찔레꽃을 왜 붉다고 했을까 궁금했다. 내가 살던 고향에서 본 찔레꽃은 모두 흰색이었다. 가사가 잘못됐거나 작사가도 나처럼 찔레 가시에 찔려 몸에 붉은 상처가 생겼던 기억이 있을지도 모른다고 생각했다. 찔레꽃이 흰색만 있는 게 아니라 붉은색도 있다는 걸 불과 몇 년 전에 알았다. 어느 자리에서 우연히 찔레꽃 이야기를 하다가 자리에 동석했던 지인 중 한 사람이 당신의 고향에 붉은 찔레꽃이 핀다는 애기를 했다. 그때서야 남쪽에선 붉은 찔레꽃이 피는 고장도 있다는 사실을 알았다.

어린 시절, 찔레꽃과 함께 나를 상상의 세계로 이끌었던 꽃이 더 있다. 샐비어다. 초등학교 교실 앞의 화단에 가지런히 피어있는 샐비어는 야산이나 들판에서 쉽게 보던 꽃과는 모양이 달랐다. 길쭉한 모양이 밭에 심어 놓은 참깨를 닮아 우린 샐비어를 깨꽃이라 불렀다. 샐비어 꽃을 입술에 물고 끄트머리를 빨면 달콤한 꿀이 나왔다. 달착지근한 맛과 그동안 한번도 보지 못했던 생소한 모양의 샐비어는 유럽의 어느 시골마을을 떠오르게 했다. 알프스 소녀 하이디가 풀밭에 누워있다가 샐비어 꽃을 발견하고 뛰어가는 모습을 상상했다.

산딸기를 보면 어머니가 떠오른다. 어머니는 일손이 없는 날이면 산에 올라 산나물을 채취하곤 하셨다. 어머님의 고향인 점골은 산이 높아 각종 산나물이 풍성하게 자랐다. 어머니는 아침을 일찍 먹고 점심 도시락을 싸서 산에 올랐다. 도시락 반찬은 고추장이 전부였다. 고추장 하나로 어떻게 밥을 먹느냐 물으면 산나물에 싸서 먹으면 된다며 옅은 미소를 지으셨다. 어머니가 산에 가시는 날이면 나도 학교가 끝나자마자 집으로 돌아왔다. 어머니의 나물 보따리에는 실려있을 머루, 다래, 으름 등 산과일을 맛보기 위해서다.

어느 날, 산에 다녀오신 어머니의 손에 빨간 산딸기가 들려있었다. 어머니는 산딸기를 보따리에 넣어 묶으면 행여나 으깨질까봐 오 리가 넘는 거리를 한손으론 무거운 나물보따리를 지탱하고 한손엔 산딸기를 조심스레 들고 그렇게 걸어오셨다. 검붉은 산딸기 줄기에는 가시가 촘촘히 박혀 있었다. 산딸기가 어머니를 닮았다는 생각을 했다.

시골에는 온갖 꽃들이 피고진다. 5월이면 아카시아 향기가 온 동네에 진동했고 개암나무 열매가 숲속에서 익어 갔다. 눈길 닿는 곳마다 까마중이 있었고, 길가에 싱아도 무성하게 자랐다. 뒷마당의 앵두꽃도 하얗게 피었고, 대문가의 복숭아꽃도 고운 자태를 뽐내며 피어났다. 어린 시절을 이렇게 온갖 야생화와 산과일과 함께 성장했다.

나는 괜찮다

드르륵. 미닫이문 여는 소리에 설핏 잠에서 깼다. 새벽 6시. 아버지가 벌써 일어나신 모양이다. 창문 틈 사이로 여명이 비친다. 자리에서 일어날까 고민을 하다가 조금 더 자기로 했다. 고향집에선 잠을 설치는 법이 없다.

한 시간 정도 더 잠을 잤다. 꿈을 꾸었는지는 모르겠다. 수돗물 흐르는 소리와 전기밥통 여닫는 소리에 잠을 깼다. 밖은 이미 환하게 날이 밝았다.

"더 자지 왜 벌써 일어났니?"

숟가락으로 냄비를 뒤적이던 어머니가 말을 건넨다. 된장찌개를 끓이는지 구수한 냄새가 마루에 한가득이다.

"애 깨지 않게 조용히 하라니까."

뒤뚱거리는 걸음으로 빗자루를 들고 마루를 쓸던 아버지가 어머니에게 핀잔을 준다.

"시끄러워서 깼니?"

"아녜요. 일어나야죠, 벌써 이렇게 환한데. 논에 비료도 줘야 하잖아요."

"아침밥 먹고 천천히 해도 돼."

"밥 먹기 전에 후딱 뿌리고 올게요."

비료를 뿌리러 간다는 말에 아버지는 벌써 자전거에 고무통과 낫을 싣고 집을 나선다. 함께 차를 타고 가도 될 텐데 아버지는 꼭 자전거를 타고 간다. 주섬주섬 옷을 입고 논으로 향했다. 아버지는 아직 논에 도착하지 않았다. 다른 길로 오겠거니 생각하고 비료를 뿌리기 시작하는데 길을 가던 동네 아저씨가 말을 건다.

"뭐 뿌리냐?"

"복합비료하고 땅심 돋우는 비료요."

"비료 뿌리고 바로 논 갈아야 돼. 네가 기계 부리는 사람한테 얘기해서 논 갈아달라고 해라."

"네."

"아버지는 어떠시냐?"

"들에 왔다갔다 하세요. 많이 좋아지셨어요."

"그래. 네가 좀 더 자주 내려오도록 해라. 살아계실 때 자주 와야지, 돌아가시고 나면 아무 소용없는 거야."

"네."

아버지는 7년 전에 크게 교통사고를 당했다. 의사는 아버지가 깨어나기 힘들 거라며 식구들에게 마음의 준비를 하라고 했다. 그러나 아버지는 열흘 동안 사경을 헤매다가 기어코 깨어났다. 의사는 기적이라고 했다. 그러면서 아버지가 깨어나기는 했지만 평생을 침대에서 누워 지내야 할지도 모른다고 했다. 그러나 아버지는 입원한 지 2개월이 지나면서 조금씩 거동을 하기 시작했고 8개월 만에 퇴원을 했다. 비록 사고 후유증으로 몸이 성치 않고 정신도 가끔 오락가락하지만 하루에도 열두 번씩 자전거를 타고 논을 살펴보러 다닐 정도로 건강이 회복됐다. 아버지는 그때 당신이 죽었다가 깨어났다고 말했다.

비료를 한 포 뜯어서 논에 뿌리고 있는데 멀리서 아버지가 자전거를 타고 온다.

"어디 갔다 오셨어요?"

"텃밭에."

"거긴 왜요?"

말이 없다. 자전거를 길가에 세우더니 짐받이에 싣고 온 고무통과 낫을 들고 논으로 들어온다. 아버지가 들고 온 고무 통에 비료를 쏟아붓는데 아버지가 조금 남겨놓으라며 손짓을 한다. 당신도 비료를 뿌리겠다는 뜻이다.

비료를 뿌리는 아버지의 발걸음이 자꾸만 뒤뚱거린다.

온전치 못한 걸음으로 비료를 뿌리는 아버지를 보며 젊었을 땐 그렇게 건강했는데 벌써 세월이 이렇게 흘렀구나하는 생각에 가슴이 먹먹해 온다. 아버지는 다부진 몸매였다. 키는 작아도 남들보다 힘이 셌다. 동네에서 부리기 힘들다고 소문난 황소도 아버지 앞에선 고분고분했다.

예전에 고향마을에선 담배농사를 많이 지었다. 담배는 다른 농사에 비해 일이 많지만 그만큼 수익이 많다. 담배 잎은 수확한 뒤 새끼줄로 엮어 건조실에서 일주일 정도 불을 때서 말려야 했다. 아버지는 담배 잎을 말리려고 여름 내내 건조실 아궁이에 불을 지폈다. 더운 여름날, 흙벽돌로 만든 건조실 아궁이의 훨훨 타오르는 불길 속으로 물에 갠 석탄을 집어넣던 아버지의 몸은 군살 하나 없을 정도로 탄탄했다. 활활 타오르는 아궁이의 시뻘겋고 뜨거운 불길을 온몸으로 받아내던 아버지의 모습, 담배 잎을 다 말리고 난 뒤 꺼져가던 불길 속에 구워먹던 감자의 맛이 기억 속에서 오버랩된다. 내가 중학교에 다닐 무렵이었다. 지금 중학교에 다니고 있는 아들은 나를 어떻게 기억하게 될까. 중학교의 내가 그랬던 것처럼, 아들도 중학교 다닐 때 보았던 아버지의 모습을 기억할 것이다.

비료를 뿌리고 집에 돌아와 아침밥을 먹었다. 그런데 어머니가 입맛이 없다며 흰죽을 끓여 드신다.
"입맛이 없어요?"

"그러게다. 병원에서는 밥 잘 먹어야 퇴원할 수 있다고 해서 밥 한 그 릇을 뚝딱 비웠는데 집에 오니 통 입맛이 없다."

며칠 전까지 병원에 계셨는데 그새 몸이 온전할 리 만무하다. 어머니는 혈관 확장수술을 받았다. 병원에서 혈관이 좁아져 피가 잘 통하지 않는다며 수술을 권했다. 의료기술이 좋아져 전신마취를 하지 않고 레이저로 간단하게 할 수 있는 수술이라고 했다. 수술을 받기 위해 사나흘 정도 병원에 입원해 있었다.

어머니는 몇 달 전부터 가슴이 아프다고 하셨다. 겨울이 되면서 가끔 가슴이 답답하고 콕콕 찌르는 것처럼 아프다고 하더니 봄이 되면서 통증이 더 심해지셨다. 힘든 농사일을 하고 난 뒤에는 몸을 움직이지 못할 정도로 아프다고 했다. 병원에서는 심장혈관이 막혀 피가 잘 통하지 않아서 가슴에 통증이 오는 거라며 수술을 해야 한다고 했다. 간단한 수술이기는 하지만 수술이 끝나고 나서도 한동안은 몸을 아껴야 한다고 의사는 말했다. 무거운 물건은 들지 말고 농사일을 절대 하지 말라고 신신당부했다. 병원에서 한동안 농사일 하지 말라고 했는데도 어머니는 퇴원한 지 이틀 후부터 밭에 나가 일을 했다. 주말에 내려가 텃밭에 고추를 심겠다고 했는데도 불구하고 내가 내려오기 하루 전인 금요일에 벌써 고추를 심어 놓았다.

"제가 내려와서 한다니까 왜 하셨어요."

"고추 심을 것도 몇 고랑 안 되는데, 아버지하고 둘이 해도 금방 해.
물이 잘 나와서 금방 심었어."

텃밭에 설치했던 모터펌프가 작동이 안 돼 일주일 전에 고쳤다. 펌프
를 수리하고 호스를 연결해놓아 텃밭에 물을 주기 편하도록 만들었
다. 아버지가 밭고랑에 구멍을 뚫고 물을 주면 어머니가 고추모를 심
었을 것이다.

물 호스를 끌고 오느라 몸이 불편한 아버지는 몇 번이고 엉덩방아를
찧으셨을 테고 어머니는 고추 모판을 들 힘조차 없어 고랑 위에 모판
을 올려놓고 손으로 밀고 다니며 심으셨을 것이다.

밭고랑 위에 몇 번을 넘어지셨을 아버지와 아픈 몸을 이끌고 일을 하
셨을 어머니의 모습이 떠올라 뿌옇게 눈물이 앞을 가렸다.

"팔 좀 걷어 보세요."

팔 전체가 까맣게 멍이 들어있다. 수술을 받기 위해 마취주사를 찌른
자국이 선명하다. 어머니는 팔목에 있는 혈관을 통해 수술을 받았다.
팔목부터 팔꿈치가 있는 부분까지 온통 까맣게 멍이 들었다.

"어제 밤에는 욱신욱신 거리더니 지금은 괜찮다."

"그러게 왜 힘들게 일을 하셨어요. 제가 하면 금방 끝날 텐데요."

"너는 힘 안 드니."

어머니의 말에 가슴이 울컥한다.

부모님은 항상 이런 식이다. 주말에 내려가 농사일을 돕겠다고 해도 늘 걱정할 거 없다고 말한다. 부모님과 함께 들에 나가 일을 할 때도 자식들 조금이라도 편하라고 성치 않는 몸으로 삽질을 하고 호미질을 한다. 힘든 일은 우리가 할 테니 쉬라고 해도 나는 괜찮다고 말한다. 어머니는 젊으셨을 때 십 리를 걸어 쌀 다섯 말을 머리에 이고 장으로 팔러 다녔고 아버지는 한 여름 뙤약볕에 온종일 일하셔도 지치지 않으셨다. 지금의 내 나이였던 부모님의 젊은 시절, 두 분은 그렇게 건강하게 열심히 세상을 사셨다. 그랬었는데 부모님은 점점 작아진다.

윷놀이

어머니에게서 전화가 왔다. 객지에서 혼자 살기 힘들지 않느냐며 밥은 먹었냐고 물으셨다. 이제 막 김치찌개를 끓여 밥을 먹었다고 하고, 어머니는 진지를 잡수셨냐고 물었다. 어머니는 마을회관에서 밥도 먹고 맛있는 것도 먹었다며, 아버지가 밖에 잘 나오지 않아 회관에서 먹을 걸 가지고 와서 밥상을 차려드렸다고 한다. 그러면서 오늘은 정말 바빴다며 말씀을 잇는다.

"왜요?"

"오늘 동네서 윷놀이 했어. 아줌마들하고 같이 놀았는데 얼마나 재밌었는지 모른다. 아침에 윷 놀다가 잠깐 교회에 다녀왔는데 다른 사람들은 다 노는데 상대가 없는 거야. 그런데 청년회장이 그냥 한번 올려주더라. 그래서 3등을 했지. 하이타이를 큰 걸로 타왔다. 청년회에서 할머니들이 윷놀이 한다고 7등까지 상을 줬어. 미자 엄마가 1등을 해서 가스렌지를 탔구."

동네에서 하는 윷놀이는 참가자들에게 티켓을 만들어 주고 서로 윷을 놀아 이기는 사람이 상대방의 티켓을 얻는 방식으로 진행된다. 처음 나눠준 티켓에는 청년회장 도장이 하나씩 찍혀있고, 윷을 놀아 상대방 티켓을 얻어오면 한 장은 찢어버리고 나머지 한 장에 다시 도장을 하나 더 찍는 식으로 진행된다. 그러다 보니 티켓에 찍힌 도장의 숫자가 같은 사람끼리 윷을 놀게 되는데, 어머니가 교회에 다녀오고 나니 어머니와 같은 숫자의 도장이 찍혀 있는 사람이 아무도 없었던 것이다. 청년회장은 어쩔 수 없다며 어머니 티켓에 도장을 하나 더 찍어 줬고, 그 바람에 어머니는 윷놀이를 계속할 수 있었던 것이다.

"윷놀이 하는 줄 알았으면 저도 갈 걸 그랬어요."
"그러지 않아도 아버지하고 '동우가 왔으면 상 하나 타왔을 텐데'라고 얘기했어. 그런데 내가 나가서 3등을 하고 하이타이도 타갔고 왔으니 얼마나 좋니."
"그러게요. 잘 하셨어요."
"지금까지 회관에 있다가 먹을 것도 실컷 먹구 여지껏 놀다 왔다."
"네. 재미있었겠네요. 다들 즐거워하시죠?"
"그럼. 얼마나 재밌게 놀았는데."

어머니와 아버지가 아쉬워할 정도로 나는 윷을 잘 놀았다. 매년 대보름이면 동네에서 며칠씩 윷놀이 대회가 열리곤 하는데, 대회에 나가 한 번도 상을 놓치지 않았다. 동네 형들도 나를 보고 '동우, 재 윷 잘 노는데'라고 말할 정도였다. 윷놀이는 아주 어려서부터 보아왔던 매우 익숙한 광경이다. 겨울이면 동네 아저씨들은 회관 앞에 모여 윷을 놀았다. 막걸리 내기를 하기도 하고 간혹 동전을 가지고 돈을 걸기도 했다. 겨울날, 늦은 아침을 먹고 회관 앞으로 가면 여지없이 동네 어른들이 윷을 놀고 있었다.

대보름이면 동네 청년회 주최로 모든 주민이 다 같이 참석하는 윷놀이가 열렸다. 윷놀이 대회는 동네 사람이면 모두가 의무적으로 참석해야 했는데 청년회에서 윷놀이용 티켓을 만들어 집집마다 의무적으로 구입하도록 했기 때문이다. 상품도 푸짐했다. 당시는 귀하기만 했던 가스레인지가 1등 상품으로 내걸렸고, 전기밥솥, 전기 프라이팬 등이 상위권 상품에 포진했다. 이외에도 커다란 고무다라, 삽, 쇠스랑, 호미 등 농가에서 사용하는 농기구들이 상품으로 나왔다. 아주 옛날에는 윷놀이 대회와 곁들여 동네 노래자랑도 함께 열렸는데 그럴 때면 며칠 동안 동네가 떠나갈 듯이 시끌벅적했다. 설날보다 정월 대보름에 동네 사람들이 더 많이 모였고, 더 즐겁게 놀이를 즐겼다. 그 당시 정월 대보름은 설날 못지않은 중요한 명절이었다. 동네 사람들이 다 함께 웃고 즐길 수 있는 유쾌한 날이었다.

윷놀이를 주최하는 청년회에선 준비할 게 많다. 부녀회와 상의해 윷놀이를 하는 동안 먹을 음식을 장만하고, 산에 가서 참나무를 베어와 회관 마당에 내내 장작불을 지핀다. 말판도 만들고 말도 준비하고, 윷을 던질 멍석도 준비해야 한다. 윷가락은 장날에 파는 걸 준비하는데 크기와 규격이 일정하고 모양도 비슷해 윷가락으로 인한 시비를 미연에 방지하기 위해서다. 윷놀이 준비를 하는데 가장 중요한 것은 규칙을 정하는 것이다. 멍석을 어떻게 깔고 윷가락을 던지는 위치는 멍석과 얼마나 떨어져야 하는지, 윷가락을 굴리는 건 허용되는지 등의 문제가 집중적으로 논의되었다. 장에서 파는 윷가락은 밑 부분이 작고 둥그런 윗부분이 많아 윷가락을 굴리면 모가 나올 확률이 높기 때문이었다.

하지만 이런저런 규칙을 정한다고 해서 윷놀이 판에서 반드시 적용되는 건 아니다. 윷놀이를 하는 당사자들끼리 윷을 놀 때마다 새로 규칙을 정하곤 하는데, 청년회선 이를 용인해준다. 대신 절대 바뀌지 말아야할 규칙이 있는데 윷가락이 땅에 완벽하게 닿지 않고 공중에 떠있을 경우, 어떻게 판단하느냐하는 것이다. 윷놀이를 하다 보면 윷가락이 다른 윷가락 위에 포개지거나 땅바닥이 돌출된 곳에 걸치는 경우가 발생하는데, 이때 땅에 완벽하게 밀착되지 않고 약간의 공간을 두고 떠있는 윷가락을 어떻게 판정하느냐는 문제다. 땅에서 조금 떠있는 윷가락은 어떻게 판정하느냐에 따라 모가 되기도 하고 도가 되기도 하니, 이건 무엇보다도 중요한 문제였다. 이 문제를 놓고 한참을 옥신각신 하는데, 대부분 땅 위에서 조금이라도 떨어진 윷가락은 무조건 모가 아닌 윷으로 본다는 결론을 내리곤 했다.

그러나 이 경우에도 한 가지 예외가 있는데 윷가락이 다른 윷가락 위에 걸쳐 있을 때다. 이때는 윷가락 밑 부분이 정확하게 바닥을 향하고 있으면 모로 보고 조금이라도 비스듬히 누워있으면 윷으로 본다는 규칙을 만든다. 하지만 이마저도 윷놀이를 노는 당사자들끼리 서로 합의가 되면 합의된 대로 따르는 게 동네 윷놀이 규칙이었다. 윷놀이에 필요한 규칙은 만들지만 윷놀이를 하는 당사자들끼리 정해진 규칙을 따르지 않고 서로 합의를 해서 다른 규칙을 적용하는 것도 가능한 것이 동네 윷놀이 대회다.

윷놀이가 진행되는 동안 부녀회에서는 회관 마당 한켠에 커다란 양은 솥을 걸어놓고 연신 동태찌개를 끓이고 그 옆에선 하얀 김이 모락모락 올라오는 쌀밥이 구수하게 익어갔다. 동네 사람들은 윷을 놀다가 배고프면 동태찌개와 밥을 한 그릇씩 퍼서 회관 안에 들어가 식사를 했다. 막걸리도 윷놀이 대회에서 빠질 수 없다. 윷놀이 대회를 하는 회관마당에는 항상 막걸리 상이 차려져있다. 사람들은 윷놀이를 하다가 때때로 와서 막걸리를 마셨다. 안주는 부녀회에서 끓여주는 동태찌개와 청년회가 피워놓은 장작불에서 구워지는 삼겹살과 꽁치구이 등이다. 그렇게 시끌벅적하게 사나흘을 놀고 나면 윷잔치는 대부분 마무리되는데, 그러고 나서도 사람들은 아쉬워서 밤새도록 회관에 모여 술을 마시고 웃고 떠들고 즐겼다.

윷놀이 대회를 매년 지켜보기만 하고, 동태찌개에 밥 한술 얻어먹는 게 전부였던 아이들에게 윷놀이 대회 참가 자격이 주어진 건 고등학교를 졸업하고 나서 부터다. 청년회에서는 이제 너희들도 어른이 됐으니 청년회에 가입하고 윷놀이 대회에도 참석하라고 했다. 고등학교를 졸업한 그 해부터 또래의 친구들은 형들과 함께 윷놀이 대회를 준비하고 윷놀이 대회에도 참석했다. 심지어 몇날며칠을 막걸리를 마시며 하루 종일 헤롱헤롱대고 다니기도 했다. 시골에서는 고등학교 때부터 남자들이 술 마시는 게 어느 정도 묵인이 되었기에, 고등학교를 졸업할 때쯤 우리는 이미 꽤나 술을 잘 마실 정도가 되어 있었다. 고등학교 시절 힘든 농사일을 돕는 또래 친구들에게 어른들은 막걸리 서너 잔 정도는 마셔도 된다며 잔을 건네곤 했다.

술이 취해 헤롱헤롱대면서도 나는 윷을 잘 던졌다. 윷놀이를 했다 하면 이겼다. 그렇게 매년 상품을 휩쓸었다. 내가 윷놀이를 잘 할 수 있었던 비결은 말판을 잘 썼기 때문이다. 네 개의 윷가락을 가지고 노는 윷놀이는 개와 걸이 자주 나왔고, 도는 조금 드물게 그리고 윷과 모는 아주 드물게 나오기 마련이다. 어차피 윷놀이를 하는 사람끼리 윷을 던져서 무엇이 나올지는 확률이 비슷하다 보니 말판을 어떻게 쓰느냐에 따라 승패가 결정된다고 해도 과언이 아니다. 때론 과감한 결단도 필요했는데, 이미 말판에 진출한 말을 앞으로 전진시켜 개나 걸을 주느니 차라리 말 두 마리를 업어 도를 주는 걸 택하는 방식이다.

상대방 말을 잡기 위해 길목을 지키고 있기도 하는데, 이때 뒤에서 상대방의 다른 말이 쫓아오면 도망갈 것인지 길목을 지키고 있다가 뒤쫓아 오는 상대방의 말이 내 말을 건너뛰게 할 것인지도 잘 판단해야 한다. 다행히 뒤쫓아 오는 상대방의 말이 내 말을 건너뛰면 나는 동시에 상대방의 말 두 개를 쫓을 수 있지만 내 말이 상대방에게 잡히면 그걸로 윷판은 끝난 거나 마찬가지기 때문이다. 이외에도 말판에는 여러 가지 변수가 있는데 이를 어떻게 활용하고 이용하느냐에 따라 승패가 결정된다. 윷놀이는 막판까지 승부를 알 수 없는 게임이다. 상대방에게 말이 하나만 남아있고 나에게 두세 개의 말이 남아있다고 해서 끝난 게임이라고 생각해서도 안 된다. 하나 남은 상대방 말을 여러 번 잡을 수도 있고, 모나 윷이 연달아 나와 승패가 뒤집히는 경우도 허다하기 때문이다.

윷놀이에도 훈수가 등장한다. 윷을 노는 사람들 곁에는 언제나 구경꾼들이 모이기 마련인데 윷을 던지고 나면 말판을 어떻게 둘 것인지 훈수가 쏟아진다. 이때 훈수꾼들의 얘기에 휘말리지 않고 내 방식대로 말판을 쓰는 게 중요하다.

고등학교 이후 매년 윷놀이 대회에 빠지지 않고 참석했던 내가 직장에 다니면서부터 윷놀이 대회에 참석하지 못했다. 설날은 휴일이지만 대보름날은 회사에 출근을 해야 했기 때문에 고향에서 열리는 윷놀이

대회는 더 이상 참석할 수 없었다. 어쩌다가 대보름과 일요일이 겹치는 날에 가끔 고향에 내려가 하루정도 참여하거나 아니면 구경만 하다 오게 됐다. 고향마을 역시 타지에 나가 직장에 다니는 사람이 늘어나면서 윷놀이 대회 참석인원은 점점 줄었다. 이젠 시골에 남아 있는 몇 안 되는 청년들과 노인들만 참석하는 소규모 대회가 되었다.

윷놀이는 대보름날뿐만 아니라 집안 식구들끼리도 모여 앉아 자주 하는 놀이다. 부모님이 서로 다른 편을 먹고 아이들도 다른 편을 먹어 틈날 때마다 윷놀이를 즐겼다. 서울에 사는 사촌들이나 고모들이 시골에 내려오는 날에는 윷놀이 판은 더욱 커졌다. 그런 날이면 겨울밤이 깊도록 윷을 던지며 놀았다.
"걸 나와라, 개 나와라."
"침 발라도 도."
웃음소리와 함께 밤하늘에 울렸다. 모나 윷이 나오면 지붕이 떠나가라 환호성을 질렀다.

할머니는 나만 보면 윷을 놀자고 하셨다. 방학 때면 시골에 내려와 있는 나에게 틈만 나면 말판을 꺼내들었다. 할머니의 부탁을 거절하지 못해 단둘이 앉아 윷놀이를 했는데 항상 승리하는 쪽은 나였다. 어느 땐 열 판을 놀아 내가 열 판을 다 이길 때도 있었는데, 그럴 때면 할머니는 딱 한판만 더 놀자고 나를 잡아끌었다. 나는 그런 할머니에게

'열 판이나 지고서 또 놀자고 하시느냐' 고 말을 하며 매정하게 방문을 열고 나왔다. 이제 와서 생각해 보니 늘 방안에 혼자만 앉아 계시던 할머니가 방학을 맞아 고향에 내려온 손주와 더 많은 시간을 보내고 이야기를 나누고 싶어서 윷놀이를 핑계로 댔던 것인데 그때는 그걸 몰랐다. 할머니는 어쩌면 일부러 나에게 열 판을 내리 져줬는지도 모른다. 할머니가 살아 계시다면 윷 한판 재미나게 놀아주고 싶다.

산과일

어머니는 봄이 되면 산으로 나물을 캐러 다니셨다. 동네 근처의 야산
에는 산나물이 많지 않기 때문에 오 리 너머에 있는 산골 마을까지 가
셨다. 어머니가 태어난 동네이기도 한 그 곳은 인근에서 가장 높은 마
이산이 뒤에 자리하고 있어 진귀한 약초며 나물이 가득했다. 봄날, 학
교가 끝나고 집으로 돌아와 어머니가 없으면 나물을 캐러가셨구나 생
각했다.

마루에 가방을 던져 놓고 밖에서 친구들과 신나게 뛰어놀다보면 산에
가셨던 어머니가 커다란 봇짐을 머리에 이고 돌아오셨다. 머리에 인
보따리가 얼마나 큰지 어머니의 얼굴이 잘 보이지 않았다. 어린 마음
에 어머니가 크고 무거운 보따리를 이고 걸어 다닐 수 있다는 게 신기
했다. 그리고 우리 어머니는 무척 힘이 세구나하는 생각을 했다. 마루
에 풀어놓은 어머니의 보따리에서는 온갖 약초며 나물들이 쏟아져 나
왔다. 하지만 아무리 진귀한 약초나 나물이라도 철부지였던 나의 관
심을 끌지는 못했다. 어머니는 이렇게 캐온 약초며 나물을 장에 내다
팔아 조금씩 돈을 마련했다. 곳간 열쇠를 할머니가 쥐고 계시고, 쌀이
며 고추를 판 돈은 아버지가 관리하던 시절, 어머니가 가질 수 있는

유일한 돈이었다. 하지만 그렇게 마련한 얼마 되지 않는 돈도 학용품 사고 살림에 보태고 나면 어머니 수중에 남아있는 돈은 없었다.

초등학교 시절, 친구가 새로 산 허리띠를 보고 나도 허리띠를 사달라며 하루 종일 어머니를 조른 적이 있다. 노끈 같은 걸로 허리띠를 대신하던 시절이었다. 추석을 코앞에 둔 대목 장날, 추석 음식을 하느라 분주한 어머니 앞에서 하루 종일 허리띠 사달라며 떼를 썼다. 떼를 쓰다가 안 되면 울고, 울다가 잠들고, 잠에서 깨서 다시 떼를 썼다. 아침부터 저녁나절까지 떼를 쓰며 매달렸지만 어머니는 꿈쩍도 하지 않았다. 장에 가면 금방 하나 사올 수 있을 텐데 들은 척도 하지 않는 어머니가 야속하기만 했다. 나중에는 너무 울어서 목이 다 쉬었다. 그제야 어머니는 어쩔 수 없이 나를 데리고 장으로 향했다. 한참 지나서 들은 애기지만, 어머니는 그때 수중에 돈이 한 푼도 없었단다. 추석차례를 준비하느라 그나마 집에 있던 돈도 다 써버린 후였다. 돈은 한 푼도 없는데 허리띠를 사달라며 목이 쉴 정도로 울어대는 자식을 보고 어머니는 얼마나 가슴이 아팠을까. 그것이 내가 학교 다니면서 어머니에게 무언가를 사달라고 처음이자 마지막으로 조른 때였다.

하루 종일 울어대는 나를 보고 옆에 있던 할머니가 어지간하면 하나 사주지 그러냐고 핀잔을 줬다고 한다. 할머니마저 그러자 어머니는 어쩔 수 없이 이웃집에서 돈을 빌려 허리띠를 사주셨다. 어머니가 이

윗집 봉당에서 연신 허리를 굽히며 돈을 빌리던 모습을 떠올리면 언제나 가슴이 아리다. 아무리 애써도 그 기억이 지워지지 않는다.

산에 다녀온 어머니의 보따리는 볼품없었지만 그래도 가끔은 관심을 끄는 게 있었는데, 그건 바로 산과일이었다. 어머니는 약초나 나물을 캐다가 산과일이 있으면 가지째로 꺾어서 집으로 가져오시곤 했다. 약초와 나물은 커다란 보따리에 묶어 질끈 동여매 머리에 이고 오면 그만인데, 산과일은 행여 으스러질까 그러질 못하셨다. 비틀비틀 힘든 산길을 내려와 다시 시골 오 리 길을 한 손으로는 보따리를 힘껏 움켜쥐고 다른 한 손으로는 행여 떨어질세라 조심스레 산과일을 들고 그 먼 길을 걸어왔다.

어머니가 깊은 산 속에서 꺾어온 산과일은 동네에서는 흔히 볼 수 없는 것들이었다. 그게 무엇이었는지 이름은 기억나지 않지만 정말 시원하고 달콤했다. 철부지는 어머니의 힘든 산행은 안중에도 없이 어머니가 가져오시는 산과일만 눈이 빠지게 기다렸다.

오래된 미래

긴 겨울을 지나고 살갗에 와닿는 바람에 찬기가 사라지면 농부들은 본
격적인 농사준비에 들어간다. 쟁기로 논과 밭을 갈고, 씨앗을 심어 모
종을 기른다. 황토와 거름을 적절히 혼합해 씨앗을 틔우는 배양토로
이용한다. 모내기는 온 동네 사람들이 함께 한다. 상대적으로 나이가
많은 사람들이 못자리에서 모를 뽑고, 젊은이들은 지게로 모를 나른
다. 아이들은 어른들이 가져온 모를 논 중간에 옮겨놓는 역할을 한다.

보통 삼사십 명이 함께 모를 심는데, 사람들은 이를 두레라고 불렀다.
두레는 일의 종류에 따라 여러 형태로 구성된다. 모나 고추, 담배 등
농작물을 심을 때는 몇 십 명이 모여 두레를 만들고, 담배수확 등 상
대적으로 일손이 덜 드는 일은 십여 명이 두레를 만들기도 한다.

농부들은 각자 한 가지씩 잘 하는 일이 있었다. 벽돌을 잘 쌓는 사람
이 있고, 구들을 잘 놓는 사람이 있다. 소를 잘 부리는 사람, 구성지게
노래를 잘 하는 사람, 장구를 잘 치는 사람도 있다. 시골에서는 어느
한 사람 필요하지 않은 사람이 없다. 모두가 함께 도우며 살아가는 공
동체의 삶으로 이루어져있다.

버리는 물건도 거의 없었다. 헤진 옷은 기워 입고, 고무신은 꿰매신고, 분뇨는 거름으로 사용했다. 필요한 것은 자연에서 얻었다. 나무를 이용해 지게와 달구지를 만들었으며 볏짚으로 새끼줄, 가마니, 멍석, 삼태기를 만들어 썼다. 자연에서 얻은 것은 자연으로 되돌아갔다.

시골이 갑자기 변하기 시작한 것은 80년대 이후이다. 집집마다 전기가 들어오고 TV가 놓여졌다. 마을 옆으로 고속도로가 생겼다. 화려한 삶을 꿈꾸며 젊은이들은 도시로 떠났고 산업화의 폐수로 물은 오염됐다. 개울에 엎드려 물을 마시던 모습은 더 이상 찾아 볼 수 없게 됐다. 생명력을 잃은 농촌은 급격히 쇠락해 갔다.

그런데 육체적 편안함과 안락함을 제공하던 경제 산업의 발달은 시간이 흐를수록 비틀거리기 시작했다. 세계 곳곳에서 새로운 운동이 일어나고 있다. 사람들은 환경보존을 위해 문명의 편리함을 멀리하기 시작했으며 유기농산물이 인기를 끌고 있다. 로컬 푸드가 생겨나고 농사를 짓는 사람과 농산물을 소비하는 사람이 공동으로 협동조합을 만들기도 한다. 산업화, 도시화, 세계화에 지친 사람들이 새로운 삶의 형태를 만들어가고 있다. 이제 사람들은 자연속에서 자연과 더불어 살던 과거를 그리워하며 그 시절로 돌아가고 싶어 한다. 우리가 지나온 과거는 우리가 다시 돌아가야 할 오래된 미래이다.

성장소설-나뭇잎 배

선미와 친하지는 않았다. 같은 동네에 사는 또래 여자아이 정도로 생각했다. 50여 호 정도의 마을에 또래 남자애들은 열세 명이나 됐지만 여자애는 선미 혼자뿐이었다. 남자아이들끼리는 거리낌 없이 산으로 들로 뛰어다니며 신나게 놀았지만 선미는 놀이 패에 낄 수 없었다. 그 애는 남자애들이 좋아하는 총싸움이나, 칼싸움, 말뚝박기, 자치기, 공차기 놀이를 좋아하지 않았다. 열셋이나 되는 남자애들도 아랫마을, 윗마을로 나눠 놀기도 바쁜데, 굳이 여자애를 놀이에 끼워줄 정도로 시골 남자애들의 배려심이 깊지는 않았다.

시골애답지 않은 선미의 하얀 얼굴과 깔끔한 외모도 남자애들이 쉽게 다가갈 수 없도록 거리감을 주는데 충분했다. 긴 머리를 곱게 빗어 양갈래로 땋고 레이스가 달린 고운 옷을 입고 다녔다. 마치 동화책 속에 나오는 여주인공 같은 모습이었다. 남자애들은 그런 선미를 불편하게 여겼다.

또래 여자애가 없다보니 선미는 늘 혼자였다. 이따금 선미 할머니는 밖에서 노는 우리를 집안으로 불러 떡이나 엿 등 먹을거리를 주시곤 했다. 그럴 때면 그 애는 마루나 방안에서 혼자 인형놀이를 하거나 동화책을 읽고 있었다. 종이인형이라도 가지고 있으면 부러움을 사던 시절에 진짜 인형을 갖고 있었다. 할머니는 우리가 함께 놀아주길 바라는 듯 보였지만, 정작 그 애는 우리에게 눈길 한 번 주지 않았다.

선미 할머니는 가끔 우리 집에 마실이라도 오면 선미를 데리고 왔다. 내가 집에 있는 날이면 둘이 같이 나가 놀라며 억지로 등을 떠밀곤 했다. 그러면 그 애는 마뜩찮게 나를 따라와 우리 집 뒷마당에서 소꿉놀이를 했다. 선미는 늘 공주가 됐고 나는 늘 하인이 됐다. 선미의 하얀 손에 달랑달랑 매달려온 인형은 시녀가 됐다. 마당에 금을 그어 성을 만들고 의자를 만들어 선미가 앉는다. 공주님의 식사를 위해 무뚝뚝한 하인이 장독대에서 넓은 돌을 주워 상을 만들고 봉숭아꽃과 이파리, 붓꽃, 불두화를 따다가 색색이 음식을 차렸다. 공주님이 음식을 먹는 체하며 '이건 왜 이렇게 맛이 없느냐'며 타박을 하면 하인의 얼굴이 봉숭아 꽃물처럼 발갛게 물들었다. 어떤 때는 '이건 참 맛있구나'라며 칭찬을 했다. 그 애가 제일 재미있어 하는 놀이는 하인을 부려먹기였다. 이것저것 심부름을 시켜놓고 허둥대는 나를 보며 깔깔 웃었다. 평소엔 별로 말이 없는데 소꿉놀이를 할 때면 말도 많고 즐거워보였다.

땅이 움푹움푹 파일 정도로 굵은 장대비가 내리던 초등학교 4학년의 어느 여름날이었다. 교무실에 찾아가 선생님께 청소를 다했노라고 말씀드리고 교실로 돌아왔다. 다른 애들은 이미 모두 집에 가고 없는데 선미 혼자 책상에 꼼짝도 하지 않고 앉아있었다.

"집에 안 가?"

대답이 없었다.

"나 먼저 간다."

빗방울만한 관심 하나 툭 던지고 돌아섰다. 신을 찾아 신고 막 뛰어가려다 거센 빗속에서 우뚝 멈췄다. 다시 교실로 들어갔다.

"집에 안 갈 거야?"

묵묵부답이었다. 선미에게 다가갔다. 그런데 선미의 얼굴이 먹구름만큼 어둡게 일그러졌다.

"저리 가!"

날카롭게 소리를 질렀다.

"왜 그래?"

"가까이 오지 말라니까!"

얼굴표정이 심상치 않았다. 금방이라도 울어버릴 것 같았다.

"무슨 일인데?"

책상 바로 앞까지 갔다. 주위에서 이상한 냄새가 났다.

"이게 무슨 냄새지?"

기어이 울음을 터뜨리고 말았다.

"으아아앙."

평소대로라면, 수업을 마치고 청소를 한 후 종례를 하고 집으로 돌아 갔다. 하지만 그날은 종례를 먼저 했다.

"종례가 끝나면 모두 청소를 깨끗이 하자. 알겠니?"

선생님은 바쁜 일이라도 있는 듯 교실을 나가다 날 쳐다보며 말을 이 었다.

"반장은 청소가 잘 되었는지 검사하고, 가기 전에 나한테 꼭 얘기해 라."

선생님이 나가자마자 친구들은 후다닥 자기가 맡은 청소 구역으로 달 려갔다. 청소를 시작한 지 얼마 되지도 않았는데 여기저기서 반장을 부르며 어서 검사해달라는 소리가 들렸다. 장대비가 쏟아지는 날씨에 청소를 하는 둥 마는 둥 흉내만 내고 친구들은 집으로 돌아가기 시작 했다. 한바탕 소란에 선미는 화장실에 갈 기회를 잡지 못했던 모양이 었다.

"집에 가자."

옷소매를 잡고 그 애를 일으켰다. 걸레로 의자를 닦고 교실을 빠져나 왔다. 여전히 장대비가 쏟아지고 있었다.

"가방 이리 줘."

퍼붓듯 내리는 장대비에는 우산도 소용없다. 운동장을 가로지르는 사 이에 옷이 흠뻑 젖었다. 들에는 아무도 없었다. 주룩주룩 빗소리만 들 리고 도랑물은 넘칠 듯 거칠었다. 숲도, 나무도, 논도, 밭도 비에 흠뻑 젖었다. 멀리 초가지붕이 빗줄기 사이로 희미하게 보였다. 선미와 나는 아무 말 없이 비를 맞으며 집으로 걸어갔다. 서로 약속하지는 않았지만 그날 일을 누구에게도 말하지 않았다.

초등학교 5학년이 되면서부터 소꿉놀이는 더 이상 하지 않았다. 5학년이나 된 사내녀석이 소꿉놀이를 한다는 게 창피했다. 무엇보다도 소문이라도 나면 친구들이 두고두고 놀려댈 게 분명했기 때문이었다. 선미와 함께 놀지는 않았지만 학교에서는 늘 마주쳤다. 선미는 다른 애들에 비해 항상 좋은 옷을 입고 다녔다. 부모 없이 자라는 티를 내지 않으려고 할머니가 더욱 신경을 썼기 때문이다. 선미네 아버지는 서울에서 사업을 한다고 들었다. 회사의 사장님인데 조금 있으면 선미도 서울로 데려간다는 소문만 무성했다. 선미네 아버지는 명절 때마다 시골에 내려오면 새 옷과 학용품을 잔뜩 사가지고 왔다. 마실을 다니러온 선미 할머니가 '애비가 선물을 잔뜩 사갖고 왔다'고 자랑하는 소리를 몇 번이나 들었다. 아버지가 다녀가면 선미는 더욱 예쁘게 꾸미고 학교에 왔다. 공주 같은 옷을 입고 누구보다 예뻐졌지만 혼자 지내는 시간은 늘 그대로였다. 쉬는 시간이나 점심시간에 또래 여자애들이 운동장에 나가 고무줄놀이를 할 때도 그 애는 교실에 남아 하얀 얼굴을 꼿꼿이 세우고 창밖을 바라볼 뿐이었다. 그렇게 초등학교 시절이 지나갔다.

중학교는 동네에서 오 리 정도 떨어져있었다. 근동에 중학교가 하나여서 초등학교에서 중학교로 이름만 바뀌었지 매번 보는 얼굴들은 그대로였다. 하지만 남자반과 여자반이 따로 있었다. 그 때문에 그 애와 마주칠 일은 많지 않았다. 학교가 멀다보니 자전거를 타고 통학하는 학생들이 많았다. 자전거 살 형편이 안 됐던 나는 친구 자전거 짐받이를 얻어 타고 학교에 가거나 가방만 자전거에 먼저 실어 보내고 학교까지 뛰어가곤 했다.

중학교에 입학한 지 얼마 지나지 않아, 학교에서 육성회비를 내라고 했다. 가난한 부모님에게 돈 달라는 소리가 차마 떨어지지 않아 몇 번이나 납입기일을 넘겼다. 그런데 하루는 담임이 종례시간에 육성회비를 내지 않은 사람들의 이름을 부르더니 내일까지는 반드시 내라고했다. 이번에도 기한을 넘기면 부모님을 모셔 와야 한다는 말도 덧붙였다. 집으로 돌아와서도 저녁내내 돈 얘기를 못했다. 다음 날, 아침에 어머니의 눈치를 살피며 모깃소리로 간신히 학교에 돈을 내야한다고 말했다. 말하기가 무섭게 어머니는 지금은 돈이 없으니 나중에 내라고 말했다.

"오늘까지 꼭 갖고 오라고 했어."
"그럼 돈이 없는 걸 어떡하니. 선생님께 담에 낸다고 말씀드려."
"벌써 몇 번이나 그랬는데. 오늘은 꼭 가져가야한단 말야."

"갑자기 없는 돈이 어디서 생기니?"

"아! 몰라!"

학교에 가기 위해 가방을 들고 나오기는 했지만, 마당에서 발걸음이 떨어지지 않았다.

"뭐해? 얼른 학교에 가!"

"싫어, 안 갈 거야!"

"애도 아니고 왜 그러니? 중학생이나 됐으면서."

"중학생이니까 그러지! 돈 안 주면 학교도 안 갈 거야"

마당에 털썩 주저 앉았다. 밭에 나서려고 농기구를 챙기던 어머니가 내가 버티자 난처한 얼굴로 한숨을 쉬었다.

"따라오너라."

"어디 가는데?"

"어디 가서 돈을 빌려봐야지."

어머니는 선미 할머니네 집으로 들어갔다. 나는 따라가지 못하고 대문간에서 어머니를 기다렸다.

"돈 좀 빌려주세요."

"지난번에 빌려간 돈도 아직 안 갚았잖어."

어머니는 고개를 푹 숙이고 말했다.

"가을에 고추 내다 팔면 갚을게요. 애 육성회비를 오늘까지 갖고 오래서……."

어머니의 그런 모습을 지켜보며 입술을 꼭 깨물었다. 그까짓 돈이 뭐라고 어머니가 저렇게 머리를 조아리는지 자존심이 상했다. 다음부터는 무슨 일이 있어도 돈 달라는 얘기를 하지 않겠다고 몇 번이나 다짐했다. 어머니가 돈을 빌려 손에 쥐어주고 있을 때, 선미가 책가방을 들고 나왔다.

"여기서 뭐 하니?"

교복은 입은 그 애 모습을 처음 봤다. 단정하게 자른 머리와 고운 얼굴이 교복의 하얀 깃과 잘 어울렸다. 초등학교 때보다 훨씬 예뻤다.

선미는 내 대답도 듣지 않고 곧고 단정한 걸음걸이로 대문 밖을 나섰다. 어머니에게 쭈뼛쭈뼛 인사를 하고 학교로 향하다보니 어느새 그 애 뒤를 따르고 있었다.

"애! 빨리 안 오고 뭐 하니?"

동네 어귀를 벗어날 즈음 선미가 대뜸 말을 건넸다. 몇 걸음 다가섰다.

"너, 매일 이맘때 학교 가니?"

"아니, 원래는 더 일찍 가."

"그래서 학교 가는 길에 보이지 않았구나."

시원한 바람이 살짝 스쳐지나갔다.

"너는 매일 이때 가?"

내가 묻는 말에 대답하지 않고 제 할 말만 했다.

"학교생활은 어때?"

"그냥, 중학교에 오니까 공부 잘하는 애들이 많더라. 너는 어때?"

"난 똑같지 뭐. 초등학교 때나 지금이나 애들 수준도 똑같고."

내 쪽은 보지도 않고 앞만 보며 쫑알대는 선미의 목덜미가 눈처럼 하얗게 차가웠다. 학교를 가는 내내, 대화가 양말을 깁듯 띄엄띄엄 이어졌다. 선미와의 거리는 더 이상 가까워지지 않은 채 학교에 도착했다.

수업을 마치고 유리창 청소를 하고 있는데 동수가 곁으로 다가왔다. 중학교에 들어와 알게 된 친구였다. 얼굴이 하얗고 순한 인상을 가졌다. 동수 어머니는 선생님들 하숙을 했다. 그래서 점심때마다 후문으로 도시락을 가져오면 동수가 교무실로 가져다주는 걸 몇 번 봤다. 동수의 도시락도 함께 가져오다보니 다른 친구들 도시락은 모두 차갑게 식어도 동수는 늘 따뜻한 점심을 먹었다. 보온도시락에는 밥과 국이 따로 들어있고 반찬을 담는 그릇도 있었다. 다른 친구들의 도시락엔 대개 김치나 장아찌가 있었지만 동수의 도시락에는 늘 맛있는 반찬이 가득했다. 동수와 같은 초등학교에 다녔던 친구들은 점심시간이면 동수와 함께 도시락을 먹었다. 나는 식어버린 밥에 김치뿐인 도시락을 먹으면서 그 친구들을 훔쳐봤다.

"그런데, 너 선미 알지?"

"선미?"

"그래, 1학년 3반. 너하고 같은 초등학교 나오지 않았어?"

"아! 선미, 알지. 왜?"

"너랑 친해?"

"나 하고?"

동수가 고개를 끄덕인다.

"같은 동네에 살긴 해, 근데 왜?"

"그 애, 예쁘더라."

"너, 선미 좋아하는구나?"

"좋아하는 건 아니구, 그냥 예쁘다고. 헤헤."

"내가 선미한테 말해줄까? 네가 좋아한다고?"

"그래줄 수 있어?"

동수 눈이 황소 눈만큼 크게 빛났다.

"그럼. 이따가 집에 갈 때 얘기하지 뭐."

"잘 부탁해."

"그래."

토요일이었다. 교문을 나서다 실내화를 교실에 두고 온 걸 깨달았다. 이번 주에도 실내화를 빨지 않으면 다음 주에는 시커매져서 신고 다니기 창피하기도 하고, 어쩌면 선생님한테 들켜 혼이 날지도 모른다. 발걸음을 돌려 다시 교실로 들어가 실내화를 들고 나와 현관에서 신을 신고 있는데 선미가 계단을 내려가고 있었다. 서둘러 그 애에게 달려갔다.

"이제 집에 가니?"

흘깃 돌아본다.

"응."

"같이 갈래?"

"그래."

학교는 면소재지 서쪽에 있었는데 우리 동네로 가려면 면소재지를 가로질러 가야했다. 면소재지가 있는 곳은 시골동네에 비해 훨씬 컸다. 시외버스 터미널도 있고, 이불집도 있고, 중국집도 있었다. 면소재지를 가로지르는 동안 서로 말없이 걸었다. 일부러 선미와 나란히 걷지 않고 조금 뒤떨어져서 걸었다. 혹시나 아는 어른이 어린 녀석들 연애한다고 흉볼까봐 조심스러웠다.

개울을 건너자 집들이 드문드문해졌고 우리 동네로 가는 길로 접어들고 나서는 인기척이 느껴지지 않을 정도로 고요했다. 길 오른쪽은 논과 밭이다. 논에는 모가 가지런히 자라고 있고, 그 곁에 인삼밭이 있었다. 길 왼편은 야산인데 길가에 아카시아 나무가 자라고 산이 높아질수록 밤나무, 참나무, 소나무가 자라고 있었다. 군데군데 산딸기 넝쿨도 보였다. 이내 하얗게 활짝 필 아카시아의 잎사귀는 아직 여렸다.

지나는 사람이 하나도 없을 즈음, 선미와 나란히 걸었다. 선미는 말이 없다. 고개를 하나 넘어서자 고요함이 더욱 짙어졌다. 너무나 조용해서 어디서 꼭 윙윙거리는 소리가 들리는 듯했다.

"혹시, 너 동수라고 아니?"

선미가 걸음을 늦추더니 고개를 돌려 바라봤다.

"동수?"

고개를 갸우뚱한다.

"걔가 누군데?"

"왜 있잖아, 얼굴이 하얗고……, 방앗간 집, 선생님들 하숙하는……."

"걔가 동수야?"

"응."

"난 잘 모르겠는데?"

"그렇구나."

"근데, 왜?"

"걔가 너 좋아하는 거 같더라?"

"나를?"

"그래. 지난번에 나한테 그러더라. 너 예쁘다고. 그래서 내가 말해준다고 했어."

깔깔 웃음을 터뜨린다.

"얘, 너 웃긴다."

선미의 걸음이 다시 빨라졌다. 그렇게 잰걸음으로 앞서가더니 걸음을 멈추고 다시 뒤돌아왔다.

"너는?"

"나? 뭐… 뭘?"

"그래. 너는 나를 어떻게 생각하냐고?"

갑자기 하얀 얼굴을 코앞에 불쑥 들이밀어 내 눈을 뚫어져라 쳐다봤다. 느닷없이 벌어진 일이라 당황이라도 했는지 덩달아 눈이 커지고 심장이 손아귀에 붙들린 물고기처럼 팔딱댔다. 그 애 얼굴을 그렇게 가까이 보기는 처음이었다. 참 맑고 예쁜 눈동자라고 생각했다. 하얀 볼은 잘 익은 한여름의 복숭아처럼 선홍빛이 눈부셨다. 미소 지은 붉은 입술은 정말 곱다는 생각이 들었다. 바람결에 머리카락이 살짝 흩날렸다.

"나도 예쁘다고 생각해. 그런데……."

"그런데?"

"우리는 어렸을 때부터 친구니까……."

"그게 뭐?"

"뭐, 그냥 그렇다는 거지."

그 애와 눈을 맞추기 어색해 자꾸 두리번거렸다.

"맞아. 옛날부터 우리는 친구였지."

선미가 천천히 뒤로 한 걸음 물러서다가 멈칫했다. 무언가 할 말이 있는 것 같았지만 그냥 뒤돌아섰다. 그리고 아무 일 없었다는 듯 다시 앞서 걸으며 말했다.

"그러니까 앞으로 더 친하게 지내자."

"응."

다시 나란히 걸었다.

"근데, 너 이제 집에 가면 뭐 하니?"

"소 풀 먹이러 가야지."

"어디로 가는데?"

"방죽으로."

"그래? 나도 같이 가도 돼?"

"그, 그럼."

집에 도착해서 옷을 갈아입었다. 방문을 나서기 전에 옷매무새를 다시 고쳤다. 외양간에 있는 소를 끌고나오다 매일 드나드는 외양간 기둥에 머리를 박았다. 선미는 벌써 공터에서 기다리고 있었다. 보라색 운동복을 입고 나왔는데 교복을 입었을 때와 달리 몸매가 확연히 드러나는 게 그 모습이 어른스러웠다.

방죽에는 소가 좋아하는 연한 풀들이 많았다. 소는 혀로 풀을 감아 입으로 가져간 다음 뜯어먹었다.

"풀을 참 맛있게도 먹는다."

선미는 소 곁에서 그 모습을 물끄러미 바라봤다.

"풀이 맛있을까?"

"소에게는 맛있지. 특히 요런 부드러운 풀을 좋아해."

"풀이 왜 맛있을까?"

"너, 배고플 때 밥 먹으면 맛있지?"

그 애가 갑자기 무슨 말이냐는 듯 날 쳐다봤다.

"소도 마찬가지야. 배고플 때 먹으니까 맛있는 거지. 배부를 땐 안 먹어."

"소한테 풀 줘 봐도 돼?"

"그럼."

풀밭에 쪼그리고 앉더니 희고 여린 손으로 풀을 뜯었다. 그러나 힘이 없어 잘 뜯지 못했다.

"내가 해줄게."

선미에게 풀을 한 주먹 뜯어 내밀었다. 풀을 받아 들더니 큼직한 소의 코밑에 내밀었다. 큰 눈으로 멀뚱멀뚱 선미를 바라보던 소가 선심이라도 쓰듯 머뭇거리다 혀를 내밀어 낼름 풀을 받아먹었다.

"엄마야!"

선미가 갑자기 엉덩방아를 찧었다.

"왜 그래?"

"소가 손 핥았어."

"괜찮아, 지난번엔 내 머리도 핥았는걸."

"정말?"

"소가 머리 핥으면 어떻게 되는지 알아?"

"어떻게 되는데?"

"곱슬머리 된다? 공짜 파마하는 거지."

"에이, 거짓말."

"진짜야. 여기 봐봐."

고개를 숙여 머리카락을 보라며 내밀었다.

"아무렇지도 않은데?"

선미는 밤송이 같은 내 짧은 머리칼을 슥슥 쓰다듬으며 말했다.

"소가 파마는 안 하고 다 뜯어먹었나보다."

그 애가 깔깔 웃었다. 웃음소리 때문이지, 바람 때문이지 풀이 풀썩 일렁였다.

"근데, 소가 풀 다 먹을 때까지 이러고 있어야 해?"

"아니. 저기다 묶어두면 돼."

나무에 소를 묶어놓고 둑을 내려갔다.

"이리 와봐."

넓적하고 평평한 돌을 골라 주워 수면으로 던졌다. 돌멩이가 물을 통통 튀기며 날아갔다.

"어떻게 하는 거야?"

"납작한 돌이 있어야 돼."

선미가 주위를 두리번거리더니 돌멩이를 주워왔다.

"이거면 돼?"

고개를 끄덕였다.

"잘 봐. 이렇게 손에 쥐고 옆으로 던져야 해."

그 애가 따라 했다. 그러나 물제비를 일으키지 못하고 풍덩 빠진다.

"몸을 옆으로 숙이고 던져."

다시 돌멩이를 던지는데 몸은 숙였지만 팔은 여전히 물과 수평이 되지 못했다.

"바보야, 더 낮게 던져야지."

"아, 몰라. 안 할 거야."

돌을 물속으로 휙 집어던지고 쪼르르 둑 위로 올라갔다.

선미는 둑 위에 쪼그리고 앉아 무언가를 열심히 들여다봤다.

"뭘 찾는 거야?"

"네 잎 클로버."

"여기는 네 잎 클로버 없어. 내가 몇 번이나 찾아봤어."

"아냐. 틀림없이 있을 거야."

그 애는 기어코 네 잎 클로버를 찾고야 말겠다는 듯이 클로버 잎을 하나하나 들췄다. 아무리 봐도 세 잎 클로버 밖에 보이지 않았다. 그동안 나는 클로버 꽃 두 개를 엮어 시계를 만들었다.

"이거 줄까?"

"뭔데?"

"꽃시계."

"예쁘다."

"손 내밀어 봐."

그 애의 부드럽고 가는 손목에 꽃시계는 쉽게 매어졌다.

선미는 토요일이면 가끔 소에게 풀을 먹이는 나를 따라나섰다. 풀잎으로 팔랑개비나 메뚜기를 만들어주면 아이처럼 깡충깡충 뛰고 소리를 지르며 좋아했다. 노을이 붉었던 어느 날, 개울을 건널 때 그 애가 물었다.

"너, 나뭇잎 배 만들 수 있어?"

"그럼. 만들어줄까?"

대답 대신 고개를 끄덕였다. 소가 물을 마실 수 있도록 물 가까이 매놓고 억새풀을 뜯어 나뭇잎 배를 만들었다. 다 만들어 건넸는데 물 위에 띄우지는 않고 고개를 숙인 채, 자꾸 만지작거리기만 했다.

"어서 물에 띄워 봐."

"무슨 소원을 빌까, 생각 중이야."

"소원?"

"그래. 나뭇잎 배를 띄우며 소원을 빌어야 해. 그럼 이루어진대."

나도 얼른 나뭇잎 배를 하나 더 만들었다.

개울가의 조그만 모래밭에 나란히 앉아 소원을 빌며 나뭇잎 배를 띄웠다. 물살을 따라 나뭇잎 배가 둥실 떠내려갔다.

"저 배는 어디로 갈까?"

"바다로 가겠지."

"바다까지 갈 수 있을까?"

"그럼. 개울물이 흐르면 바다로 가니까, 저 배도 바다로 갈 거야. 틀림없이."

나뭇잎 배가 보이지 않을 때까지 바라보다가 집으로 돌아왔다.

동네 어귀에 다다르자 선미가 물었다.

"너 아까 무슨 소원 빌었어?"

"소원?"

"응. 무슨 소원 빌었는데?"

잠시 머뭇거렸다.

"너 하고 친하게 지낼 수 있게 해달라고. 너는?"

"비밀이야. 소원을 말하는 사람이 어디 있니? 에그 이 바보."

그 애가 단발머리를 나풀거리며 집으로 뛰어갔다.

그 뒤로 수업이 끝나면 일부러 기다리는 내색은 하지 않았지만 학교 근처에서 어슬렁거리다가 선미가 보이면 함께 집으로 걸어가곤 했다. 나란히 길을 걷다가 아카시아 꽃잎을 따서 먹기도 했고, 아카시아 잎을 하나하나 떼며 몰래 그 애와의 미래를 점쳐보기도 했다. 아카시아 꽃잎으로 친 사랑점이 좋게 나오면 기분이 좋았지만 그렇지 않으면 기분이 상했다. 그럴 때면 '이런 건 도대체 왜 하는 거야? 하나도 맞지 않는 걸' 하며 속으로 투덜거렸다.

선미는 잎을 다 따낸 아카시아 줄기를 몇 개씩 집으로 가져가곤 했는데, 집에 가서 파마머리를 할 거라고 했다. 그러면서 빡빡머리인 내게 '너도 머리가 길면 내가 파마를 해줄 텐데' 라며 아쉬워했다.

아카시아 꽃잎이 눈처럼 지고 붉은 산딸기가 익기 시작했다. 야산과 이어진 길가엔 군데군데 산딸기가 무리지어 있었다. 선미는 내가 따주는 산딸기가 더 맛있다며 받아먹었다. 어머니가 과일주를 담그게 집에 오는 길에 산딸기 좀 따오라고 했지만 나는 산딸기를 따는 족족 선미에게 먹였다. 학교를 오가는 애들이 너나할 것 없이 산딸기를 따먹어 별로 남아있지 않아서 선미에게 산딸기를 양껏 따주지 못하는 게 늘 아쉬웠다. 그런데 어느 날, 선미와 함께 걸을 땐 보이지 않던 산딸기가 남자애들끼리 걸어 갈 땐 유독 눈에 많이 띄었다. 친구들과 앞다퉈 산딸기를 따먹다가 산딸기를 따서 선미에게 갖다 주면 되겠구나 하는 생각을 했다. 빈 도시락을 열어 산딸기를 담았다. 좀 더 크고 잘 익은 산딸기를 따기 위해 숲속으로 들어갔다. 수풀을 헤치고 산딸기를 따고 있을 때, 숲 안쪽에 큼직한 산딸기가 무리지어 있는 게 보였다. 그 산딸기를 따고 싶었지만 그러면 다른 친구들도 너나없이 달려들게 분명했다. 선미와 함께 올 때까지 남겨둘 생각으로 숲을 빠져 나와 친구들에게 빨리 집에 가자고 재촉했다.

다음 날, 다리 위에서 선미를 기다렸다. 다른 친구들이 모두 지나가고 난 뒤에야 모습을 드러냈다.

"늦었네."

"담임선생님이 청소 검사 맡고 가라고 해서. 너는?"

"너 기다리고 있었지."

"왜?"

"집에 같이 갈려고."

그 애가 방긋 웃었다.

"그럼, 가자"

그 애가 씩씩하게 앞장선다. 그렇게 산딸기가 무리지어 있는 곳에 이르렀다.

"산딸기 따먹고 갈래?"

"다른 애들이 다 따 먹고 하나도 없는 걸."

"저 안에 들어가면 많아."

손끝이 가리키는 숲속을 바라보더니 '저기 어떻게 들어 가나' 며 아쉬워했다.

"내가 길 만들게."

나뭇가지를 꺾고 가시덤불을 걷어내 사람이 드나들 수 있도록 길을 만들었다.

"이리로 들어와."

머뭇거리다 손을 내밀자 그 손을 잡고 조심스럽데 숲으로 들어섰다.

"넌 여기 가만히 서있어. 내가 따 갖고 올게."

손에 잡히는 산딸기를 몇 개 따서 건네주었다. 조금 더 안쪽으로 들어갔다. 그 애도 따라왔다. 크고 잘 익은 걸 골라 건넸다. 정말 맛있다며 괜스레 너스레를 떨었다. 그 모습이 싫지 않았다.

조금 더 안으로 들어갔다. 그 애도 따라 움직였다.

"아야!"

그러다가 갑자기 비명을 지르며 털썩 바닥에 주저앉았다.

"왜 그래? 무슨 일이야?"

"뭐한테 물렸나봐."

"어디 봐."

발목 뒤에 뱀 이빨자국이 선명했다. 바닥에 엎드려 발목에 입을 대고 독을 빨아냈다.

"뭐 하는 거야!"

소리를 질렀다.

"독을 빨아내야 돼. 안 그러면 큰일 나."

선미의 얼굴빛이 어두워졌다.

"괜찮아. 독을 빨아내면……."

얼마 동안이나 독을 빨아냈는지 모른다. 머리가 어지럽고 힘이 빠졌다.

"내 등에 업혀."

"뭐라고?"

"병원에 가야 해."

"나도 걸을 수 있어."

"걸어가면 피가 빨리 돌아 독이 더 빨리 퍼진단 말야!"

그 애가 머뭇거렸다.

"빨리 업히라니까!"

선미를 등에 업고 병원이 있는 곳까지 1킬로미터나 되는 거리를 단숨에 달려갔다. 목을 너무 끌어안아 숨을 쉬기가 힘들었지만 그건 상관없었다. 다행히 병원은 문을 닫기 전이었다.

"선생님, 독사에 물린 것 같아요!"

병원 문을 열고 들어서며 숨 가쁘게 외쳤다. 의사가 용수철처럼 의자에서 일어섰다.

얼음을 꺼내더니 간호사에게 뱀에 물린 곳에 갖다 대고 누르고 있으라고 했다. 나에게는 발목 윗부분을 손으로 꽉 쥐게 했다. 얼굴처럼 선미의 종아리도 창백했다. 주사를 놓았다.

"이제 괜찮을 거다."

그러면서 의사는 30분만 더 지켜보자고 말했다. 그 경황에도 선미는 벽에 걸린 시계를 보며 할머니 기다리겠다며 걱정을 했다. 30분이 지나도 아무 이상이 없자 의사는 발목에 거즈를 대고 반창고를 붙여주더니 이제 가도 된다고 말했다. 조금이라도 이상이 있으면 바로 병원으로 오라는 얘기를 덧붙였다. 선미는 절름거리며 오리 길을 걸었다. 업어주겠다고 했지만 싫다고 했다.

다음 날, 동네 친구들이 무슨 일이냐며 물어봤다. 선미는 대답하지 않았다. 어디서 넘어 졌느냐? 누구한테 맞았느냐? 호미에 찍었느냐? 온갖 질문이 쏟아졌지만 선미는 끝내 뱀에 물렸다는 이야기를 꺼내지는 않았다.

선미네 아버지는 고향 마을에 오면 동네 아저씨들과 막걸리를 마셨다.
"하는 일은 어때?"
"그럭저럭 먹고 살만 해요."
"이번에 선미 데려가는가?"
"아뇨, 아직요. 곧 데려가야죠."
어른들의 대화를 들으며 선미가 언젠가 고향을 떠날 거란 생각을 했다. 그저 막연한 미래의 일이라 별 생각 없이 지나갔다. 그런데 명절에나 고향에 내려오던 선미네 아버지가 마을에 왔다는 소리가 들렸다. 어른들의 일이라 그런가보다 했다. 선미네 아버지는 다시 서울로 갔고 동네는 다시 일상으로 돌아갔다.

여름방학을 얼마 남겨두지 않은 토요일, 집으로 가는데 선미는 다리에서 나를 기다리고 있었다.
"왜 여기에 있어?"
"집에 같이 가자고."
"그래."

날 기다린 것 같아 괜히 마음이 들떴다. 나는 씩씩하게 앞으로 나섰다. 선미도 내 옆에 나란히 걸었다. 걸으면서 아무런 말이 없었다. 평소 같으면 무슨 말이든 했을 텐데 조용히 걷기만 했다, 첫 번째 고개를 넘을 때, 가방에서 무언가를 꺼내 다소곳이 내밀었다.

"이거 먹어."

귀한 카스텔라 빵이었다.

"이게 웬 거야?"

"아버지가 가져오신 거야."

얼마 전에 다녀갔다던 아버지가 사온 모양이다. 실물은 한 번도 보지 못하고 TV에서만 봤다. 입에 넣으면 녹아 없어진다는 카스텔라가 얼마나 먹고 싶었는지 모른다. 손으로 조금 떼어먹었다.

"이야! 정말 맛있다. 넌 참 좋겠다. 아버지가 이런 것도 사다주시고."

처음 느끼는 달콤한 맛에 절로 흥분이 되었다. 이리저리 빵 포장지를 뒤적이며 신기해하는데 선미가 갑자기 걸음을 멈췄다. 길가의 평평한 돌 위에 앉더니 멍하니 하늘을 바라봤다.

"왜, 다리 아파? 가방 들어줄까? 집까지 들어줄까?"

기분이 좋아 맘껏 떠벌였다. 그 애는 말없이 그냥 앉아있었다. 멀리 산마루에 뭉게구름이 높이 떠있었다. 구름이 피어오르며 순간순간 그 모양이 바뀌었다. 하늘에도 바람이 부는지 조금씩 흐르며 멀어졌다. 선미는 그 모습을 한참동안 물끄러미 바라보고만 있었다.

"나, 전학 가."

처음엔 잘못 들은 줄 알았다.

"뭐라고?"

"전학 간다고."

그렇게 말하고 선미는 얼굴을 무릎에 묻었다.

순간, 멍해졌다. 나는 아무 말 못하고 한동안 서있었다.

"갑자기 왜?"

"이제부터 부모님이랑 살 거야."

"아버지 따라가는 거야?"

천천히 고개를 끄덕였다.

선미가 책가방 속에서 책을 꺼내들더니 파라락 책장을 넘겼다. 책갈피 사이로 클로버 꽃시계가 얼핏 지나쳤다.

"이거 너 가져."

그 애가 네 잎 클로버를 꺼내 건넸다. 시골에는 비닐 코팅을 하는 곳이 없는데, 어디서 했는지 비닐 코팅이 되어 있었다.

"어디서 찾은 거야?"

"지난 번 방죽에 갔을 때 찾은 거야. 내가 말했지? 찾아낼 거라고."

"응."

네 잎 클로버를 내 손에 쥐어주었다.

"네가 그렇게 갖고 싶어 했잖아……."

"그래서 주는 거야."

그 애가 벌떡 일어섰다. 그리고 나비의 날갯짓처럼 날아와 내 볼에 짧게 입을 맞추고 돌아서 신작로를 달려갔다. 저만치 가다 돌아서서 카랑카랑한 목소리로 외쳤다.

"나 간다고 울면 안 된다!"

그 애가 달렸다. 여전히 예쁘고 하얀 목덜미 위로 까만 단발머리가 앙증맞게 찰랑댔다. 나는 그 모습이 아주 사라져서 안 보일 때까지 지켜봤다. 가슴 한 구석이 알 수 없이 간지러웠다. 무언가 하고 싶었지만 아무 것도 하지 못했다. 그렇게 한여름의 뜨거운 침묵을 등에 지고 마음이 따뜻해지길 오래 기다렸다.

집에 돌아와 선미가 아버지를 따라갔다는 얘기를 어머니에게서 전해 들었다. 그 후로 마을에 할머니가 계시니 명절 때면 가끔 찾아오지 않을까 매번 기다렸지만 그 애는 한 번도 고향에 들르지 않았다. 포항으로 이사 갔다는 얘기만 들었다.

여름

삼성면

충북 음성군 삼성면.

내가 태어나고 자란 고향이다. 마을 이름은 덕정리다. 덕정리의 또 다른 이름은 '모래내' 다. 그래서 어른들은 아직도 덕정리를 '모란' 이라고 부른다.

모란에 대한 첫 기억은 초등학교 4학년 때다. 담임선생님은 가을운동회 때 '인공위성' 을 쏘아 올리는 실험을 하자고 했다. 철사로 틀을 만든 후 창호지를 붙여 큰 자루 형태로 모양을 만들고 이를 거꾸로 세워 입구가 있는 부분에서 불을 피워 공기를 데운 후 창호지 인공위성을 하늘로 띄워 보내는 실험이었다.

우리는 여러 차례 창호지 인공위성을 띄우는 실험을 했다. 불을 피워 인공위성 안의 공기가 따뜻해지면 창호지로 만든 인공위성은 땅을 박차고 하늘로 높게 솟아올랐다. 구름 한 점 없는 가을 하늘에 하얀 인공위성이 솟구쳐 오르는 모습을 보면 가슴이 벅차올랐다. 하늘로 높이 올라간 인공위성은 점점 작아져 점이 되었다가 안의 공기가 차가워지면 서서히 땅으로 내려왔다. 창공으로 솟구치는 인공위성을 보며 우리는 환호했다. 그 시절, 인공위성을 띄우는 실험은 단순한 놀이가 아니라 산골 아이들에게 모험심과 도전정신을 키워주고 꿈과 희망을 심어주는 메신저였다.

그런데 가을 운동회를 며칠 앞두고 있었던 마지막 실험에서 사고가 나고 말았다. 인공위성을 세우고 석유를 먹인 솜뭉치에 막 불을 붙이는 순간, 갑자기 인공위성이 기우뚱 땅으로 쓰러지며 그대로 불길에 휩싸였다. 불 붙은 인공위성이 담임선생님을 덮쳐 온 몸에 심한 화상을 입히고 말았다. 선생님은 모란에 있는 병원에 한동안 입원을 했다. 우리 반 아이들은 가을 운동회가 끝나고 나서 병문안을 갔다. 집에서 수확한 사과와 밤을 보자기에 싸들고 십 리 길을 걸어가고 있는데 서울에서 왔다는 대학생들이 말을 걸었다. 선생님 병문안을 간다는 우리 이야기를 듣고 그들은 기특하다며 사진을 찍어주겠노라고 했다. 그때 찍은 사진을 지금도 소중히 간직하고 있다.

1년에 한번 씩 열리는 삼성면민 체육대회도 모란에서 열렸다. 체육대회는 면민들이 함께 즐기는 축제였다. 각 동네 사람이 축구, 배구, 씨름 등으로 실력을 겨뤘고 여자들은 그네타기나 널뛰기를 했다. 축제에서 빠질 수 없는 먹을거리도 풍성했다. 삼성면민 체육대회는 삼성중학교에서 주로 열렸는데, 체육대회가 열리는 날이면 운동장 곳곳에서 음식냄새가 진동을 했다. 운동장 한쪽에선 여지없이 왁자한 술판이 벌어져 술 취한 아저씨들이 간혹 뒤엉켜 싸우기도 했다.

체육대회는 농사일이 별로 없는 한여름에 주로 열렸다. 면민 체육대회가 열리는 날이면 어른들은 아침 일찍부터 서둘러 준비를 해서 모란으로 모여들었다. 초등학교에 다니는 우리는 점심시간에 맞춰 삼성중학교를 찾아갔다. 우리는 여름 뙤약볕도 마다않고 맛있는 국밥을 얻어먹을 생각에 흙먼지 날리는 십 리 길 신작로를 터벅터벅 걸어갔다. 길을 걷다 힘들면 나무 그늘에 앉아 쉬기도 하다가 과수원에 몰래 들어가 채 익지 않은 사과 두어 개를 훔쳐 먹기도 했다.

한번은 서커스 구경을 위해 학교에서 단체로 모란에 가기도 했다. 초등학교 5학년 때인지 6학년 때인지 정확하지는 않다. 서커스 공연을 했던 장소가 어디였는지도 모르겠다. 다만 공연장 입구를 지나 계단을 따라 올라가 줄줄이 놓인 의자에 앉아 서커스를 구경했던 기억만 남아 있다. 광대가 나와 외발 자전거를 타고 공연하던 모습, 모자에서 무언가를 자꾸 꺼내던 마술공연이 끊어진 필름처럼 조각조각 떠오른다.

중학교를 졸업하고 모란에 갈 일은 거의 없었다. 어른이 되고 나서는 1년에 한두 번 장날에 맞춰 모란에 가거나 복지회관에서 열리는 결혼식에 참석하기 위해 가는 정도가 고작이었다. 얼마 전 고향에 계신 어머니가 물리치료를 받으러 가신다기에 어머니를 모시고 함께 모란에 다녀왔다. 어머니가 물리치료를 받는 동안 시간이 남아 모란 시내를 이곳저곳을 둘러보았다. 옛날의 모습이 많이 남아있지는 않았지만 그래도 모란은 정겨웠고 사람 사는 냄새가 났다. 예전에 몇 번인가 고춧가루를 빻거나 떡 방아를 찧기 위해 왔던 방앗간도 그대로였고 씨앗을 파는 종묘가게도 간판만 바뀐 채, 옛 모습을 간직하고 있었다. 건축 당시만 해도 최신식 건물이라 삼성면민 사람들의 결혼식장으로 주로 이용됐던 복지회관은 어느새 낡은 건물이 되고 말았다. 터미널의 모습은 그대로지만 외국인들을 위한 마트가 새로 생겼다. 장터 옆 골목엔 대형 마트가 새로 들어섰다. 시골 노인들이 물리치료를 받기 위해 자주 병원을 찾기 때문인지 병원도 여러 개 들어섰다. 여느 시골도 마찬가지겠지만 다방이 많이 보였고 건설 인부를 대는 인력사무소도 여러 곳 눈에 띄었다.

모란에 천주교 성당이 있다는 것은 이번에 처음 알았다. 언덕 위의 성당 앞마당에는 오래된 종탑이 세워져있었다. 종탑 옆에서 바라보니 모란 시내가 한눈에 들어왔다. 종탑도 내 추억의 크기만큼 이 자리에서 오랜 세월동안 말없이 모란시내를 굽어보고 있었을 것이다.
문득, 터벅터벅 흙먼지 날리는 십 리 길 신작로가 그리워졌다.

오디와 까치

무더위가 막 시작되는 6월 말, 흙벽돌로 만든 시원한 대문간의 그늘에
서 늘어지게 잠을 청하고 있었다. 앞뒤로 훤히 트인 대문간으로 시원
한 바람이 불어왔다. 학교에서 내준 숙제가 있었지만 걱정은 커녕, 천
하태평이었다. 막 잠에서 깨어날 무렵, 친구가 우리 집으로 걸어오고
있었다.

"우리 오디 따먹으러 가자."

뜨겁던 햇볕이 한 풀 꺾여있었다.

"내가 좋은데 봐 뒀어. 거긴 아무도 몰라."

친구 녀석은 얼마 전 자신이 오디가 많이 달려있는 뽕나무 밭을 발견
했다며 서둘러 가지 않으면 다른 사람들이 먼저 따먹고 말 것이라며
어서 가자고 재촉했다.

친구가 발견한 뽕나무 밭은 초등학교 옆에 있었다. 아직 다른 사람들
의 눈에 띄지 않았는지 뽕나무에는 오디가 주렁주렁 달려있었다. 우
리는 누가 먼저랄 것도 없이 뽕나무를 휘어잡고 오디를 따먹었다. 까
맣게 익은 오디는 알도 굵었으며 달콤하게 씹히는 맛도 일품이었다.
입 주위를 온통 까맣게 물들이며 정신없이 오디를 따먹고 있는데 어

디선가 '푸드득' 하는 소리가 들렸다.

"야! 저기 봐."

어디서 날아왔는지 새끼 까치 한 마리가 땅바닥에 떨어져 숨을 헐떡이고 있었다.

인기척에 놀란 까치가 날아오르지만 아직 날개에 힘이 없어 멀리 날아가지 못했다.

"저거, 잡을 수 있겠다."

새끼 까치를 잡기로 했다. 오디는 더 이상 중요하지 않았다. 까치를 잡기 위해 살금살금 다가갔다. 그러나 인기척에 눈치를 챈 까치는 죽을힘을 다해 날개 짓을 하며 달아나버렸다. 하지만 이번에도 멀리 날아가지 못했다. 우리는 다시 까치가 내려앉은 곳을 향해 잽싸게 달려갔다. 이번에도 까치가 먼저 날아갔다. 그렇게 한참을 산으로 들로 숨바꼭질을 하며 까치를 쫓았다. 하지만 어린 까치는 번번이 손길을 벗어났다. 그래도 우리는 포기하자 않고 까치를 뒤쫓았다.

결국, 먼저 지친 것은 까치였다. 한 시간이 넘도록 있는 힘껏 날개 짓을 하던 까치는 힘이 빠져 더 이상 날지 못했다. 우리는 지친 까치를 잡아 의기양양하게 집으로 돌아왔다. 한낮의 뜨겁던 태양도 서산에 걸려 뉘엿뉘엿 넘어가고 있었다.

개선장군이 되어 집으로 돌아오는 우리 뒤를 어미까치가 쫓아오고 있다는 걸 동네 앞의 개울을 건널 때 알았다. 어미 까치는 개울가의 미루나무 위에서 자기 새끼를 잡아가는 우리를 향해 시끄럽게 울어댔다. 그 울음소리는 평소와 달랐다. 보통 때라면 한두 번 울어댈 뿐인데 그날은 쉬지 않고 울었다. 그 소리는 자기 새끼를 잡아가는 우리를 향한 원망의 울음소리였다.

"까치 어미인가 봐. 계속 쫓아오네?"
"저러다 갈 거야."
하지만 어미까치는 돌아가지 않고 집까지 따라와 뒷산 나뭇가지에 앉아 연신 불안한 울음을 토해냈다. 친구와 나는 불안해지기 시작했다. 우리가 엄청 못된 짓을 했구나하는 생각이 들었다.
"야, 우리 까치 도로 갖다 놓자."
우리는 결국 어린 까치를 원래의 자리에 되돌려놓기로 했다.

해는 이제 완전히 넘어가 주위를 더욱 어둡게 만들었고 인척이 드문 뽕나무 밭은 초여름의 기운을 받아 더욱 스산해보였다. 우리는 으슥한 뽕나무 밭에 까치를 내려놓고 뒤도 돌아보지 않고 뛰어 달아났다. 그제야 까치의 울음소리가 멈췄다.
훈훈한 초여름 밤에 불어오는 시원한 바람이 두 아이의 뛰는 가슴을 진정시켰다. 저 멀리 동네엔 하나둘 불이 켜지기 시작했다.

옥수수

주말이면 자주 고향에 내려간다. 부모님 얼굴도 뵙고, 농사일도 거들고 오랜만에 친구들과 만나 막걸리도 한잔 기울일 수 있으니 이래저래 고향 가는 길은 즐겁기만 하다. 고향에 가면 마주치는 모든 게 정겹다. 동네 앞으로 흐르는 실개천도 정겹고 동네를 감싸듯 휘돌아나가는 야산도 정겹다. 올망졸망 펼쳐져 있는 논과 벼, 바람에 사스락사스락 소리를 내는 들판의 소리도 마음을 평안하게 해준다.

고향에 있는 시골집 대문은 나무로 만들었다. 대문간 처마 밑에는 어른 팔뚝 굵기의 나무를 매달아 호미를 걸어놓았다. 좀 더 안쪽엔 못을 박아 망태기나 대소쿠리를 걸려있다. 호미와 대소쿠리 사이엔 껍질을 벗긴 옥수수가 대롱대롱 매달려있다. 봄에 씨앗으로 쓰기 위해 말리고 있는 것이다.

옥수수는 버릴 게 하나도 없는 작물이다. 시골에서 농사를 짓는 작물이 다 그렇듯, 열매는 음식으로 먹고 가지나 줄기는 땔감으로 쓰거나 거름으로 사용해 버릴 게 없다지만 옥수수는 더욱 쓸모가 많은 작물이다. 옥수수는 불에 구워먹거나 솥에 쪄서 먹고 잎과 대는 소의 먹이로 사용한다. 또한 옥수수는 사계절 내내 먹을 수 있는 주전부리다.

어른들은 말린 옥수수를 잘 보관해 두었다가 장에 가지고 갔다. 5일마다 열리는 시골장터의 초입에는 언제나 뻥튀기 장수가 자리를 잡고 있었다. 뻥튀기 장수 앞에는 언제나 옥수수를 튀기러 온 사람들로 북적였다. 장에서 튀겨온 옥수수를 큰 자루에 담아놓고 함지박으로 떠서 수시로 집어먹었다. 어린아이가 있는 집에선 튀긴 옥수수를 아이 손이 닿지 않는 다락같은 높은 곳에 보관했다. 아이가 혼자 있을 때 강냉이를 먹다가 숨이 막히는 사고가 일어날 수도 있기 때문이다.

상체가 앞으로 쏠려 걸을 때 마다 뒤뚱거리고 말도 어눌한 강인이를 우리는 '강냉이' 라고 놀렸다. 소슬소슬 비가 내리던 어느 초여름 날이었다. 우리는 멀리서 다가오는 강인이를 보며 '강냉아, 강냉아' 라고 부르며 놀렸다. 강인이는 그저 헤벌쭉 웃기만 했다. 마실 나가던 강인이 어머니가 그 모습을 보고 작대기를 들고 쫓아왔다. 우리는 걸음아 나 살려라 줄행랑을 쳤다.

그날 저녁 아버지는 우리를 혼내며 강인이가 어렸을 적 튀긴 옥수수(강냉이)를 먹다가 숨이 막혀 반 바보가 됐다는 애기를 했다. 어른들이 조금만 늦게 발견했다면 더 큰일이 날 수도 있었다는 말도 덧붙였다. 그날 이후로 우리는 강인이를 더 이상 강냉이라고 부르지 않았다.

옥수수는 등 긁게로도 활용되었다. 알맹이를 떼어낸 옥수수에 가느다란 나무를 꽂아 만든 등긁게는 가려운 곳을 시원하게 긁어주는 최고의 발명품이었다. 안방이나 마루에 항상 걸려있던 옥수수 등 긁게가 자취를 감춘 건 80년대 중반에 들어서면서 부터다. 장날이면 찾아오는 만물상 노점에 효자손이 등장하면서 옥수수로 만든 등 긁게는 빠른 속도로 사라졌다. 중학생들이 수학여행을 가서도 가장 많이 사오는 선물이 효자손이었을 정도였다. 아득한 기억으로 떠올리며 처마 밑에 대롱대롱 매달려있는 옥수수를 보며 등긁게를 만들어야겠다고 생각했다.

먼저 어른 손가락 세 개정도 굵기의 옥수수를 하나 골랐다. 길이는 20센티미터 정도 됐다. 보라색 알갱이가 가지런히 박힌 옥수수였다. 잘 마른 옥수수는 양손으로 둥글게 움켜쥐고 조금만 힘을 주어 비틀기만해도 후드득 떨어진다. 평상에 자리를 잡고 앉아 옥수수 알갱이를 떼어냈다. 바닥에 떨어진 옥수수 알갱이는 비닐봉지에 담아 다시 처마 밑에 매달아 두었다.

옥수수를 가지고 만지작거리는 모습을 본 어머니가 뭐 하느냐며 말을 건넨다.

"등긁게 만들려고 그래요."

"싸리나무가 있어야 되는데……."

"싸리나무요?"

"자루는 싸리나무로 만들어야 돼. 근데 싸리나무가 없는데……."

"동네에 싸리나무 있던데 지금은 없어요?"

"간뎃말에 있긴 하더라."

간뎃말은 동네 가운데 있다고 해서 붙여진 이름이다. 동네사람들끼리만 통용되는 말이다. 마을회관을 중심으로 골목길을 따라 옹기종기 모여 있는 십여 채의 집을 이렇게 부른다. 마을을 관통하는 도로를 따라 간뎃말이 있고 간뎃말을 중심으로 동쪽은 아랫말, 서쪽은 웃말이라고 불린다.

간뎃말까지 가서 싸리나무를 베어오기는 뭣해서 뒷산에 있는 밤나무 가지로 자루를 만들기로 했다. 낫을 들고 손만 뻗으면 닿는 밤나무 가지를 툭 잘랐다. 곧게 뻗은 가지를 고르기 위해 두리번거렸지만 시간이 오래 걸리지는 않았다. 혹시나 해서 가지 두 개를 더 잘랐다. 자른 가지를 낫으로 쓱쓱 껍질을 벗겨냈다. 매끈하게 다듬어진 나뭇가지 끝은 뾰족하게 깎아 옥수수에 잘 들어갈 수 있도록 했다. 끄트머리는 연필심 굵기 정도로 깎고 위로 갈수록 두껍게 깎았다. 나무가 잘 빠지지 않게 하기 위해서다. 다듬어진 나뭇가지를 손으로 잡고 옥수수 심 사이로 밀어넣는데 흠집도 내지 못하고 뾰족한 끝 부분만 '툭' 하고 부러진다. 옥수수 심이 생각보다 단단하다. 못을 이용해 구멍을 먼저 뚫어야했다. 옥수수를 양 발바닥으로 잡고 망치로 못을 박았다. 못은 쉽게 들어간다. 여분으로 잘라온 나뭇가지를 다시 다듬어 못으로 만든 구멍에 대고 밀어넣으니 쉽게 들어간다.

완성된 옥수수 등긁게를 보니 크기도 적당하고 길이도 적당한 게 마음에 흡족하다. 시험 삼아 등을 긁어 보니 효자손과는 비교할 수 없을 정도로 시원하고 상쾌하다. 등에 닿는 면적도 넓고 긁히는 감도 보드랍다. 효자손은 잘못 긁으면 따끔한데 그런 것도 없다. 등긁게를 보며 상념에 빠져있는데 어머니가 저녁을 먹으라며 부르신다. 친구들과의 숨바꼭질 놀이에 해가 지는 줄도 몰랐던 먼 옛날의 한여름 밤이 떠올랐다. 그때도 어머니는 저녁을 먹으라며 대문간에서 나를 부르셨다. 어스름하던 저녁 빛이 저물어 집집마다 호롱불이 아른거리던 여름밤이었다.

숨바꼭질

나는 다른 사람들 모르게 어딘가 숨어들었다가 갑자기 나타나 놀래주는 장난을 좋아한다. 동료들과 함께 길을 걷다가 굽은 길이나 시야가 가리는 길이 나타나면 빠른 걸음으로 먼저 걸어가 기둥 뒤에 몰래 숨어있는 식이다. 그러다가 뒤따라오던 동료들이 숨어 있는 곳을 지나치면 조용히 그 뒤를 따라 걷는다. 아무 생각 없이 길을 걷던 동료들이 뒤늦게 내가 없어진 사실에 당황하는 모습이 재미있다. 식당에서 점심식사를 하고 동료들보다 먼저 밖으로 나와 숨어있기도 하고, 사무실 출입문 옆에 바싹 붙어 숨어있다가 밖으로 출입문을 나오는 동료들 앞에 갑자기 나타나 놀래주기도 한다.

숨기장난에 대한 사람들의 반응은 다양하다. 출입문 옆에 숨어 있다가 갑자기 눈앞에 나타나는 나를 보고 깜짝 놀라 소리를 지르는 사람도 있고, 순간 몸을 멈칫하는 사람들도 있다. 놀라기는 했지만 그렇지 않은 척 태연해 하는 사람도 있고 어이없다는 표정으로 바라보는 사람도 있다. 똑같은 장난에 몇 번 당한 사람들은 아예 무심해지거나 주먹을 쥐고 때리는 시늉을 하기도 한다. 내 장난에 처음 당하는 후배들을 보며 '저 사람 원래 그래' 라며 신경 쓰지 말라고 다독여주기도 한다. 오히려 내가 숨어있다는 걸 눈치 채고 거꾸로 나를 놀래주는 사람도 있다. 이제 동료들은 길을 가다가 내가 갑자기 없어져도 '틀림없이 어디 숨어있을 거야' 라며 신경도 쓰지 않는다. 그런데도 나는 이 장난을 멈추지 않는다. 남몰래 어딘가 숨어드는 것에 희열을 느끼거나 숨는 행위 자체에 중독돼 있는 것은 아니다. 그저 숨기놀이가 재미있고 즐겁기 때문이다.

숨기놀이는 가족들 하고도 자주 한다. 주로 밖에서 밥을 먹고 집으로 돌아오는 길에 하는데 큰 가로수 뒤에 숨거나 트럭 뒤에 숨어들었다가 갑자기 나타나 가족들을 놀리곤 한다. 숨는 쪽은 주로 나와 아들이고 아내와 딸은 늘 당하는 쪽이다. 하지만 이것도 아이들이 고등학교에 진학하고 나서는 시들해졌다. 이제 아내와 딸은 나와 아들이 중간에 사라지면 '거기 숨어있는 거 다 알아' 라며 깔깔대기만 한다. 어느 땐 딸이 몰래 숨어있다가 나를 놀리기도 하는데, 전혀 예상치 못한 상황이라 깜짝 놀라는 경우가 대부분이다.

어렸을 때 가장 많이 하던 놀이가 숨바꼭질이다. 여름날, 저녁 무렵이면 동네 아이들이 모두 회관 앞으로 모여들어 숨바꼭질을 했다. 가위바위 보를 해서 술래를 정하고, 술래가 눈을 감고 하나부터 백까지 셀 동안 다른 친구들은 재빠르게 동네 이곳저곳으로 숨었다. 백까지 숫자를 세고 난 다음 술래는 '이제 찾는다!' 라고 큰 소리로 외치고 아이들을 찾으러 다녔다. 술래가 친구들을 찾으러 다니는 사이에 술래에게 들키지 않고 먼저 술래자리에 들어와 벽을 치면 다음 번 술래에서 제외됐다. 술래에게 들키더라도 술래보다 빨리 달려 술래자리에 먼저 도착하면 된다. 술래는 숨어있는 친구를 찾아 그 친구보다 먼저 술래 자리에 돌아와야 했는데, 이렇게 술래보다 늦게 술래자리에 돌아온 친구들끼리 다시 가위 바위 보를 해 다음 번 술래가 됐다.

술래에게 들키지 않으려면 술래가 잘 찾지 못하는 무서운 곳이라도 마다하지 않았다. 불빛이 전혀 들지 않는 장독대나 변소 뒤, 헛간 안에 숨으면 술래가 잘 찾지 못한다. 사방천지가 고요하고 달빛마저 비켜가는 곳에 웅크리고 앉아있으면 '웅~웅~' 거리는 산짐승 소리만 들렸고 오싹한 기분에 그곳을 살짝 빠져 나오다가 술래에게 들켜 죽어라 달리기를 했다.

길모퉁이에 숨어 있다가 술래가 아이들을 찾으러 자리를 비운 사이에 잽싸게 술래자리로 되돌아오는 약빠른 친구도 있고 술래가 가장 먼저 찾아보는 뒤꼍이나 대문 뒤에 숨어 있다가 매번 들키는 친구도 꼭 한 둘은 있었다. 술래 중에서도 몇 명의 친구만 찾고 '못 찾겠다, 꾀꼬리'를 외치는 얄미운 친구가 있는가 하면, 마지막 남은 한 명을 끝까지 찾아내기 위해 고집 아닌 고집을 피우는 친구도 있었다. 이렇게 고집을 피울 때면 다른 친구들이 이제 그만 '못 찾겠다, 꾀꼬리'를 외치라고 성화를 냈다. 그래도 끝끝내 고집을 부리면 다른 친구가 대신 '못 찾겠다, 꾀꼬리'를 외치기도 했다. 어스름 저녁 무렵 시작한 숨바꼭질이 밤까지 이어지면 부모들은 밥 먹으러 들어오라고 아이들을 찾았고 아이들은 늦은 저녁밥을 먹고 나면 다시 회관 앞으로 몰려들었다. 숨바꼭질을 하다가 밥 먹으라고 부르는 소리에 중간에 집으로 들어가는 아이도 있었는데, 그럴 때면 술래는 끝끝내 찾지 못한 친구를 부르느라 '못 찾겠다, 꾀꼬리'를 목이 쉬도록 불러대야 했다.

어느 여름날, 동네 아이들이 모두 모여 숨바꼭질을 하고 있었다. 해가 서산으로 넘어간 지는 이미 오래됐고 달빛만이 흐릿하게 주위를 비춰주고 있었다. 달빛이 비추지 않는 곳은 어둠이 짙게 깔렸다. 여간해서는 술래가 되지 않던 내가 술래가 됐다. 친구들은 무슨 애기를 주고받는지 서로 모여 속닥거렸다. 내가 가까이 다가가자 술래는 저리 가있으라며 손짓을 했다. 빨리 숨지 않으면 그냥 찾겠다고 오기를 부리고 하나부터 백까지 숫자를 세어 나갔다. 그리곤 '이제 찾는다!'며 큰 소리로 외쳤다. 이제 숨어있는 친구들을 찾으면 되었다. 어디에 숨었는지는 그동안의 경험만으로도 충분히 알 수 있었다. 친구들의 기척이 그날따라 조용하기는 했지만 그건 큰 문제가 되지 않았다. 서둘러 아이들을 찾기 시작했다.

그런데 전혀 인기척을 느낄 수 없었다. 친구들이 평소에 잘 숨어드는 곳을 다 찾아봤지만 개미 한 마리 지나는 소리조차 들리지 않았다. 슬슬 조바심이 나기 시작했다. '어딘가 단체로 숨어 있겠지.' 하지만 온 동네를 헤매고 다녀도 단 한명의 친구도 찾지 못했다. 무서워서 잘 가지 않는 장독대, 헛간, 심지어 변소 안까지 찾아봤지만 그 어디에도 친구들은 없었다. 순간 오싹한 기분이 들었다. 컴컴한 세상에 나 혼자 버려진 느낌이었다. 하얀 소복을 입은 귀신이 툭 튀어나와 낚아챌 것만 같았다. 고요한 사방 천지에 산짐승 소리만 점점 커졌다. 결국 찾는 걸 포기하고 큰 소리로 '못 찾겠다, 꾀꼬리!'를 외쳤다. 그래도 친구들은 나타나지 않았다. 목이 쉬도록 외쳐댔지만 아무도 나타나지 않았다. 친구들은 그간 술래가 되지 않은 내가 얄미웠었나보다. 나는 결국 울음을 터뜨리며 집으로 돌아갈 수밖에 없었다. 달빛은 구름에 가렸고, 별빛만이 밤하늘에 반짝이고 있었다.

물놀이

여름이면 아이들은 냇가에서 살았다. 학교가 끝나고 나면 누가 먼저 랄 것도 없이 냇가로 모여들었다. 냇가에는 보가 있다. 논에 물을 댈 때 사용하기 위해 만들어 놓은 보는 아이들이 물놀이를 하기에 더 없이 좋은 장소다. 보 바로 앞은 두 손을 머리 위로 들어 올려도 손끝이 보이지 않을 정도로 깊었지만 다른 곳은 목이나 가슴부분까지 밖에 물이 차지 않았다.

개울둑에 있는 버드나무는 다이빙 장소였다. 장난꾸러기들은 버드나무 위에 올라가 몸을 날려 다이빙을 하거나 늘어진 버드나무 가지를 잡고 타잔처럼 줄타기를 하기도 했다. 버드나무 가지를 잡고 얼마나 멀리 날아가 물속으로 떨어졌는지를 놓고 내기를 하기도 했다.

물속에서 누가 더 오래 숨을 참고 버티는지, 잠수를 해서 누가 더 멀리까지 나아가는지 등도 빼 놓을 수 없다. 잠수를 하고 있다가 숨을 참지 못해 물 밖으로 나오는 아이의 머리를 손으로 눌러 다시 물속에 집어넣다가 싸움이 벌어지기도 했고, 아예 처음부터 잠수를 하지 않고 있다가 다른 친구가 물위로 머리를 내밀 때에 맞춰 잠수를 하기도 했다. 남들보다 뒤늦게 잠수를 했다가 다른 사람들이 모두 물 밖으로 나오면 마치 물속에서 가장 오래 있었던 것처럼 요란을 떨며 물 위로 솟아오르지만, 그 모습을 보고 다른 친구가 다시 물속으로 잠수를 하곤 해서, 결국 누가 잠수를 더 오래 하느냐는 승부를 내지 못하고 끝나는 경우가 많았다.

물속에 돌멩이를 던져놓고 누가 먼저 꺼내오는지를 겨루는 놀이도 아이들이 좋아했다. 그렇게 한참을 물속에서 놀다보면 한 여름에도 입술이 파래지고 바들바들 몸을 떨게 된다. 그럴 때면 햇볕 좋은 곳에 앉아 몸을 녹였다.

물놀이가 시들해지면 물고기를 잡았다. 버드나무 뿌리가 뻗어 내린 곳에 특히 물고기가 많았다. 팔을 벌린 상태에서 손을 물속에 집어넣고 더듬으며 양손의 간격을 좁히다보면 물고기의 감촉이 느껴지곤 했다. 붕어는 넓적하고 비늘이 있어 손으로 잡기 쉬웠지만 미꾸라지는 그렇지 않았다. 손에 미꾸라지가 닿는 느낌을 받고 재빠르게 양손으로 움켜보지만 미끈대는 미꾸라지는 손가락 사이로 잘도 빠져나갔다. 그래도 간혹은 손에 잡히는 미꾸라지가 있었다. 이렇게 잡은 물고기는 모래톱에 작은 웅덩이를 만들어 가둬두곤 했다.

물고기를 잡다가 지치면 다시 물놀이를 했고, 그러다가 다시 물고기를 잡으며 하루 종일 물속에서 뛰어놀았다. 그러다보면 귀에 물이 들어가 먹먹해지기 마련이다. 그럴 때면 머리를 한쪽으로 기울여 팔짝 팔짝 뛰면서 물을 빼냈다. 햇볕에 달궈진 차돌멩이를 주워 물이 들어간 귀에 대고 머리를 한쪽으로 기울여 물을 빼내려고 애썼는데, 달궈진 차돌멩이의 열기로 귓속의 물이 증발한다고 생각했다.

아이들이 집에 돌아가는 시간은 놀다가 지쳤을 때나 배가 고파 더 이상 놀 수 없을 때였다. 집에 돌아가기 위해선 몸을 말려야 했다. 햇볕이 따스한 곳에 옹기종기 모여앉아 몸을 말린 다음 옷을 입었다. 그런데 간혹 던지듯 아무렇게나 벗어놓은 옷가지가 없어지기도 했다. 짓궂은 동네 형들이 아이들 몰래 개울둑으로 다가와 옷을 숨겨놓거나 아이들 손이 닿지 않는 높은 가지 위에 옷을 걸어놓고 달아나곤 했다. 그러면 아이들은 발가벗은 몸으로 옷을 찾아 개울 근처를 샅샅이 찾아 나서기도 했다. 개울 근처에 숨겨둔 옷은 찾아 입을 수 있었지만, 손이 닿지 않는 나뭇가지에 걸어 놓은 옷은 어쩔 수 없었다. 어른들이 근처를 지나갈 때까지 기다려 창피를 무릅쓰고 내려달라고 부탁드리거나 발가벗은 몸으로 동네 형들을 찾아 나서야만 했다.

집으로 돌아오는 길에는 젖은 고무신을 빙빙 돌리며 '고무신아 빨리 말라라' 는 노래를 부르곤 했다. 그러다보면 모래톱에 가둬둔 물고기는 까맣게 잊어버리고 오는 경우가 많았다. 다음날 냇가에 가보면 물고기는 어디로 갔는지 보이지 않았다.

언젠가 물놀이를 하다 물을 먹어 허우적거린 적이 있었다. 물 밖으로 나오지 못하고 꼬르륵거리고 있는 아이를 친구가 뛰어 들어 얕은 곳으로 밀쳐내서 화를 면할 수 있었다.

물놀이는 중학교에 가서도 계속됐다. 중학교가 있는 면소재지에는 시골마을의 냇가보다 훨씬 큰 개울이 있었다. 학교가 일찍 끝나는 토요일이면 이곳에서 물놀이를 했다. 같은 동네에 사는 친구를 기다리며 물놀이를 하다가 함께 집으로 돌아갔다. 다른 사람들 보다 늦은 친구들은 조금이라도 물놀이를 더하기 위해 허겁지겁 옷을 벗어 놓고 개울가로 달려 들어왔는데, 어느 날 그렇게 개울을 달려오던 한 친구가 '악' 소리를 내며 그대로 물속에 주저앉았다. 놀란 친구들이 달려들었다. 물속에 주저앉은 친구가 한쪽 다리를 들어 올려보니 녹슨 철사가 발바닥을 뚫고 발등까지 삐져나와 있었다.

누가 먼저랄 것도 없이 친구를 등에 업고 병원으로 달려갔다. 토요일이라 병원이 일찍 문을 닫을 수 있는 상황이라 달리기를 제일 잘하는 친구는 먼저 병원으로 달려갔다. 우리가 헐떡대며 병원에 도착하자 뚱뚱한 의사가 친구의 발을 한번 훑어보고 펜치로 녹슨 철사를 쑥 뽑아냈다. 아프다고 울고 있는 친구를 꽉 잡고 있으라고 말한 의사는 녹슨 철사를 뽑아내고 나서 아까징끼(머큐로크롬 Mercurochrome)를 발라주더니 '이제 집으로 가라'고 말했다.

고등학교에 입학하고 나서는 방죽에서만 가끔 물놀이를 즐겼을 뿐 조그만 동네 냇가에서는 더 이상 물놀이를 하지 않았다. 대신 냇가에서 목욕을 했다. 농사일이 끝나고 달빛도 없는 어두운 밤이 되면 수건과 비누를 들고 냇가로 갔다. 어릴 때처럼 훌훌 옷을 벗어 던지고 물속에 첨벙 들어갔다가 몸에 비누칠을 하고, 머리도 박박 문지르고 물속에 들어가 비누를 씻어냈다. 물속에서 바라보는 밤하늘의 별이 반짝였다

이제 더 이상 조그만 시골마을의 냇가를 찾지 않는다. 동네 냇가에서 물놀이를 할 나이도 지났지만, 시골마을의 냇가가 옛날처럼 맑고 깨끗하지 않기 때문이다. 개울 상류에 축산농가가 들어서기 시작하면서 작지만 맑고 시원했던 냇가는 제 모습을 잃어가고 점점 썩어 들어갔다. 구불구불했던 개울 길도 농지정리를 하며 일직선으로 변했고, 그 많던 버드나무들도 모두 사라져 지금은 황량한 모습으로만 남아있다.

작지만 깨끗하고 시원했던 시골 냇가는 생명력을 잃어가고, 사람들은 여름이면 시원한 계곡을 찾아 휴가를 떠난다. 깨끗한 자연을 그리워하며 자연에 묻혀 쉬고 싶어 하면서도 시골의 조그만 냇가에 관심을 두는 사람들은 없다.

책가방이 둥둥

학교에서 집으로 오려면 개울을 건넜다. 예전엔 통나무다리가 놓여있었는데 장마철이면 통나무다리가 물살에 떠내려가 동네 사람들이 큰 불편을 겪었다. 초등학교 3학년 때인가, 4학년 때인가 그곳에 시멘트 다리가 놓였다. 이 다리를 동네사람들은 '회다리' 라고 불렀다. 시골에서는 시멘트를 '회' 라고 불렀으니 시멘트로 만든 다리라 '회다리' 라 불렀다. 회다리가 놓이고 나서는 아무리 비가 많이 와도 다리가 떠내려갈 걱정을 하지 않았다. 하지만 학생들에게는 좋은 일만은 아니었다. 통나무다리였을 땐 비가 많이 와 다리가 떠내려가면 학교에 가지 않아도 됐지만 회다리가 놓이고 부터는 그럴 일이 없기 때문이었다.

통나무다리 시절에는 다리가 떠내려가면 다시 다리를 놓기까지 며칠의 시간이 걸렸다. 그러면 아이들은 물살이 약해질 때까지 하루 이틀은 학교를 가지 않고 집에서 시간을 보냈다. 학교에 늦더라도 물살 때문에 개울을 건너기 힘들어 지각을 할 수 밖에 없다는 핑계를 댈 수 있었으나 이젠 그런 핑계도 댈 수 없게 됐으니 학교 가기 싫은 아이들의 얼굴은 울상이 되었다.

대신 아이들에게 새로운 놀이거리가 생겼다. 그건 바로 다리 위에서 개울의 모래밭으로 뛰어 내리는 놀이였다. 회다리는 기둥부분이 다리 옆으로 약간 돌출돼 있었는데, 그곳에서 아이들이 모래밭으로 뛰어내렸다. 회다리 위에서 모래밭으로 뛰어내리는 놀이는 당시로써는 엄청난 담력이 필요했다. 처음엔 친구들 중 한두 명만이 회다리 위에서 뛰어내리는데 성공할 뿐, 다른 친구들은 모두 실패했다. 시간이 흐르면서 몇 명만 빼고는 모두 뛰어내리는데 성공하자, 그곳은 아이들의 새로운 놀이명소로 자리매김했다. 급기야 회다리 위에서 뛰어내리는 것은 친구들과 함께 놀 자격이 있는가를 판단하는 일종의 통과의례가 되었다. 그래서 뛰어내리는데 실패한 친구들은 남몰래 회다리를 찾아가 연습을 하기도 했다.

회다리가 놓이면서 찾아온 또 하나 변화가 생겼다. 회로 만든 보가 생긴 것이다. 예전엔 나무로 보를 만들었는데 장마가 지면 쉽게 무너져 개울에 물이 깊게 고이지 않았다. 그런데 회보가 생기고 나서는 아무리 큰 비가 와도 보는 무너지지 않을뿐더러 비가 많이 올수록 보의 깊이도 더 깊어졌다. 개울물이 깊어지면 여름에 아이들이 신나게 물놀이를 즐길 수 있는 곳이 생겼다는 의미이기도 했다. 회보가 만들어지고 나서 동네 아이들은 여름이면 모두 회보에 모여 물장구를 치며 놀았다. 입이 파래지도록 물장구를 치다가 따뜻하게 데워진 회보 위에 누워 햇볕을 쬐고 배가 고파지면 개구리를 잡아먹거나 참외밭에 몰래 들어가 서리를 해먹기도 했다. 비가 많이 와도 학교에 가지 못한다는 핑계를 댈 수 없게 됐지만 그래도 회다리가 놓이고 나서 놀이거리가 많아졌으니 아이들에겐 더 신나는 일이었다.

그날도 아이들은 다리기둥 위에서 뛰어내리는 놀이를 하고 있었다. 그런데 그 중 한 명이 갑자기 다리 위로 올라가더니 책가방을 새끼손가락에 걸고 다리난간 밖으로 손을 뻗었다. 그러더니 친구들을 보며 '너희들 이렇게 할 수 있냐' 며 우쭐댔다. 그러자 아이들이 너도 나도 다리 위로 올라가 새끼손가락에 책가방을 걸고 난간 밖으로 손을 뻗어 흔들었다. 다른 친구들이 모두 성공하자 처음 선을 보였던 친구가 나를 보며 누가 더 오래 버티는지 내기를 하자고 했다. 친구들이 부추기기 시작했고 하지 않겠노라 꽁무니를 빼기도 자존심 상하는 일이라, 나와 친구는 서로 새끼손가락에 책가방을 걸고 누가 더 오래 버티는지 내기를 했다. 흥이 오른 친구들이 주위를 둘러싸 응원을 했다. 나와 친구는 서로지지 않으려고 안간힘을 썼다. 하지만 힘이 센 그 친구와의 내기는 처음부터 내가 불리했다. 시간이 지나면서 내 새끼손가락에는 힘이 빠지기 시작했다. 버티고 버티다 결국 가방을 개울에 빠트리고 말았다.

개울에 가방이 빠지고 나서야 모두 그 놀이가 무모한 놀이였음을 깨달았다. 책가방은 개구쟁이들을 비웃듯 개울을 둥둥 떠내려갔다. 너도나도 개울로 뛰어들어 떠내려가는 책가방을 건지려고 나섰다. 다행이 책가방은 멀리 떠내려가지는 않았지만, 가방 안에 들어 있던 책은 이미 물에 흠뻑 젖고 말았다. 내기를 하자고 말을 꺼낸 친구나, 부추긴 다른 친구들이 난처해했지만 이미 엎질러진 물이었다. 나는 집으로 돌아와 아궁이에 젖은 책을 들고 말려보려고 애썼다. 그러나 물에 흠뻑 젖은 책을 쉽게 마르지 않았다. 더구나 종이가 마르면서 책은 울퉁불퉁하게 변했다. 그렇게 한참을 말리다가 나는 꾀를 냈다. 아궁이 앞에 막대를 걸쳐 그 위에 책을 얹어 말리기로 했다. 아궁이에는 불씨밖에 남아 있지 않아 불길이 아궁이 밖으로 번질 염려는 없었다. 노느라 피곤했던 나는 막대 위에 책을 얹어놓고 방으로 들어왔다. 그러다가 깜빡 잠이 들었다.

한참 후에 잠에서 깼다. 깜짝 놀라 외마디 소리를 지르며 부엌으로 뛰어갔다. 아니나 다를까. 책을 얹어놓았던 막대가 쓰러져 책이 아궁이 불씨 위에 넘어져있었다. 책은 물기가 마른 부분에서 연기가 뽀얗게 피어오르고 있었다. 책이 서서히 타들어가는 줄도 모르고 태평하게 잠을 잔 것이다. 서둘러 꺼냈지만 이미 반도 넘게 타버린 후였다. 그해 여름, 나는 선생님 몰래 친구의 책을 훔쳐보며 공부할 수밖에 없었다.

물고기

시골의 여름밥상은 밭에서 직접 기른 채소들로 풍성해진다. 그중에서
도 고추는 식사 때마다 빠지지 않는 단골 메뉴였다. 손만 뻗으면 닿는
앞마당엔 언제나 고추가 자라고 있어서 식사 때마다 몇 개씩 툭툭 따
다가 물에 헹궈 고추장을 찍어먹었다. 오이도 물에 씻어 고추장에 찍
어먹거나 냉국으로 만들어 먹었다. 가지는 밥을 할 때 솥에 함께 넣어
쪄내 주로 무침이나 냉국을 만들어 먹었고 호박도 프라이팬에 살짝
익혀 무침을 해먹었다. 호박무침은 내가 제일 좋아하는 반찬 중 하나
였는데, 시골에서 어머니가 해주시는 호박무침을 제외하고는 다른 어
느 곳에서도 호박무침을 반찬으로 내오는 경우를 보지 못했다. 호박
과 고추를 숭숭 썰어 넣고 끓인 된장국도 내가 제일 좋아하는 반찬이
었다. 상추에 밥을 한 숟갈 얹고 고추장을 쓱쓱 발라먹는 맛도 일품이
다. 간장과 들기름, 깨 등을 넣어 무쳐낸 상추 겉절이는 부드러우면서
도 시큼하고 달콤했는데 그 맛이 어찌나 좋았던지 밥상에만 올라오
게 눈 감추듯 사라진다. 호박잎은 살짝 익혀 쌈으로 먹거나 된장국에
푹 담갔다가 먹곤 했는데 여름에 맛볼 수 있는 별미 중의 하나였다.
시골의 여름 밥상은 이처럼 언제나 건강한 먹을거리로 가득했다.

민물 매운탕도 여름에 먹을 수 있는 별미 중 하나였다. 개울에서 잡아온 물고기에 깻잎, 무 등 각종 채소를 넣어 끓인 민물 매운탕의 맛은 여름에 먹을 수 있는 별미 중 가장 으뜸이었다. 동네 앞으로 흐르는 개울에는 미꾸라지, 붕어, 피라미, 모래무지, 버들치, 쉬리 등 민물고기들이 가득했다. 물고기를 잡기 위해선 얼개미 하나만 있으면 충분했다. 한 손엔 얼개미를 들고 한 손엔 잡은 물고기를 담아둘 조리를 들고, 반바지 차림으로 개울에 가서 물고기를 잡아오곤 했다.

물고기를 잡는 일을 어렵지 않다. 물고기들이 눈치 채지 못하도록 조용히 물가로 다가가서 얼개미를 바닥에 닿게 세운 다음, 발로 물을 튀기며 얼개미 속으로 물고기를 몰아넣기만 하면 된다. 얼개미질을 할 때마다 매번 물고기가 잡히는 것은 아니지만 허탕을 치는 경우보단 그래도 미꾸라지 한 마리라도 잡히는 경우가 많았다.

미꾸라지는 개울에서 서식하는 물고기 중 가장 개체가 많았다. 물고기를 잡고 나면 미꾸라지가 절반이 넘을 정도였다. 미꾸라지는 다른 물고기들에 비해 손질하기도 간편하다. 고무대야에 미꾸라지를 쏟아붓고 그 위에 소금을 한 줌 뿌리면 된다. 민물에 사는 미꾸라지는 소금기가 닿으면 입에 거품을 물로 속에 있는 이물질을 다 게워낸다. 소금기가 닿은 미꾸라지는 사방으로 튀기 때문에 소금을 뿌리고 재빠르게 얼개미로 덮어씌워야 한다. 미꾸라지를 제외한 다른 물고기는 냇

가에서 손질을 해가지고 온다. 손톱으로 물고기 배 부분을 살짝 잘라
내고 내장을 빼낸 다음 흐르는 물에 헹구기만 하면 된다.

여름이면 수시로 물고기를 잡으러갔다. 더운 여름에 물놀이도 하고
물고기를 잡을 수도 있으니 그야말로 일석이조였다. 여기에 어머니가
잡아온 물고기를 보며 '한 끼는 충분히 되겠다'며 함박웃음을 짓는 모
습도 볼 수 있으니 더 기쁘고 즐거울 수밖에 없었다. 끼니 때마다 반
찬고민을 했던 어머니에게 민물고기는 너무나도 반갑고 귀한 손님이
었다. 냇가로 물고기를 잡으러 나가면 해가 지는 줄도 모르고 온 개울
을 헤집고 다니다 개울을 따라 이웃동네까지 가는 경우도 종종 있었
다. 그곳에서 역시 물고기를 잡던 친구들을 만나고 서로 누가 더 많은
물고기를 잡는지 경쟁이 벌어지기도 했다.

물고기는 맑은 날보다 흐린 날이 더 많이 잡혔다. 특히 비가 오고 난
다음 날엔 훨씬 많은 물고기를 잡을 수 있었다. 비가 많이 오면 상류
에 있는 방죽 수문을 열기 때문이다. 비가 온 다음날은 개울이 아니라
논으로 미꾸라지를 잡으러가기도 했다. 어른들은 비가 많이 오면 수
문을 열어 논의 물을 빼내곤 했다. 그러면 논에 있던 미꾸라지가 물살
과 함께 떠내려 오기 마련이다. 개울에서처럼 힘들게 물고기를 몰지
않고 수문 앞에 얼개미만 대고 있어도 미꾸라지가 한 무더기씩 잡히
곤 했다. 미꾸라지를 잡기 위해 논둑을 싸대고 돌아다니는 아이들을

보고 어른들은 논둑 터진다며 혼을 냈지만 그런다고 미꾸라지를 포기할 우리가 아니었다.

가재도 즐겨 잡았다. 가재는 초봄부터 5월 초순까지 잡으러 다녔다. 5월 초순이 지나면 가재를 잡지 않는 게 불문율이었는데, 이때부터 가재가 알을 배기 시작하기 때문이다. 알을 밴 가재를 잡는다는 건 시골 아이들에게는 절대로 해서는 안 될 금기사항이었다.

가재는 야행성이기 때문에 환한 대낮보다는 밤에 잡으러 다녔다. 가재를 잡기 위해선 특별한 도구가 필요 없었다. 가재를 담을 그릇과 손전등만 있으면 되었다. 장화는 필수품이다. 밤이 되면 기온이 떨어져 맨발로 물속에 들어갈 경우 감기에 걸릴 수 있기 때문이었다. 어두운 밤이라 물속에 있는 돌멩이도 잘 보이지 않기 때문에 발을 보호하기 위해서도 장화는 꼭 있어야 했다.

야행성인 가재는 환한 손전등 불빛을 비추면 물속에서 꼼짝도 하지 않고 웅크리고 있다. 손전등으로 물속을 비추다가 가재가 보이면 손으로 주워 담기만 하면 된다. 가재는 인기척을 느끼면 가까운 돌 틈으로 숨어든다. 그럴 경우에는 조용히 다가가 돌을 들어 올리면 되었다. 가재는 구워먹는 맛이 일품이다. 돌을 쌓아 아궁이를 만들고 마른 나무를 주워와 불을 지펴 가재를 구워먹는다. 소금간도 전혀 하지 않았지만 빨갛게 구워진 가재는 고소한 맛이 일품이었다. 구워먹고 남은 가재는 집으로 가져와 매운탕으로 끓여먹기도 했다.

초봄엔 가재를 잡고, 여름엔 개울에서 물고기를 잡았다면, 장마가 끝난 이후엔 방죽에서 민물새우를 잡으러 다녔다. 지금처럼 민물새우가 귀하던 시절이 아니었다. 족대를 펴고 방죽을 헤엄쳐 다니면 민물새우가 한 가득씩 잡히던 시절이었다. 민물새우도 집으로 가져와 매운탕을 끓여먹었는데 미꾸라지나 붕어를 넣고 끓인 매운탕보다 더 고소하고 시원한 맛이 났다.

아이들이 들에서 물고기나 가재, 민물새우만 잡아먹지는 않았다. 개구리와 뱀도 아이들의 단골 표적이었다. 개구리는 논에 지천으로 널려 있었는데, 손으로 움켜잡거나 강아지풀을 이용해 낚시를 했다. 강아지풀을 끝부분만 살짝 남기고 훑어낸 다음, 침을 묻혀 살살 흔들면 개구리가 먹이인줄 알고 덥석 물었다. 이때 낚아채면 묵직하게 한 마리 낚을 수 있었다. 경칩 이전에 잡는 동면개구리는 통째로 먹었지만, 여름에 잡은 개구리는 뒷다리만 먹는다. 뒷다리를 구워먹거나 프라이팬에 소금 간을 해서 볶아먹었는데 고소하면서도 풍부한 맛이 났다. 뱀은 가지 끝이 둘로 갈라진 막대를 가지고 잡았는데 구우면 꼭 북어 같은 맛이 났다.

가을이면 메뚜기를 잡아 볶아 먹고 겨울이면 꿩이나 참새를 잡으러 다녔다. 이렇게 시골아이들은 4계절 내내 들판이나 산을 뛰어다니며 놀며 야생에서 온갖 동식물을 먹고 자랐다. 그렇게 자란 시골 아이들은 도시에서 자란 아이들보다 몸도 마음도 건강했다.

소

아버지가 우시장에 소를 사러 간 날, 어머니는 아침부터 외양간을 드나들었다. 양동이에 물을 퍼 담아 외양간 바닥을 깨끗이 닦아내고, 허물어진 벽을 새로 보수했다. 작게 허물어진 곳은 황토를 개서 바르고 구멍이 큰 곳은 수수깡을 덧대고 황토에 짚을 섞어 갠 다음 평평하게 펴 발랐다. 소가 드나드는 문도 튼튼하게 고쳐 놓고, 오랫동안 쓰지 않았던 구유도 몇 번이나 씻어냈다.

우리 집에도 소가 있었다. 이제는 낡아 허물어져가는 외양간의 흔적이 이를 증명한다. 아버지는 내가 갓 돌이 지났을 때 서울로 이사를 했다. 고등학교를 졸업한 아버지는 당신이 시골에서 썩고 있을 사람이 아니라며 서울로 떠나겠다고 선언했다. 외양간에 있던 암소를 팔아 돈을 마련하고 봉천동에 터를 잡았지만 변변한 기술 하나 없었던 아버지가 서울에서 할 수 있는 일은 별로 없었다. 번듯한 회사에 취직하고 싶어 하셨지만 아버지를 오라는 곳은 없었다. 직장을 구하는 일이 뜻대로 되지 않자 아버지는 행상을 시작했다.

하지만 그것도 쉽지는 않았다. 돈을 벌기는 고사하고 집안에 팔리지 않은 물건만 걱정의 높이만큼 쌓여 갔다. 서울로 이사 온 후 1년 동안 아버지는 한푼도 벌지 못했고, 암소를 팔아 마련한 돈은 조금씩 줄었다. 결국 1년이 지나고 나자, 끼니 걱정을 해야 할 정도가 됐다. 시골에 있으면 밥 굶을 걱정은 없었는데 서울로 이사를 오고 나서는 끼니를 건너뛸 때가 많았다. 밥 보다는 국수나 수제비를 먹을 때가 많았는데 이 마저도 배불리 먹지 못했다.

아버지의 외사촌 동생이 봉천동 집에 다니러 온 날, 어머니는 집안에 마지막 남은 국수를 삶았다. 어머니는 양이 적어 모자란 국수를 퉁퉁 불려 여러 그릇을 만들어 방에 들여 놓고는, 저녁에 눈물을 흘리시며 아버지께 말했다. 시골로 돌아가자고.

외양간 손질을 끝낸 어머니는 건넌방 가마솥에 쇠죽을 끓였다. 작두로 마른 짚을 잘게 썰어 여물을 만들고, 여물에 겨를 섞어 물을 부은 다음 말린 아궁이에 불을 지폈다. 소가 좋아하는 콩깍지도 섞었다. 가마솥에서 팔팔 끓는 쇠죽에서는 구수한 냄새가 났다. 짚이 익을 때 나는 그 냄새가 너무 구수해 솥을 열어 한주먹 꺼내 먹고 싶을 정도였다. 쇠죽이 끓기 시작하면 가마솥에선 연신 눈물이 흘렀고, 뿌연 김이 몽실몽실 피어올랐다.

아버지는 해가 서산에 소나무 높이 정도로 걸려 있을 때 집으로 돌아왔다. 털이 갈색에 가까운 송아지가 눈을 껌벅거리며 아버지의 손에 이끌려왔다. 송아지는 마치 제 집에 온양 아무렇지도 않게 대문간으로 들어섰다. 앞마당을 지나며 허공을 한번 응시했을 뿐, 낯선 집에 들어온다고는 믿어지지 않을 정도로 발걸음이 조용했다.

송아지를 외양간에 매놓고 아버지는 양동이에 물을 떠서 송아지가 목을 축일 수 있게 했다. 오 리 길을 걸어오느라 지쳤는지 송아지는 단숨에 양동이의 물을 반이나 마셨다. 서산에 걸려있던 해가 산마루를 지나며 붉게 물들고 있을 때 어머니는 저녁상을 차리고 아버지는 김이 모락모락 오르는 쇠죽을 퍼서 송아지가 먹을 수 있도록 구유에 담아주었다. 아버지가 쇠죽을 퍼주는 모습을 지켜보던 나는 아버지가 방으로 들어가고 나서도 자리를 뜨지 않고 외양간 앞에 앉아 송아지가 쇠죽을 먹는 모습을 지켜보았다. 송아지는 쇠죽을 맛있게 먹었다. 나이 많은 할아버지처럼 입을 우물거리며 쇠죽을 먹는 송아지의 모습을 가만히 지켜보았다. 어머니가 저녁 먹으라며 부르는 소리가 아스라이 들렸다.

송아지가 집에 들어왔다는 건 내게도 할 일이 생겼다는 의미다. 하루에 한번 씩 송아지를 데리고 나가 풀을 뜯어먹을 수 있도록 하는 게 나의 임무였다. 학교가 끝나고 나면 제일 먼저 외양간으로 달려갔다. 초등학교 뒤에 있는 방죽 둑에는 송아지가 좋아하는 풀이 많았다. 풀의 크기가 무릎 높이까지 올라와 송아지가 뜯어먹기 좋은 부드럽고 향기로운 풀이 많았다. 풀에게선 초록 향기가 났다. 바람에 실려 오는 연하고 싱그러운 향기가 코끝을 자극하면 내 기분도 덩달아 좋았다. 풀의 향기에는 사람을 기분 좋게 하는 마법이 담겨있다고 생각했다.

방죽의 둑길은 끝이 잘 보이지 않을 정도로 길게 뻗어있었다. 사람이 잘 다니지 않는 곳이라 풀도 무성하게 자라났다. 마치 파란 융단을 깔아놓은 모습이었다. 송아지는 둑길 위에서 부드럽고 향기 나는 풀을 맘껏 뜯어먹었다. 처음엔 송아지 목에 메어 있는 줄을 붙잡고 있었지만 나중에는 송아지가 혼자 풀을 뜯어먹을 수 있도록 줄을 놓아주었다. 난 송아지가 풀을 뜯어먹는 동안 그 모습을 지켜보거나, 물수제비 놀이를 했다. 돌은 수면 위를 날렵하게 날아가며 다양한 모습을 만들어냈다. 어떤 돌은 직선으로 쭉 뻗어 나갔고, 어떤 돌은 곡선을 그리며 날아갔다. 돌은 수면 위를 튕겨 날며 작은 파장을 만들었다.

물수제비 놀이도 지치면 풀밭 위에 누워 허공을 바라봤다. 한없이 펼쳐진 파란 하늘이 좋았다. 바람에 실려 움직이는 하얀 구름과 시시각각 변해가는 구름의 모습을 바라보는 것도 좋았다. 구름이 빚어내는 온갖 모습을 보며 상상의 나래를 펴곤 했다. 그렇게 한참 하늘을 바라보고 있으면 내 몸도 구름이 되어 하늘위로 둥실 떠오르는 것 같았다. 그럴 땐 눈을 감았다. 눈을 감으면 하늘위로 떠오르는 느낌이 더욱 생생해졌다. 공상 속에서 나는 맘껏 하늘을 날았다. 어느 순간에는 눈을 감고 누워있다 스르르 잠이 들기도 했다. 그런 날은 송아지가 먼저 집에 가자며 깨웠다.

집으로 가는 길엔 송아지와 뜀박질 놀이를 했다. 송아지는 내 걸음을 따라 천천히 걷다가 갑자기 뛰기 시작하면 송아지가 함께 뛰다가 이내 앞질러 달려갔다. 그러면 줄을 제때 당기지 못해 줄을 놓쳐버리는 경우가 많았다. 송아지가 달아나면 어떻게 하나 걱정스런 마음에 죽을힘을 다해 달려보았지만 언제나 송아지를 따라잡지는 못했다. 숨이 턱 밑까지 차도록 헉헉대며 집으로 돌아오면 송아지는 이미 외양간에 들어가 큰 눈을 껌벅거리며 능청스럽게 바라보고 있었다.

들판의 건강한 풀들처럼 쑥쑥 자란 송아지는 집에 들어온 지 1년 만에 어른 소로 성장해 쟁기를 끌고 밭을 갈기 시작했다. 어른이 된 송아지의 어깨에 멍에가 씌워졌고, 나는 중학교에 입학했다.

된장찌개

오랜만에 집으로 가는 길, 마음이 설레고 즐겁다. 보통은 한 달에 한 번 정도 집에 다녀오는데 이번엔 6주 만의 발걸음이다. 전화나 SNS를 통해 근황을 주고받고 있어 가족들이 어떻게 지내는지는 알고 있지만 그래도 직접 얼굴을 보고 대화를 나눌 수 있다는 사실에 마음이 들뜬다. 고등학교에 입학한 아들의 학교생활은 어떤지 동아리에 새로 가입해 학교생활이 더 바빠졌다는 딸은 어떻게 지내는지, 이불을 털다가 허리를 삐끗했다는 아내의 상태는 어떤지 궁금하기만 하다.

타지에서 홀로 생활을 시작한지 벌써 6개월이 흘렀다. 다른 건 그런대로 견딜 만한 데, 저녁마다 불 꺼진 방에 홀로 들어간다는 게 아직 낯설다. 컴컴한 방에 들어갈 때면 깊은 동굴 속으로 쑥 빨려 들어가는 듯한 느낌이고 방문을 열면 엄습하는 적막감은 형체도 없는 검은 그림자가 되어 순식간에 나를 에워싼다. 그럴 때마다 집이 그리워진다. 가족들이 있는 집에는 거실에 환하게 불이 켜져 있을 것이고, 아이들이 TV를 보며 재잘거리고 있을 것이다. 6주 만에 그 공간으로 들어간다 생각하니 절로 마음이 즐거워지고 약간 흥분되기도 한다.

고속버스를 탄지 세 시간이 흘렀다. 세 시간 정도만 더 달리면 일산에 도착한다. 시간은 저녁 7시를 향해 가고 있다. 버스가 휴게소에 도착하고 사람들이 내린다. 저녁시간이 훌쩍 지나 약간 출출한 느낌이 들었다. 휴게소에서 무엇을 사 먹고 갈까 고민한다. 집에 가면 아내가 맛있는 저녁을 해줄 거란 기대도 있지만 집에 도착하고 나면 밤 10시가 넘는 시간이라 그때까지 허기진 배로 견디기는 힘들다. 간단하게 라면을 주문해 먹었다. 라면을 먹고 나자 머릿속에 음식 생각으로 가득하다.

'오랜만에 집에 왔다고 맛있는 거 해줄려나?' '무얼 해 줄까? 고기? 카레? 아무튼 뭔가는 특별한 게 있겠지?'

집에 도착했다. 아내가 선택한 음식은 된장찌개다. 두부와 각종 해물을 넣고 끓였다.

"이거 한번 먹어봐. 자기 온다고 해물도 사다 넣었어. 애들도 좋아하고."

내심 약간 실망했다. 고기반찬은 아니더라고 뭔가 색다른 걸 해 놓을 줄 알았는데, 고작 된장찌개라니 섭섭한 마음도 들었다.

"어때? 맛있어?"

"어. 맛있네."

"자기가 가장 좋아 하는 게 된장찌개? 옛날부터 좋아했다며. 어머니가 그러시데."

순간 눈물이 핑 돌았다. 그랬다. 옛날부터 된장찌개를 가장 좋아했다. 된장찌개 하나면 밥 두 세 그릇은 뚝딱 해치웠다. 어머니가 끓여 주는 된장찌개는 그 정도로 구수하고 맛있었다. 아이들 식성도 나를 닮았는지 된장찌개를 좋아한다. 아내는 무를 크게 잘라넣은 청국장을 잘 끓였는데, 큰 냄비에 하나 가득 끓여놔도 이틀이면 깨끗하게 비워지곤 했다. 아내가 끓여주는 된장찌개가 너무 맛있어서 아이들도 나도 가끔 된장찌개 언제 끓이느냐고 조르기까지 한다.

된장찌개는 멀리 떨어져서 집밥도 제대로 먹지 못하고, 반찬도 인스턴트 주로 먹었을 나를 위해 아내가 선택한 최고의 요리다. 구수한 된장찌개를 먹고 입맛도 되살리고 가족의 편안함도 느껴보라는 아내의 배려일 것이다.

어머니가 끓여준 최고의 된장찌개는 군에 복무하고 있을 때다. 논산 훈련소에서 4주간의 기본 군사훈련을 마치고 경산에 있는 제2수송교육대로 배치됐다. 운전병 보직을 받은 군인들이 3개월간 후반기 훈련을 받는 곳이다. 논산 훈련소를 마치고 이등병 계급장을 달았기 때문에 훈련병이 아닌 교육생 신분이었지만 외출이나 외박, 면회 등은 금지되었다. 3개월의 교육기간 중 공식적으로 허용된 면회는 1회였다. 교육을 받기 시작한 지 4주가 지나면 교육생들에게 단체로 면회를 할 수 있는 시간이 주어졌다. 토요일이었으며, 부모님이 면회를 와도 외출은 허용되지 않았다.

조교들은 부모님이 면회를 올 수 있도록 집에 편지를 쓰라고 했다. 시골에서 농사를 짓고 있는 부모님이 경산까지 먼 거리를 올 수 있겠는가 싶었지만, 다른 교육생들이 모두 면회를 나간 시간에 홀로 내무반에 남아 있지는 못할 것 같았다. 부모님께 이번 한 번만 면회를 와 주십사 편지를 썼다.

편지를 보내긴 했지만 부모님이 면회를 오리라고는 기대하지 않았다. 음성에서 경산까지 오기가 워낙 먼 거리고, 버스도 몇 번을 갈아타야 했기 때문에 시골 어른들이 쉽게 찾아오지 못할 거란 생각도 했다.
드디어 면회 당일 날. 함께 훈련을 받는 교육생들이 하나 둘 불려 나가고 내무반에는 불과 서너 명만 남게 되었다. 시간은 점심때가 다가오고 있었다. 역시 못 오시는구나, 체념하고 있을 때 조교가 나를 불렀다.
한달음에 달려간 면회 장소에는 어머니와 아버지가 있었다. 부모님을 보자마자 나는 울음을 터뜨렸다. 절대 울지 말아야지 다짐했는데 소용없었다. 음성에서 경산까지 그 먼 거리를 달려왔을 부모님 생각에 눈물방울은 더 굵어졌다.

그렇게 한 바탕 울고 나서야 부모님 손에 들려 있는 보따리가 보였다. 시골에서는 평소에 먹어보기 힘든 통닭튀김이 보였고, 잡채와 전도 보였다. 모두 내가 좋아하는 음식들이다. 어머니는 냄비도 들고 오셨다. 무슨 냄비냐고 묻자 된장찌개를 끓여주려고 가지고 왔단다. 네가 젤 좋아하는 게 된장찌개 아니냐며 주섬주섬 보따리를 풀었다. 물이 없을까봐 아예 된장찌개를 끓여 비닐봉지에 담아오셨다. 아들생각에 수백리 길을 버스를 몇 번이나 갈아타며 냄비를 들고 비닐에 담긴 된 장찌개가 행여 터질세라 조바심 내며 달려왔을 부모님을 생각하니 다시 울음이 터졌다. 주위에 있던 사람들이 무슨 일인가 쳐다봤다.

집에서 아예 된장찌개를 끓여 온 것 까지는 좋았는데, 면회 장소에서 다시 데울 방법이 없었다. 시골 생활에 휴대용 버너가 있을 리 만무했 다. 어머니는 그래도 어디 불을 빌릴 데가 있지 않겠냐며 근무를 서는 조교를 붙잡고 물어봤다. 조교는 난감해 했다. 그런데 마침 그 모습을 본 다른 사람이 자기가 휴대용 버너를 가지고 왔다며 그걸 쓰라고 빌 려주었다. 어머니는 그 사람에게 연신 고맙다고 하며 휴대용 버너를 이용해 가지고 온 된장찌개를 팔팔 끓였다. 구수한 냄새가 면회장에 가득 퍼졌다. 된장찌개를 떠서 어머니가 해온 밥과 함께 먹었다. 몇 개월 만에 먹어보는 맛이었다. 그 맛은 너무나 훌륭했다. 그 맛을 어 찌 말로 표현할 수 있으며, 또 어찌 잊을 수 있겠는가.

동짓달이면 메주를 쑤었다. 커다란 가마솥에 콩을 삶아 네모난 틀에 담고 꾹꾹 눌러주면 메주가 완성된다. 메주는 짚으로 묶어 마루처마 밑에 매달아 두고, 잘 말린 메주를 가지고 간장, 된장, 고추장을 만들 었다. 겨울에 화롯불에서 보글보글 끓어가는 된장찌개의 모습은 고향하면 떠오르는 대표적인 이미지다.

아내에게 옛날처럼 집에서 된장을 담아 먹는 건 어떠냐고 하자 도시에서 그걸 어떻게 만드냐며 난색을 표명한다. 시골에 계신 어머니한테 된장 만드는 걸 잘 배워 두었다가 나중에라도 만들어 먹자고 했다. 아내는 자기도 어려서부터 된장을 만들어 봤기 때문에 지금도 잘 만든다며 걱정하지 말란다. 고향집에서처럼 된장을 집에서 만들어 먹을 수 있었으면 좋겠다.

비의 교향곡

맑았던 하늘에 먹구름이 몰려들더니 순식간에 비가 쏟아진다. 장대비다. 빗소리가 들리자마자 열린 창문이 없는지 반사적으로 온 집안을 돌아다니며 확인을 한다. '타 탁, 타 탁.' 거세진 빗줄기가 창문을 두드린다. 그 소리가 꼭 누군가가 나를 찾는 소리처럼 들린다. 허둥대던 손길을 거두고 창문 가까이 다가가 가만히 밖을 바라본다. 빗물이 번진 창문을 통해 비에 젖은 세상이 보인다.

현관문을 열고 집을 나선다. 비에 젖지 않게 반바지에 슬리퍼를 신는다. 현관 앞에 여러 개의 우산이 놓여있다. 골프 우산, 이단 우산, 삼단 우산, 보통 크기의 우산. 색깔도 다양하다. 검은색, 하늘색, 노란색, 진녹색, 검은 바탕에 빨간 원을 그려 멋을 낸 우산도 있다.
골프 우산을 쓰고 밖으로 나왔다. 빗속으로 걸음을 내딛자 장대비가 우산을 사정없이 두드린다. '투두둑, 투두둑.' 우산을 때리는 빗소리가 비닐 멍석 위로 쏟아지는 콩 소리 같다.

도로는 이미 빗물이 가득하다. 사방에 쏟아진 빗줄기는 하수구가 있는 곳으로 흘러들며 콸콸 땅속으로 빨려 들어간다. 도로도 주변의 건물도 모두 비에 젖었다. 지나는 사람도 없다. 비에 젖은 도시를 지나

인근의 야산으로 향했다. 산책로를 따라 걸을까하다가 옆에 있는 조그만 산길로 접어들었다. 산길로 들어서니 사뭇 풍경이 다르다. 군데군데 움푹 들어간 흙길에 빗물이 고여 있고, 아스팔트길에서는 보이지 않던 빗물에 팬 물길도 보인다. 산모퉁이를 돌아서자 도시의 모습이 사라지고 산의 나무들과 풀들만이 시야에 가득하다. 그 모습이 어릴 적 살았던 고향 마을의 풍경과 비슷하다. 그제야 나를 이끌어낸 소리가 무엇인지 알 것 같았다.

부모님과 함께 밭에서 일을 하다가 비가 오면 '이제 집에 가겠거니' 생각을 했다. 그러나 부모님은 어지간히 내리는 비에는 꿈쩍도 하지 않는다. 오히려 덥지 않고 시원해서 일하기 좋다며 일손이 빨라진다. 기다리다 못한 내가 '비 오는데 집에 가자'고 하면 '너 먼저 가라'며 손짓을 하신다. 앞이 안 보일 정도로 비가 오거나 일을 다 끝내고 나서야 집으로 돌아올 수 있었다.

비에 잔뜩 젖은 몸으로 타박타박 산길을 걸어 집으로 돌아온다. 세상은 고요하다. 새소리도 들리지 않고 바람도 잠시 숨을 멈춘다. 산이며 들이며 온 세상이 비에 젖어있다. 선명하고 고요한 세상 속에서 들리는 건 오직 빗소리뿐이다.

비는 다양한 소리를 낸다. 하늘에서 떨어지는 빗방울이 땅 위에 있는 여러 사물들과 만나 온갖 소리를 만들어낸다. 마당에 떨어지는 비는 키로 쌀을 까불 때 나는 소리 같고, 처마에 떨어지는 비는 작은 북을 '동동' 두드리는 것 같다. 장독대 위에 떨어지는 비는 바이올린 선율 같고, 엎어진 대야 위에 떨어지는 비는 탬버린 소리를 낸다. 물받이 통을 흐르는 빗물은 나지막한 첼로 같고. 처마에서 줄지어 땅으로 떨어지는 빗방울의 모습은 피아노 건반을 두드리는 것 같다. 비 오는 날은 거대한 자연의 오케스트라가 합주를 하는 날이다.

비 오는 날이면 마루에 걸터앉아 하염없이 비 오는 모습을 바라보며 비의 선율을 들었다. 지휘자의 손짓에 맞춰 여러 대의 악기가 동시에 연주되는 교향곡이다. 여러 개의 악기가 번갈아 연주되듯 빗소리도 빗물의 양에 따라 달라졌다. 비의 교향곡을 듣고 있으면 개울 건너 뿌연 물안개 속에 알 수 없는 무엇인가가 나타났다 사라지곤 했다. 그럴 때면 마당에 있는 토란잎을 따 머리에 쓰고 개울까지 걸어갔다.

시골집에는 우산이 없었다. 우산이 없는 시골에선 비가 오면 그냥 비를 맞았다. 비를 맞아 옷이 젖으면 벗어서 말리면 됐다. 가까운 거리를 다닐 땐 삼태기를 뒤집어쓰기도 하고, 마당가에 난 토란잎을 쓰기도 했다. 문제는 학교에 갈 때다. 비가 억수로 퍼붓는 날, 우산이 없다며 학교에 가지 않겠다고 억지를 부리곤 했다. 봉당에 걸터앉아 우산 없으면 학교에 가지 않겠다고 떼를 쓰면 어머니는 토광으로 달려가 비료포대를 하나 꺼내오셨다. 한쪽이 터진 비료포대 양옆을 뚫어 손

이 빠져나올 공간을 만들고 위를 뚫어 머리가 빠져나올 공간을 만든
다. 이렇게 만든 비료포대 우비를 씌워주고 담 밑에 있는 커다란 토란
잎을 싹둑 잘라 손에 쥐어주셨다. 이번 장날에 꼭 우산을 사다주시겠
다며 등을 토닥여 학교에 보낸다. 책보를 둘러메고 비료포대 우비를
뒤집어 쓴 뒤 널찍한 토란잎 우산으로 머리에 떨어지는 빗물을 막으
며 학교로 뛰어가곤 했다. 하지만 그 해가 다 가고 다음 여름이 올 때
까지 어머니는 우산을 사주지 않으셨다.

빨래

혼자 생활하다보니 빨래가 적다. 2주일 만에 빨래를 하는데도 양말 10켤레, 수건 3장, 윗옷 3개, 바지 하나, 와이셔츠 한 개가 전부다. 세탁기에 넣어보니 세탁통에 반도 차지 않는다. 세탁 량이 적어 공연히 물을 낭비하는 건 아닌가 걱정을 하다가 아직 세탁할 때가 되지 않은 체육복 한 벌을 세탁기에 더 집어넣었다. 그제야 어느 정도 1회 세탁할 양이 되었다. 세탁기에 전원을 켜고 세제를 넣은 뒤 버튼을 눌러 세탁 3회, 헹굼 2회, 탈수 1회를 선택한다. 동작버튼 옆에 1시간 46분이라는 숫자가 선명하게 나타난다. 손을 몇 번 놀리고 나머지는 기계가 알아서 빨래를 한다.

옛날 어머니들은 개울에서 빨래를 했다. 바쁜 농사일 틈틈이 시간을 쪼개 커다란 고무통에 빨래를 가득 담아 어머니들이 하나둘 빨래터로 모여들었다. 머리에 이고갈 수 없을 정도로 빨래가 많은 날이면 남정네들이 지게로 날라주기도 했다. 남정네들과 같이 농사도 짓고, 끼니가 되면 밥을 하고 틈틈이 빨래도 해야 하는 어머니들의 하루는 짧기만 했다. 고된 일상이 삶의 멍에가 되어 어깨를 짓누르고 세월이 흐를수록 곱디고운 손은 거칠어져갔다.

어머니들은 빨래터에 모여 이야기를 나눈다. 윗마을 박 씨네 집에 강아지가 새로 태어난 얘기부터 시작해 설거지를 하다가 박 그릇을 깬 얘기, 홍 씨네 딸이 서울로 식모살이를 갔다는 얘기, 쌀과 고추 값이 올랐으면 하는 얘기, 옻이 오르면 아궁이에 아카시아 나무를 태워 연기를 쐬면 된다는 민간요법을 나누고 돌아오는 장날에 파마를 새로 해야겠다는 얘기도 오고간다. 하지만 아이들의 학교 공부에 대한 얘기는 하지 않았다. 그 시절, 아이들은 선생님 말씀 잘 듣고 건강하게 학교에 다니면 최고였다. 대한 추위보다 무섭다는 혹독한 시어머니의 시집살이 얘기가 나오면 방망이를 든 손에 더욱 힘이 들어가 빨래방망이 소리가 온 개울에 울려 퍼졌다.

여름에 어머니들이 개울로 빨래를 하러 오면 조무래기들은 물놀이 터를 잠시 떠날 수밖에 없었다. 빨래터가 물놀이 터 바로 아래에 있기 때문이었다. 어머니들은 흙탕물이 일어난다며 아이들을 빨래터 아래쪽으로 내려가 놀도록 시켰다. 하지만 빨래터 아래쪽은 물이 얕아 자맥질 놀이를 하기엔 적당하지 않았다. 그런 날이면 아이들은 물놀이 대신 손으로 물고기를 잡는다며 얕은 물을 첨벙대며 놀았다. 어머니들을 대신해 고사리 손을 가진 소녀들이 빨래터에 나오기도 했다. 조막손으로 빨래를 하는 소녀들을 보며 남자 아이들은 괜히 돌멩이를 던져 소녀들 쪽으로 물이 튀게 만들었다. 그러면서 노래를 불렀다.
"퐁당 퐁당 돌을 던지자. 냇물아 퍼져라~."

물결을 따라 노래도 번져갔다.

겨울이면 개울이 꽁꽁 얼어붙었다. 그렇다고 겨우내 빨래를 하지 않을 수는 없다. 두꺼운 옷을 입어야 하는 겨울엔 여름에 비해 빨래가 더욱 힘들다. 어머니들은 그나마 덜 추운 날을 택해 개울가에서 빨래를 했다. 차가운 얼음장을 깨고 고무장갑도 없이 빨래를 하느라 어머니들의 손은 더욱 부르트고 갈라졌다. 그런 어머니들의 모습을 보며 빨래를 대신 해주는 사람은 없을까 제법 철든 생각도 했다. 한겨울 추위에 빨랫줄에 넣어놓은 빨래에는 금방 고드름이 생겼고 그렇게 한 겨울이 지나갔다.

깜박 잠이 들었나 보다. 빨래가 다 됐다고 삐삐하며 요란하게 울리는 세탁기 소리에 잠이 깼다. 세탁물을 건져 팡팡 소리가 나게 털어 건조대 위에 널었다. 빨래를 널고 돌아서는데 옷걸이에 던지듯 걸쳐놓은 옷이 보인다. 이번에 같이 세탁을 했어야 하는 옷인데 그만 깜빡했다. 아내가 늘 빨래를 시작할 때 빨래거리 더 없냐고 물어보는 이유를 알 것 같았다. 지금의 아내나 옛날 시골의 어머니들이나 빨래를 하는 정성에 미안하고 고마운 마음이 들었다.

카세트라디오

고속도로를 달리다가 잠시 쉬어가려고 휴게소에 들렀다. 휴게소도 제
속도를 내지 못하는 고속도로처럼 사람들로 꽉 막혀있었다. 식당, 편
의점, 간이음식판매대, 커피판매코너 할 것 없이 사람으로 넘쳐났다.
밀려오는 사람들을 피해 걷다보니 저절로 갈지자걸음을 걸으며 이리
저리 몸을 흔들었다. 비좁은 틈을 뚫고 화장실에 갔다가 나오는데 낯
익은 노래가 들렸다. 고속도로 휴게소 한쪽에서 노래테이프를 팔고
있었다. 내 차를 주차한 곳과는 반대쪽이었다. 그냥 차로 돌아갈까 하
다가 운전할 때 잠도 깰 겸, 테이프를 구매하기로 마음먹었다.

그때 집안 깊숙이 방치돼 있는 카세트라디오가 떠올랐다. 어떤 사람
이 십 수 년 전에 선물한 것이다. 테이프를 꽂아 음악을 들을 수도 있
고 FM과 AM 라디오도 들을 수 있는 카세트라디오였다. 선물은 받았
지만 막상 카세트라디오에 꽂아 음악을 들을 수 있는 테이프가 없었
다. 라디오도 거의 듣지 않고 TV를 보거나 컴퓨터를 하며 시간을 보내
고 있던 터라 카세트라디오는 한쪽 구석에 방치해 놓았다. 심지어 라
디오 주파수를 맞추는 눈금조자 없는 그런 기계였으니 더욱 찬밥 신
세를 받을 수밖에 없었다.

처음에 포장을 뜯어보고는 그냥 버릴까 생각도 했지만 선물을 준 사람의 마음도 있고 또 언젠간 쓸 일이 있지 않을까 싶어 그냥 보관하고 있었다. 십 수 년을 그렇게 집안 구석진 곳에서 방치돼 있던 카세트라디오가 지방근무 발령을 받아 부산으로 내려오면서 드디어 빛을 보게 되었다. 이것저것 살림살이를 챙기던 아내가 혼자 있으면 심심할 테니 이거라도 틀어놓고 들으라며 오래된 카세트라디오를 건넸다. 우리 집에 온 지 십 수 년이 지났고, 제조일자는 훨씬 오래됐을 카세트라디오는 마치 금방 산 것처럼 깨끗했다. 처음 포장을 뜯고는 그대로 박스에 담아 보관해 두었으니 먼지 하나 없이 깨끗했다.

시골에서 담배 수확을 할 땐 트로트 음악을 틀어놓곤 했다. 담배농사는 보통 4월에 파종을 하고 6월 중순이면 잎을 수확하기 시작한다. 담배 잎은 처음엔 연한 초록색이었다가 점점 파랗게 변해수확시기가 되면 노란색이 잎 표면에 투명하게 번지기 시작한다. 이 시기가 되면 담배 잎을 수확한다. 이슬도 가시지 않은 새벽, 밭에 나가 담배 잎을 따서 집으로 가져오고 다시 새끼줄에 잎을 엮었다. 여름 한낮이면 새끼줄에 담배 잎을 엮는 일을 했다. 뜨거운 햇볕을 가리느라 마당에 천막을 치고 일을 했다. 담배 잎을 엮을 때면 품앗이를 하는 사람들이 함께 모여 일을 하는데 이때 카세트라디오로 노래를 들었다. 카세트에서 흘러나오는 템포 **빠른** 트로트 노래는 농사일에 지친 농부들의 몸과 마음을 달래주었다. 신나는 노래를 들으며 일을 하면 힘이 덜 들고 일의 속도도 빨랐다. 농부와 아낙들은 그렇게 음악을 들으며 시름을 달랬다.

함께 두레를 구성해 담배농사를 짓는 사람 중에 제일 젊은 사람이 있었는데 아버지의 외사촌 동생이었다. 동생이기는 하지만 아버지와는 이십오 년 차이가 났다. 우리 형제들은 어린 외삼촌을 아재라고 불렀다. 중학교를 졸업하고 농사를 짓기 시작한 아재는 스무 살 청년이 되면서 사랑채에 자신의 방을 차렸는데 당시로서는 보기 힘든 오디오세트를 들여놨다. 아재는 틈날 때마다 오디오를 닦고 관리하며 애지중지했다. 그런 아재를 보며 아재는 자기보다 오디오 세트를 더 좋아하는구나 생각을 했다. 아재는 혼자 있는 시간이면 늘 오디오를 틀고 음악을 들었다. 아마 음악을 들으며 서울로 떠난 친구를 떠올렸을 것이다. 그러면서 언제까지 시골에서 농사를 짓고 살지 것인지를 고민했을 것이다. 그렇게 아재의 스무 살 청춘은 노래와 함께 흘러갔다.

사춘기를 맞은 학생들은 저녁이 되면 외딴 사랑채로 모여들었다. 사랑채는 안채와 이십 미터 정도 떨어져있어 아무리 시끄럽게 떠들어도 소리가 안채까지 울리지는 않았다. 십대 청소년들은 밤마다 모여 웃고 떠들며 라디오를 듣고 카세트음악을 들었다. 가슴을 방망이질 치게 하는 팝송들이 라디오에서 흘러나왔다. 강변가요제와 대학가요제를 통해 젊음의 노래가 폭죽 터지듯 세상에 쏟아져 나왔다. 그 시절

사춘기에 이른 십대 청소년의 유일한 탈출구는 노래와 춤이었다. 신나는 음악이 나올 때면 좁은 사랑채에 모여 마음껏 몸을 흔들었고, 목청껏 노래를 따라 불렀다. 방안에 있다가 답답하면 밖으로 나와 컴컴해진 산과 들을 헤집고 다니며 노래를 불렀다. 그런 날은 생라면을 안주 삼아 어른들 몰래 숨겨둔 소주를 마시곤 했다. 그 시절의 노래는 우리의 마음이었다. 노래를 들으며 우리는 뜨거운 가슴을 진정시켰다. 아직 펼쳐지지 않은, 형체조차 알아볼 수 없는 미래가 조금씩 가까워지고 있었다.

노래는 마음을 전달하는 수단이 되기도 했다. 공 테이프를 구입해 라디오에서 흘러나오는 노래를 녹음해 친구나 이성에게 선물하기도 했다. 마음을 전할 수 있는 음악을 녹음하기 위해 몇날며칠을 라디오를 끼고 살았다. 노래제목을 이어 마음을 전달하거나 가사를 바꿔 편지를 보내기도 했다. 좀처럼 마음을 주지 않는 이성을 안타깝게 바라보며 베개에 머리를 파묻고 사랑과 이별의 노래를 부르기도 했다. 눈물이 베갯잇을 적셨지만 그건 아무도 모르는 나만의 비밀이다.
카세트라디오는 여행의 필수품이기도 했다. 친구들끼리 배낭을 꾸려 여행을 떠나는데 절대 빠질 수 없는 품목이 카세트라디오였다. 커다란 카세트라디오를 배낭 위에 둘러메고 산으로 계곡으로 놀러 다녔다.

고속도로 휴게소에서 산 테이프를 카세트라디오에 꽂고 음악을 들었다. 테이프로 된 음악을 듣는 건 정말 오랜만이다. 정겹다. 테이프를 꽂는 과정에서 들리는 소리나 버튼을 누를 때 들려오는 '딸칵' 하는 소리도 정겹다. 오래된 노래를 들으며 순식간에 세월을 거슬러 추억에 휩싸인다. 그곳에 방황하던 10대, 패기와 열정에 불타올랐던 20대의 젊음이 있다. 사회에 저항하고 사랑에 가슴 아팠던 스무 살 순수한 청년이었다.

담배 농사를 짓던 어른들, 사랑채에 모여 웃고 즐기던 시골친구들, 대학캠퍼스에서 기타를 치며 노래를 불렀던 동기들의 모습이 주마등처럼 스쳐지나간다. 별처럼 빛나는 아름다운 순간이다. 영화 '비긴 어게인'이 떠오른다. 영화에서 주인공은 이어폰으로 음악을 들으며 '음악은 일상의 순간을 진주로 바꾸어놓는다'라는 대사를 한다. 지금 이 순간도 그렇다.

아름다운 추억으로 기억될 오늘

얼마 전 강릉에서 고향친구들 모임이 있었다. 친구 중 한 명이 강릉에 터를 잡고 있어서 자연스럽게 강릉이 모임장소가 됐다. 오랜만에 강릉구경도 하고 친구들도 볼 수 있으니 일석이조인 셈이다.

고향친구들과는 공유하고 있는 추억이 많다. 한 동네에서 같은 해에 태어나 이십여 년을 함께 자랐으니 추억의 높이가 가히 대관령에 견줄만할 것이다. 강릉만 하더라도 고등학교 때 배낭을 둘러메고 함께 여행을 왔던 추억이 있다. 그때 우리는 경포대 해수욕장에 머물렀다. 해수욕장에서 얼마 떨어지지 않은 곳에서 민박을 했는데 같은 민박집에 머물고 있던 다른 여학생들이 쌀이 떨어졌다고 해서 가져온 쌀을 나누어주었다. 경포대 바다 위로 막 해가 떠오르는 여름 아침이었다. 아침밥을 먹으며 우리는 쌀이 떨어졌으면 반찬도 없지 않겠느냐며 김치찌개도 여학생들에게 나누어주었다. 내가 김치찌개를 전해주자 여학생들은 아예 식사를 함께 하자며 숟가락을 들고 우리가 있는 곳으로 왔다.

그렇게 인연이 된 우리는 여름 한나절동안 즐거운 시간을 함께 보냈다. 하지만 여학생들은 그 날이 여행의 마지막 날이라며 점심을 먹고 서둘러 서울로 떠났다. 그때 여학생들의 주소를 받아 적었는지는 모르겠다. 다만 기억에 남는 건 여름의 뜨거웠던 태양과 햇살보다도 환했던 여학생들의 팔뚝이다. 시골에서 자란 우리에게 서울 여학생들의 하얗고 깨끗한 피부는 오래도록 잊히지 않았다.

오랜만에 친구들과 함께 경포대 해수욕장을 걸었다. 그동안 수없이 본 바다지만 그날따라 경포대 바다는 더 맑고 깨끗했다. 피부에 와닿는 바람도 시원했다. 친구들과 바다가 보이는 찻집에 앉아 함께 커피도 마셨다. 그렇게 우리들은 또 하나의 추억을 함께 만들었다. 저녁에는 중앙시장에서 사온 문어와 소라를 함께 삶아먹었다. 친구가 만들어준 양념장에 찍어먹는 문어는 둘이 먹다가 하나가 죽어도 모른다는 말이 실감날 정도로 맛있었다.

그날, 우리는 밤이 새도록 이야기꽃을 피웠다. 시골에서 함께 자랄 땐 하루가 멀다 하고 사랑방에 모여 밤을 지새우곤 했다. 함께 밤을 새우며 나누었던 많은 얘기들, 추운 겨울에 남들보다 먼저 일어나 아궁이에 불을 지펴 방을 따뜻하게 해주던 친구 얘기, 학교에 가려고 친구를 기다리다가 지각해서 선생님에게 혼난 얘기, 동네 앞개울에서 멱 감던 이야기가 밤새 이어졌다.

이제 강릉에서 친구들과 함께 보냈던 즐거웠던 기억도 추억으로 남았다. 어릴 적 기억들이 추억처럼 강릉에서 친구들과 하룻밤을 보낸 기억도 추억으로 남았다. 과거의 인상 깊은 기억은 추억이 된다. 시간이 얼마나 많이 흘렀는지는 중요하지 않다. 수십 년 전의 기억도, 일 년 전의 기억도 불과 몇 주 전의 기억도 추억으로 남는다. 바로 어제의 기억도 오늘은 추억이 된다. 어제가 추억이 되듯, 오늘도 내일이면 추억이 된다. 지나간 과거의 어제가 모여 오늘의 내가 있는 것처럼 현재의 오늘이 모여 미래의 나를 만든다. 오늘 하루를 소중하게 보내고 최선을 다해야 한다. 오늘이 아름다운 추억으로 기억될 수 있도록 정성을 기울여 하루를 보내야 한다.

'아름다운 추억으로 기억될 수 있는 오늘'

내 삶의 좌우명이다.

성장소설 – 불주사는 무서워

오월의 싱그러운 햇살이 창호지를 뚫고 방안으로 스며들었다. 처음엔 문지방 위로 살짝 넘던 햇살이 시간이 지나면서 점점 위로 올라오더니 어느새 창호지 문의 가운데까지 올라와있었다. 햇살은 창호지 문의 격자무늬를 통과하지 못하고 방안에 똑같은 모양의 그림자를 그려놓았다. 방안에 드리워진 격자무늬를 보면서 소년은 격자무늬 사이로 들어오는 햇살도 창호지의 그림자일지 모른다는 생각을 했다. 창호지 그림자를 바라보다가 소년은 벌떡 자리에서 일어났다. 조금 더 늑장을 부리면 학교에 지각할지도 모른다.

부스스한 얼굴로 방문을 열고 마루로 나가 고무신을 신고 우물가로 갔다. 펌프질을 하자 땅속에 있던 물이 파이프를 타고 올라온다. 쏟아지는 물을 손으로 받아 '푸~ 푸~' 얼굴을 씻었다. 옷자락을 쓱 문질러 얼굴을 닦았다. 다시 돌아와 마루에 걸터앉는데 텃밭에 나갔던 어머니가 돌아왔다. 어머니도 펌프질을 하더니 손을 씻고 부엌으로 들어갔다. 둥그런 쟁반상을 펴고 찬장에서 김치와 장아찌를 꺼내고 솥을 열어 넓적한 스테인리스 그릇에 밥을 펐다. 밥상을 마루로 들고 나온 어머니가 소년에게 '어여 먹고 학교에 가라'며 말을 건네고 다시 텃밭으로 갔다.

숟가락을 들고 밥을 한 술 뜨고, 숟가락을 돌려 집게손가락에 숟가락 손잡이를 걸치고 엄지를 이용해 김치를 집어먹었다. 숟가락 손잡이로 집어든 김치는 고개를 뒤로 젖혀야만 간신히 먹을 수 있다. 밥을 먹고 나서 보자기로 상을 덮고 책보자기를 어깨에 비스듬하게 둘러메고 대문을 나섰다.

소년은 학교로 바로 가지 않고 창수네 집으로 향했다. 아침마다 창수네 집에 들러 함께 학교에 가는 것이 소년의 일상이다. 대문간에서 창수를 불렀다.

"창수야, 학교 가자~."

"조금만 기다려!"

창수는 오늘도 늑장이다. 소년은 창수를 기다리며 좁은 시골길을 서성였다. 옹기종기 초가집들이 모여 있고, 좁다란 골목길이 초가집 사이로 이어진다. 골목길은 마을 앞을 지나는 넓은 길에 잇대어있고 그 길 건너에는 논이 있었다. 논이 끝나는 곳엔 작은 개울이 흐르고 있었다. 개울가에는 버드나무가 줄지어 자라고 있었다. 길가에는 클로버와 토끼풀, 군데군데 망초대도 보였다. 조금 떨어진 곳엔 노란 애기똥풀 꽃잎과 조그만 괭이밥도 있었다.

소년은 길가에 주저앉아 네 잎 클로버를 찾았다. 클로버를 이리저리 뒤적였지만 세 잎 클로버만 무성할 뿐 네 잎 클로버는 보이지 않았다. 괜스레 토끼풀만 쥐어뜯었다. 그제야 창수가 싸리문을 열고 나왔다.

"너 때문에 학교에 또 늦었잖아."

소년의 투정에도 창수는 느긋하기만 했다.

"빨리 빨리 좀 걸어라."

"늦지도 않았는데, 뭐."

창수가 꿈지럭대며 걸었다. 통나무로 만든 외나무다리를 조심스레 건너고 길가로 흐르는 도랑을 따라 학교로 향했다. 통나무를 반으로 쪼개 속을 파내고 물이 흘러갈 수 있도록 만든 통나무 수로로 도랑물이 재잘재잘 논으로 흘러들었다.

학교는 작은 야산에 있었다. 교문은 약간 오르막길이고 운동장 주위는 온통 밭이다. 교문 가까이 다가서자 교장선생님의 훈화 말씀이 들렸다. 벌써 아침 조회가 시작된 모양이었다. 소년과 창수는 교문 옆으로 빠져 밭으로 들어갔다. 운동장의 플라타너스 나무 뒤에 있는 밭과 경계를 이루는 비탈진 둑에 납작 엎드려 조회가 끝나기를 기다렸다. 우거진 풀이 살갗에 와 닿고 향긋한 풀냄새가 코끝에 스몄다. 소년과 창수는 아침 조회가 끝나고 선생님이 아이들을 데리고 교실로 들어갈 때 아이들의 맨 뒤로 따라붙었다.

"야! 너희들 지각했잖어."

"선생님~, 얘네 지각했대요."

아이들이 킥킥대며 떠들지만 그 소리는 아이들의 왁자지껄한 소리에 묻혀 선생님에게까지 도달하지 못했다.

수업시간에 선생님은 동시를 쓰라고 했다. 아이들이 하나 둘 공책을 펼치지만 눈만 멀뚱거리고 있을 뿐, 불쑥 동시가 튀어나올 리가 없었다. 소년은 운동장을 바라봤다. 교실 앞에 은행나무가 두 그루 서있고, 운동장 가에는 플라타너스 나무가 빙 둘러 서있다. 플라타너스는 밑동이 굵고 가지가 넓게 퍼져있다. 어떤 가지는 은행나무 밑동보다 굵다. 굵은 가지에 어른 손바닥보다 넓은 나뭇잎이 무성했다. 10시 높이로 솟아오른 태양이, 운동장을 도화지 삼아 짙은 플라타너스 나무의 그림자를 그렸다. 나무가 만든 그림자가 학교를 지키는 장군처럼 운동장 가를 빙 두르고 있다. 소년은 시를 쓰기 시작했다.

제목 : 그림자

그림자는 장난꾸러기
언제나 나를 따라 다닌다.
학교에 갈 때도 밭에 갈 때도
나를 따라 다닌다.

그림자는 요술쟁이
나무그늘에 들어가면
어디로 갔는지
사라져버린다.

수업을 마치는 종이 울리자 선생님은 반장에게 공책을 걷어오라고 말했다. 반장이 걷은 아이들의 공책을 들고 교무실로 돌아갔다. 소년과 창수는 집으로 점심을 먹으러갔다. 학교에서 집까지는 불과 5백 미터 밖에 떨어져있지 않았다.

마루 위에 있는 쟁반상의 보자기를 걷어내고 부엌에 들어가 밥을 푼 다음, 물에 말아 마시듯 밥을 먹었다. 밥을 다 먹고 마루에 누워 선반을 바라봤다. 선반에는 홍두깨와 둘둘 말려진 밀가루 포대, 숯을 담아 사용하는 다리미, 다듬이 방망이, 음료수병에 담겨있는 농약이 있었다. 마루 기둥에는 노란 술 주전가가 못에 걸려있었다. 안방에는 장롱과 반닫이장이 보였다. 반닫이장은 할머니가 시집올 때 가지고 온 것이다. 반닫이장 안에는 할머니의 동백기름이 있었다. 나들이를 갈 때면 할머니는 참빗으로 머리를 곱게 빗고 동백기름을 발랐다. 동백기름을 바르면 할머니의 머리카락은 반들반들 윤기가 돌았다. 그 모습이 고결하다고 소년은 생각했다.

"우리 동백기름 한번 발라볼래?"
점심을 먹고 학교에 가자며 소년을 찾아온 창수는 갑작스런 제안에 어리둥절한 표정을 지었다.
"뭐?"
"할머니가 머리에 바르는 거 있잖아."

"그걸 왜 발라."

"동백기름 바르면 우리 머리카락도 반짝거리고 뒤로 잘 넘어가겠지?"

"그러다 들키면 무지 혼난다."

"우리 할머니 동백기름 많아. 조금만 바르면 티도 안 날 걸?"

머뭇거리는 창수를 끌고 소년은 방으로 들어간다. 동백기름을 꺼내 손바닥에 부어 할머니가 그러듯 양 손바닥을 비빈 다음 머리를 쓸어 넘겼다. 며칠째 머리를 감지 않아 산발이던 소년과 창수의 머리카락 이 가지런히 뒤로 넘어갔다. 두상에 착 달라붙은 머리카락이 우스워 소년과 창수는 크게 웃었다. 허리를 뒤로 제치며 깔깔거리고 웃다가 퍼뜩 정신이 들었다.

"야!. 학교 또 늦겠다."

"어이쿠, 빨리 가자."

소년과 창수는 앞서거니 뒤서거니 학교로 달렸다. 앞서가는 창수의 머리가 햇빛을 받아 더욱 반짝였다. 다시 봐도 그 꼴이 배꼽이 빠질 정도로 웃겼지만 그대로 학교에 갔다간 틀림없이 선생님에게 혼쭐이 날 게 뻔했다.

소년은 창수를 불러 세웠다.

"야!"

창수가 뒤돌아봤다.

"안 되겠다. 우리 머리 감고 가자."

반들거리는 소년의 머리를 바라본 창수도 예감이 심상찮은 모양이다. 소년과 창수는 나무 수로에 머리를 대고 콸콸 쏟아지는 물에 머리를 감았다. 물방울이 사방으로 흩어지며 무지개를 만들었다.

이튿날, 점심을 먹으러 소년보다 먼저 교실을 빠져 나갔던 창수가 다시 교실로 들어서며 말했다.
"야! 우리 수업 빼먹고 도망갈래?"
"도망?"
"점심 먹고 그냥 밖에서 놀자."
"그랬다간 내일 선생님에게 들켜서 엄청 혼날 텐데?"
"들키지 않으면 되지."
"에이, 어떻게 안 들키냐? 자리에 없는 걸 보면 금방 알 텐데."
"책상을 창고에 갖다놓으면 되지. 책상이 없으면 우리가 없어진지도 모를 거야."

소년과 창수는 책가방을 교탁 밑의 빈 공간에 숨기고 책상과 의자를 학교 뒤편의 창고로 옮겼다. 그리고 창수와 소년이 여유롭게 교문을 나섰다.
"너희들 밥 먹으러 가니?"
교문을 지키는 선생님의 묻는 말이 "너희들 밥 먹고 학교에 안 올 거지?"라고 묻는 것만 같았다. 소년과 창수는 교문을 빠져 나오자마자

전력질주로 달음질쳤다. 교문으로 이어진 진입로가 끝나고 농로와 맞닿은 사거리에 도착해서야 달음질을 멈췄다. 숨이 턱밑까지 차올랐다. 소년과 창수는 가쁜 숨을 몰아쉬며 마을로 들어섰다.

"밥 먹고 이따 공터에서 만나자."
"알았어."
집에는 아무도 없었다. 대문간에 매어 있는 검둥이가 소년을 보자 한 번 짓고는 귀찮다는 듯 다시 땅에 엎드려 꾸벅꾸벅 졸았다. 지난 장날에 어머니가 사온 닭들은 마당을 돌아다니며 연신 땅을 쪼아 벌레를 잡아먹고 있었다.

부엌으로 가서 솥뚜껑을 열고 바가지에 밥을 가득 퍼 담았다. 오후 내내 뛰어놀려면 아무래도 밥을 든든히 먹어야겠지? 찬장에서 고추장을 꺼내 밥에 덜고 마루에 있는 쟁반상 보자기를 들춰 김치를 더 넣었다. 숟가락으로 밥을 쓱쓱 비비다가 소년은 고소한 참기름이 생각났다. 어머니는 참기름을 아꼈다. 1년 농사를 짓고 나서 수확한 참깨는 대부분 장에 내다 팔고 집에서 먹을 참기름은 2홉들이 소주병으로 하나씩만 보관했다. 어머니가 참기름을 쓰는 경우는 집에 귀한 손님이 오거나, 모를 심거나 고추를 심을 때처럼 많은 일꾼들이 필요할 때밖에 없었다. 소년이 참기름을 맛 볼 수 있는 경우는 극히 드물었다. 고소한 참기름 냄새를 맡을 때면 늘 참기름을 양껏 먹고 싶다는 생각을 했다.

소년은 다시 부엌으로 들어갔다. 고추장과 김치로 비빈 밥을 부뚜막에 올려놓고 찬장에 있는 기름병을 꺼냈다. 기름병은 똘똘 말은 신문지로 꼭 막혀있다. 기름병을 막은 신문지에 기름이 스며들어 누런 기름종이로 변해있었다. 마개를 빼고 냄새를 맡았다. 참기름 특유의 고소한 냄새가 나지 않았다. 참기름을 아껴 먹다보면 1년 전에 짠 참기름이 새로 참기름을 짤 때까지 남아있는 경우가 있는데, 이게 바로 그거구나 생각했다. 1년이 지났으니 듬뿍 부어야 맛이 나겠지? 한 숟가락 가득 참기름을 따랐다. 밥을 다시 싹싹 비벼 한 숟가락 퍼먹었다. 참기름을 듬뿍 부었으니 고소한 맛이 날 거라는 예상과 달리 이상한 맛이 났다. 밥을 두세 번 씹고는 더 이상 견디지 못하고 밖으로 뛰어나가 음식을 뱉어버렸다. 입 안에 퀴퀴한 맛이 가득했다. 그 맛이 얼마나 고약한지 목이 따끔거릴 정도였다. 우물가에서 물로 서너 번이나 입을 헹구고 다시 부엌으로 들어와 비벼놓은 밥을 살펴봤다. 색깔도 이상했다. 아하! 그제야 참기름이 아니라 재봉틀 기름을 밥에 넣은 걸 깨달았다. 재봉틀 기름이 참기름에 비해 검고 불투명했지만 재봉틀 기름이 소주병에 담겨 있으리라고는 생각도 못했다. 찬장에 있는 기름이니 당연히 참기름일 거라 생각했다. 재봉틀 기름에 비빈 밥을 뒷동산 수풀에 멀찍이 쏟아버리고 볏짚을 이용해 바가지를 싹싹 닦았다. 몇 번을 닦았는데도 바가지에선 재봉틀 기름 냄새가 났다.

창수가 집으로 찾아왔다.

"아직도 밥 먹고 있냐?"

아직도 입안에 퀴퀴한 소년이 퉤퉤 침을 뱉었다.

"우리 꿩알 주우러 가자."

소년과 창수는 뒷마당의 찔레 덤불 사이를 빠져나와 야산으로 들어갔다. 울창한 나무에 가려 집들이 보이지 않게 되자, 창수가 나직이 말했다.

"야, 너 담배 펴봤어?"

"아니, 너는?"

"나도 안 펴봤지."

창수는 조금 뜸을 들이더니 다시 말을 이었다.

"우리 담배 펴볼래?"

"담배 있어?"

창수는 옷 속에서 주섬주섬 환희 담배 한 갑을 꺼냈다.

"어디서 났어?"

"장롱 속에 있더라. 몰래 한 갑 가지고 나왔지."

"그러다가 들키면 어쩌려고 그래?"

"여러 갑 있더라고. 한 갑 정도 없어져도 모를 거야."

"담배 펴도 괜찮을까?"

"어른들도 피는데 뭐."

"그래도……."

소년이 머뭇거리자 창수는 딱 한 개씩만 피워보자며 소년을 꼬드겼다.

"그럼, 딱 한 개만……."

소년과 창수는 담배를 한 개비씩 입에 물고 불을 붙였다. 담배를 한 모금 빨고 연기를 내뿜었다.

"어른들은 연기를 들이마시더라?"

창수는 연기를 힘껏 들이마셨다. 그러더니 연신 기침을 했다.

"콜록, 너도…… 한번 마셔봐. 에…, 에취!"

한바탕 소동이 잦아들자 창수는 소년을 부추겼다.

소년도 담배 연기를 들이마셨다. 목이 콱 막히고 기침이 쏟아졌다. 하늘이 빙빙 돌고 나무도 빙빙 돌고 어지럽기까지 했다. 그루터기에 한참을 주저앉아 있은 다음에야 겨우 정신을 차릴 수 있었다.

"너 이거 아무한테도 얘기하면 안 돼."

"알았어. 너도?"

소년과 창수는 둘 만의 비밀을 지키기로 손가락을 걸어 약속했다.

오후 내내 산을 돌아다녔다. 밤나무, 참나무, 소나무 사이를 헤매고 다니며 꿩을 찾았다. 꿩이 푸드덕 날아오르는 모습을 몇 번이나 봤지만 꿩알을 찾을 수 없었다. 그렇게 헤매다가 동네에서 한참 떨어진 깊숙한 숲속까지 들어갔다.

동네 뒷산과 달리 그곳은 골짜기가 깊었다. 골짜기가 끝나는 곳엔 조그만 개울이 흐르고 있었다.

"이야, 여기 좋은데? 우리 아지트 만들자."

주위에서 굵은 나뭇가지를 꺾어 골짜기 위에 걸치고 다시 잔가지를 꺾어 덮었다. 바닥에도 잔가지를 꺾어 깔았다. 그렇게 한 시간 정도를 쉼 없이 움직이며 아지트를 만들었다. 아지트 속에 들어가 앉아봤다. 잔가지로 바닥을 깔아 엉덩이가 배겼다.

"다음번에 짚을 가지고 와서 깔자."

다짐을 하고 돌아서서 마을로 향했다. 돌아오는 길에 꿩알 아홉 개를 발견했다. 세 개는 둥지에 그대로 두고, 둘이서 세 개씩 나누어갖고 집으로 돌아왔다.

우리 예상과 달리 점심을 먹으러 갔다가 땡땡이 친 사실은 담임뿐만 아니라 모든 선생님들이 알고 있을 정도로 소문이 퍼져있었다. 소년과 창수는 교실 앞으로 불려나가 종아리를 맞았고, 한 시간이나 복도에서 손을 들고 벌을 섰다. 다음에 또 이런 일이 있으면 점심시간에 교문 밖으로 나가는 걸 금지하겠다고 선생님이 혼냈다.

쉬는 시간이면 아이들은 딱지놀이를 했다. 소년은 딱지치기나 딱지 날리기보다는 딱지 접기를 좋아했다. 딱지치기나 딱지 날리기가 한 장의 딱지로 승부를 거는 반면, 딱지 접기는 한 번에 수 십장의 딱지를 잃거나 딸 수 있었다. 그만큼 재미있고 스릴도 있었다. 소년의 딱지 접기 실력은 또래 아이들 중에서도 상위권이었다. 딱지를 잃는 경우보다는 따는 경우가 많았다. 하지만 그날은 소년에게 운이 따라주지 않았다. 쉬는 시간에 옆 마을에 사는 친구와 딱지 접기를 했는데, 소년이 조금 잃었다. 그 뒤로 쉬는 시간마다 딱지 접기를 했는데 따는 것보다는 잃는 게 많았다. 수업이 모두 끝나고 아이들이 집으로 돌아갔지만 소년과 친구는 교실에 남아 딱지 접기를 계속했다. 소년은 갖고 있던 딱지를 모두 잃고 집에 남아있던 딱지까지 몽땅 가지고와 덤볐지만 그마저도 모두 잃고 말았다.

소년이 딱지를 모두 잃었다는 소문은 아이들의 입을 통해 빠르게 전파됐다. 그 이야기를 들은 창수가 옆 마을 친구에게 도전을 했다. 하지만 창수가 가지고 있는 딱지는 고작 몇 십 장에 불과했고 옆 마을 친구에겐 수백 장의 딱지가 있었다. 확률적으로 보면 창수가 도저히 이길 수 없는 게임이었다. 시간이 갈수록 창수의 딱지는 줄어들었다. 그러나 창수는 남아있는 딱지 십여 장을 가지고 끈질기게 따라붙었다. 창수가 끝까지 따라붙을수록 옆 마을 친구는 지쳐갔고 자세가 흐트러지기 시작했다. 창수는 그 틈을 놓치지 않고 조금씩 딱지를 따기 시작했다. 창수의 딱지는 열 장에서 스무 장, 백 장으로 늘어났다. 옆 마을 친구는 가지고 있던 딱지를 절반 넘게 잃고 나서 지친 표정으로 놀이를 그만두자고 했다.

며칠 후, 종례시간에 선생님은 보건소에서 예방접종을 하러 나올 예정이니 몸을 깨끗이 씻으라고 했다. 6학년이 되면 통과의례처럼 불주사를 맞아야만 했다. 아이들은 불주사를 무서워했다. 두려움을 넘어 공포의 대상이 되다보니, 주사 바늘이 젓가락보다 굵다는 둥, 누구는 불주사를 맞다가 죽었다는 둥, 흉흉한 이야기까지 떠돌았다.

불주사를 맞는 날, 소년은 학교에 가지 못할 정도로 몸이 아프기를 기도했다. 하지만 아프지도 않았고 보건소에서 예방주사를 놓으러온다는 날은 기어코 다가오고 말았다. 그날따라 학교에 가기 싫어 뭉그적거리는 소년에게 어머니는 '빨리 학교에 가지 않고 뭐 하느냐'며 혼을 냈다.

소년은 집을 나와 창수네 집으로 갔다. 그리곤 여느 때와 마찬가지로 창수를 불러 학교로 향했다. 불주사를 맞아야 한다는 걱정에 창수의 발걸음도 무겁기는 마찬가지였다. 둘은 아무 말도 없이 사형대로 향하는 죄인처럼 터벅터벅 걸었다. 논에 심어 놓은 모는 훌쩍 자라 종아리 높이까지 커있고, 개구리는 시끄럽게 울어댔다.

무거운 마음으로 길을 걷던 소년이 창수에게 말했다.

"야, 우리 학교에 가지 말까?"

"뭐라고?"

"학교에 가지 않으면 불주사도 안 맞을 거 아냐."

"그랬다간 지난번처럼 선생님에게 무지 혼날 걸."

"너 주사 맞을 수 있어?"

"……아니."

"학교에 가면 꼼짝없이 주사 맞아야 한다구. 작년에 주사 맞고 죽은
애도 있다던데?"

창수가 걸음을 멈추었다. 소년이 말을 이었다.

"아예 학교에 안 가면 주사를 맞을 일도 없잖아"

"그래도……."

"주사 맞다가 죽는 거보다야 선생님께 혼나는 게 더 낫잖아?"

"그건 그래……."

"그러니까 아예 학교에 가지 말고 밖에서 하루 종일 놀자."

소년과 창수는 외나무다리를 건너지 않고 야산으로 슬쩍 향했다. 학
교로 가는 길목이 보이는 숲속에 몸을 숨기고 아이들이 학교에 가는
모습을 지켜봤다. 한참을 그렇게 앉아 있다가 수업 시작을 알리는 종
소리가 울리고 나서야 다시 몸을 움직였다. 산을 돌아다니며 설익은
개복숭아를 따먹고 아직 단단해지지 않은 개암을 따먹었다. 보건소에
서 주사를 맞히러 나왔는지 궁금한 마음에 학교 가까이 다가가 살펴
보기도 했다. 아직 보건소에서 사람이 나오지 않았는지 학교는 평상
시와 다름없었다. 학교 옆의 뽕나무 밭으로 갔다. 다른 때 같으면 다
른 아이들도 함께 와서 서로 오디를 따 먹느라 경쟁을 했을 텐데 오늘
은 그럴 필요가 없었다. 소년과 창수는 서두르지 않고 천천히 뽕나무
오디를 따먹었다. 두 사람의 입가는 오디자국으로 금방 붉게 물들었

다. 오디를 실컷 먹고 도랑물에 입을 대고 물을 벌컥벌컥 마셨다. 물을 마시는 귓가에 개구리 소리가 더욱 시끄럽게 들렸다.

"우리 개구리 잡아먹자."

논둑을 돌아다니며 개구리를 잡기 시작했다. 각자 개구리를 열 마리 정도씩 잡으니 의기양양해졌다. 학교를 가지 않았다는 사실은 이미 잊은 지 오래였다. 창수가 집에서 낡은 프라이팬을 들고 나왔다. 개울 둑에서 마른 나무를 골라 불을 피우고 개구리 뒷다리를 잘라 프라이팬에 볶기 시작했다. 통통하게 살이 오른 개구리는 맛있었다.

선생님께 혼날 게 두려웠지만 이틀씩 학교에 빠질 수는 없었다. 교실에 들어가자마자 선생님께 불려가 혼이 나리라 예상했지만 놀랍게도 선생님은 소년과 창수를 보고도 꾸중만 할 뿐 매를 들지는 않았다.

"이따가 불주사를 맞아야 하니까, 오늘을 때리지 않는 거다, 이놈들. 하지만 한 번만 더 학교에 오지 않으면 그땐 이번 것까지 합해서 더 맞을 줄 알아!"

선생님의 말을 듣고 소년과 창수는 너무 놀라 앞이 아득해질 정도였다. 원래 어제 보건소에서 나와 예방주사를 놓아야 하는데 면에 일이 있어 오늘 나오게 됐다며 1교시가 끝나면 바로 예방주사를 맞는단다.

소년은 예방주사를 맞기 위해 줄을 선 아이들 틈에서 자꾸만 뒤로 빠졌다. 그래도 예방주사를 피할 수는 없었다. 마침내 소년의 차례가 되었다. 주삿바늘을 알코올램프에 빨갛게 달굴 때 요동치는 가슴이 절정에 이르렀다. 에라, 모르겠다. 왼쪽 옷소매를 걷고 눈을 질끈 감았다. 주사바늘이 팔뚝을 찌르자, 머릿속엔 달팽이처럼 동그라미가 그려졌다. 슬며시 눈을 뜨니 모든 과정이 끝나있었다. 휴, 안도하며 주사를 맞고 돌아서는데 먼저 맞은 아이들이 주삿바늘에 찔린 팔뚝을 부여잡고 인상을 쓰고 있었다. 몇몇은 처량하게 울기까지 했다. 소년의 두 손은 달달 떨렸지만, 친구들 사이를 지날 땐 뒷짐을 지고 일부러 거드름을 부렸다.

"뭐, 별로 아프지도 않구먼. 허헛."

여름방학식을 하는 날, 선생님은 지난번에 쓴 동시를 몇 개 골라 도대회에 출품했는데 소년이 쓴 시가 상을 받게 되었다며 소년을 교실 앞으로 불러 상장을 수여했다. 다른 아이들이 놀란 눈으로 소년을 바라봤다.

집에 손님이 오거나 들에 새참을 가지고 갈 때면 어머니는 소년에게 막걸리를 받아오라고 시켰다. 소년은 노란 주전자에 막걸리를 받아 집으로 돌아오다가 주전자 꼭지에 입을 대고 막걸리를 몰래 마셨다. 목을 타고 넘어가는 막걸리 맛이 좋았다. 면에 있는 양조장에서 만든 막걸리를 동네에 가져와 팔았는데, 변변한 가게가 없어서 집집마다 돌아가며 막걸리를 받아놓고 판매를 했다. 그 해 여름은 소년네 집에서 막걸리를 받아 판매를 했다. 양조장 직원이 사나흘에 한 번씩 짐받이자전거에 막걸리를 실어날랐다. 어른들이 들에 나가 일을 할 때면 소년이 부락민들에게 막걸리를 팔기도 했는데, 그럴 때마다 소년은 바가지로 막걸리를 조금씩 떠서 들이키곤 했다. 그렇게 감질나게 마시다보니 한 모금씩 맛을 보는 것 말고 어른들처럼 한 바가지 가득 막걸리를 마시고 싶었다. 어른들이 막걸리를 한 바가지씩 떠서 벌컥 벌컥 시원하게 들이키는 모습이 그렇게 멋있을 수 없었다. 소년은 창수를 불렀다. 혼자 저지르기엔 너무나도 큰일이었기 때문이었다.

"우리도 어른들처럼 막걸리 마셔볼래?"

"막걸리?"

"그래. 우리 집이 요즘 막걸리 팔고 있잖아. 거기서 조금 떠먹어 보자구."

"괜찮을까?"

"어저께 막걸리를 새로 받았거든. 조금 없어져도 티 하나도 안 나."

소년은 머뭇거리는 창수를 끌고 토광으로 들어가 술 항아리를 열었다. 그리곤 막걸리를 반 바가지 떠서 먼저 벌컥벌컥 시원하게 들이켰다. 창수에게도 막걸리를 떠서 내밀었다. 그렇게 두세 번 정도 막걸리를 마셨다. 그날의 기억은 여기서 끊어졌다. 들일을 마치고 집으로 돌아온 어머니는 소년이 해가 지도록 돌아오지 않자 소년을 찾으러 나섰다. 그러다 창수도 함께 돌아오지 않았다는 사실을 알았다. 아이들

두 명이 갑자기 사라지자 동네는 난리가 났다. 온 동네 사람들이 소년과 창수를 찾으러 나섰다. 햇불을 들고 산속을 샅샅이 뒤졌고, 개울도 수색했다. 학교도 이 잡듯이 뒤졌다. 그러나 소년과 창수는 끝내 나타나지 않았다. 사람들은 큰 일이 벌어진 것 아니냐며 어쩔 줄 몰라 했다. 서에 가서 신고를 해야 하지 않느냐는 말도 나왔다. 동네 사람들이 웅성거리고 있는데 소년의 동생이 고사리 같은 손가락으로 가리키며 말했다.

"우리 엉아, 여기 있어."

사람들이 우르르 몰려들었다. 싸리나무 울타리와 볏짚가리 사이에서 소년과 창수가 볏짚을 깔고 자고 있었다. 얼마나 술을 마셨는지 막걸리 냄새가 코를 찔렀다. 소년과 창수는 다음 날이 돼서야 정신을 차릴 수 있었다. 물론 비 오는 날 먼지가 날리도록 신나게 맞았다.

그 일이 있고 나서 한 집이 도맡아 막걸리를 맡아 판매를 하자는 애기가 나왔다. 또한 막걸리만 팔아서는 이문이 남지 않으니 담배와 과자, 식료품도 함께 팔자고 의견이 모아졌다. 이 씨네 사랑방에 동네에서 처음으로 점방이 생겼다.

시간은 빠르게 흘러갔다. 소년도 틈틈이 들에 나가 일손을 거들었다. 한 낮에는 개울에서 아이들과 함께 물놀이를 했다. 입술이 파래지도록 물놀이를 하다가 배가 고파지면 참외밭에 몰래 들어가 서리를 했다. 대문간에 멍석을 깔고 방학숙제를 한다며 책을 펼쳤지만 언제나 책을 읽다보면 스르르 잠이 들었다. 잠에서 깨어나 부스스한 눈으로 바라보는 바깥 풍경은 언제나 흐릿했다.

그러다가 두엄자리를 파헤치며 지렁이를 잡아먹는 이웃집 수탉을 보면 정신이 번쩍 들었다. 이웃집 수탉은 검붉은 깃털이 윤기 있게 흐르고 벼슬도 선홍빛으로 한눈에 보기에도 위풍당당했다. 이웃집 닭들 중에 단연 우두머리였는데 울타리를 넘어 가끔 집 밖으로 나오기도 했다. 처음엔 제 주인집 울타리 주위만 서성거리다가 조금씩 활동 범위를 넓히더니 급기야 소년에 두엄자리까지 진출해 자기 영역으로 삼아버렸다. 이웃집 수탉이 소년네 두엄자리까지 나와 활개를 치는 모습이 보기 싫었다. 할머니는 돌아가신 할아버지가 길을 가다가도 지푸라기가 보이면 집으로 가져와 거름으로 썼다고 늘 말했다. 그래서 이웃집 수탉이 남의 집 두엄자리까지 침범해 지렁이를 잡아먹을 때면 꼭 내 것을 도둑맞는 기분이 들었다. 더군다나 이웃집 수탉은 소년네 닭들까지 괴롭혔다. 소년네 닭들도 예전엔 두엄자리에서 지렁이를 잡아먹다가 이웃집 수탉이 나타난 후부터 소년네 닭들은 두엄자리에 접근하지 못했다. 가끔 두엄자리에 가긴 했지만 그때마다 이웃집 수탉이 소년네 닭들을 쫓아냈다. 소년은 그 모습이 영 보기 싫고 꼴사납기까지 했다.

그날도 이웃집 수탉이 소년네 두엄자리 꼭대기에 올라 두 발로 연신 거름을 헤집고 있었다. 소년이 '저리 안가냐'고 소리를 질렀지만 수탉은 들은 체 만 체였다. 소년은 뒤꼍으로 가 활을 가져왔다. 활을 쏘아 겁을 주면 수탉이 도망 갈 거라 생각했다. 화살을 걸고 활시위를 당겨 수탉을 겨냥했다. '핑'하고 화살이 활을 떠나 수탉에게 날아갔다. 소년은 수탉이 화살에 맞을 거라곤 생각지도 못했다. 그저 겁만 줘서 쫓아낼 생각이었다. 그런데 소년의 손을 떠난 화살은 정확하게 수탉의 목을 꿰뚫고 말았다. 이웃집 수탉은 그만 그 자리에서 죽고 말았다. 덜컥 겁이 났다. 이 사실을 어른들이 알면 수탉처럼 되지는 않겠지만 거의 그 지경까지 이를 것이 불 보듯 뻔했다. 게다가 이웃집 아저씨는 자기 집 물건을 다른 사람에게 잘 빌려주지도 않을 정도로 아끼는 사람인데다 무섭기로 소문이 자자했다. 얼른 주위를 살폈다. 다행히 본 사람은 아무도 없었다. 어른들은 모두 들에 나가고 공터에 아이들도 없다. 동네는 고요하기만 했다.

소년은 비료포대를 하나 들고 나와 서둘러 수탉을 담았다. 사람들 눈에 잘 띄지 않는 곳에 숨겨 두고 어떻게 해야 하나 고민에 빠졌다. 창수가 집으로 놀러 왔다. 소년은 창수와 함께 한참동안 머리를 짜냈다. 결국 소년과 창수는 죽은 수탉을 들고 전에 만들어놓은 아지트로 갔다. 냄비와 소금도 가져갔다. 개울가에 불을 피우고 닭을 삶아먹었다. 걱정은 됐지만 맛은 정말 좋았다. 창수가 입에 닭고기를 물고 물었다.
"넌 커서 뭐가 되고 싶어?"

정신없이 닭고기를 먹던 소년은 고개를 들어 창수를 빤히 바라보았다. 커서 뭐가 되어야겠다는 생각을 해본 적은 없었다.

동시를 써서 상을 받을 때 선생님은 동화책을 선물로 주었다. 소년에게 처음 생긴 동화책이었다. 그 책을 읽고 또 읽었다. 몇 번을 읽었지만 읽을 때마다 새롭고 점점 재미있었다.

"난 서점 주인이 될 거야. 서점에 있는 책을 다 읽을 수 있을 테니까."

소년도 창수에게 물었다.

"넌?"

"난 만화방 주인이 될 거야. 만화책을 실컷 볼 수 있을 테니까."

소년은 서점 주인보다는 만화방 주인이 더 좋을지도 모른다는 생각을 했다. 우거진 여름빛 사이로 시원한 바람이 불어오고 소쩍새 울음소리가 들렸다.

가을

소풍

아이들이 소풍 가는 날, 아내는 새벽부터 일어나 김밥을 싼다. 전기밥솥에 쌀을 안치고 시금치를 데쳐 건져내 간장과 깨소금, 매실액을 넣어 무친다. 우엉은 살짝 볶아 간을 하고, 어묵과 햄은 길게 썰어 프라이팬에 볶는다. 계란을 깨서 흰자와 노른자가 잘 섞이도록 저어준 다음, 납작하고 길게 계란말이를 한다. 이렇게 준비된 재료를 김밥에 들어가기 적당한 크기로 자르고 식탁 위에 가지런히 올려놓는다. 밥이 다되면 소금으로 간을 하고 참기름을 뿌려 섞어준다. 재료준비가 모두 끝나면 식탁에 앉아 본격적으로 김밥을 만들기 시작한다. 대나무로 된 김발에 김을 펴고 밥을 한 주먹 쥔 다음 김 위에 널찍하게 편다. 어묵, 우엉, 시금치, 단무지, 계란말이, 햄을 차례로 넣고 김발을 돌돌 말면 먹음직스러운 김밥이 완성된다.

김밥 서너 줄이면 소풍 가는 아이들 도시락으로 충분하지만 아내는 항상 이보다 많게 김밥을 만든다. 이왕 하는 김에 여럿이 나누어 먹을 수 있도록 하면 좋지 않으냐는 것이 아내의 넉넉한 살림살이다. 수 십 줄의 김밥을 만들어 아이들 도시락과 선생님 도시락을 싸고, 이웃에 살고 있는 언니한테도 나누어준다. 이모 네 김밥 배달은 아이들 몫이다.

소풍 가는 날은 아이들도 평소보다 일찍 학교에 간다. 김밥 도시락과 물, 음료수, 과자, 과일 등을 가방에 챙겨 넣고 학교로 간다. 학교에 모여 버스를 타고 놀이공원이나 동물원으로 소풍을 떠난다. 아이들은 예전이나 지금이나 들뜬 마음으로 소풍을 간다. 학교를 벗어나 친구들과 함께 즐거운 시간을 보낼 수 있다는 것만큼 즐겁고 신나는 일이 어디 있겠는가.

나 어릴 적에도 소풍을 떠나기 며칠 전부터 마음이 설레었다. 소풍 가는 날짜가 정해지면 밤마다 하늘을 보며 '소풍 가는 날 제발 비가 오지 않게 해 달라'고 간절히 빌었다. 소풍을 떠나기 전날에는 밤하늘을 바라보며 내일 날씨가 어떨지 궁금했고, 부모님에게 몇 번이나 비가 올지 안 올지 물어보곤 했다.

소풍을 떠나는 날은 다른 날보다 일찍 잠에서 깬다. 아침 일찍 일어나 맑은 하늘을 보면 기분이 하늘을 날아오를 듯 부푼다. 괜히 대문 밖으로 나가 동네를 한 바퀴 돌기도 하고, 학교로 가는 길을 미리 걷기도 한다.

하지만 소풍을 간다고 해서 김밥도시락을 기대하지는 않았다. 평소처럼 흰밥에 김치뿐이지만 소풍 가서 먹는 도시락은 더 맛있었다. 어머니는 김밥도시락을 싸주지 못하는 대신 밤을 삶아주셨다. 고소하고 달콤한 맛이 나는 삶은 밤은 아이들이나 선생님들 모두에게 큰 인기를 끌었다.

소풍가는 날, 도시락보다 더 중요한 것이 용돈의 액수였다. 평소에는 십 원짜리 하나 구경하지 못했지만, 소풍을 가는 날만큼은 부모님들도 어떻게든 용돈을 주시려고 노력했다. 보통은 백 원짜리 하나를 손에 쥐어주지만 가끔 십 원짜리 몇 개를 더 주거나 어떨 땐 백 원짜리 두 개를 쥐어주기도 했다.

지금과 달리 예전에는 부모들도 아이들과 함께 소풍을 따라나섰다. 아이들이 소풍 장소에 먼저 도착하고 부모들은 점심시간에 맞춰 도착했다. 학교에 가기 전 오늘 소풍 장소가 어디인지를 어머니께 다시금 상기시켰지만 어머니는 초등학교 6년 동안 딱 한 번을 제외하곤 소풍 장소에 따라오지 못했다. 대신 할머니가 왔는데, 어머니는 바쁜 농사 일 때문에 오지 못하는구나 하고 생각했다. 나중에 들은 얘기지만 어머니는 그때 소풍장소에 따라 오고 싶으셨단다. 비슷한 또래의 동네 어머니들이 모두 함께 아이들 소풍을 따라나서는데 어머니라고 어찌 가고 싶지 않았겠는가. 어머니가 소풍을 따라나서려고 하면 할머니가 당신이 따라가시겠다며 먼저 길을 나섰다고 했다. 어머니는 할머니의 그런 모습이 야속해도 시어머니를 뿌리치고 당신이 따라가겠다며 나설 수는 없는 일이었다.

학교 교문을 빠져 나가는 순간 아이들의 소풍은 이미 시작된다. 아이들은 재잘거리며 선생님 뒤를 따라가면서도 길가의 풀잎을 따서 풀피리를 불고 아카시아 나뭇잎을 가지고 가위 바위 보를 하며 잎사귀를 따내는 놀이도 했다. 길가에 피어있는 들꽃을 보면 너나 할 것 없이 달려들어 꽃구경을 했고, 개구리를 잡아 여자 아이들을 놀래는 짓궂은 장난을 하는 녀석들도 있었다. 그렇게 한참을 걸어 소풍장소에 도착하면 장기자랑이 이어지고 곧 이어 점심을 먹는다.

점심시간은 아이들에게 무척 바쁜 시간이다. 점심을 빨리 먹고 선생님들이 미리 감춰놓은 보물을 찾으러 다녀야 했고, 소풍장소에 따라온 문방구아저씨 네에 들러 장난감을 사기도 했다. 남자아이들은 주로 장난감 권총을 샀고, 여자아이들은 인형놀이를 구입했다. 사이다는 아이들에게 가장 인기 있는 품목이었다. 톡 쏘면서도 달콤한 맛을 내는 사이다는 소풍을 와서나 먹어볼 수 있는 귀한 음료였다.

점심을 먹고 이어지는 보물찾기 시간은 소풍에서 가장 신나고 재미있는 시간이었다. 선생님들은 아이들 눈에 잘 보이지 않는 나뭇가지나 돌 틈에 보물을 숨겨두었다. 어떤 아이들은 서너 장씩 보물을 찾기도 했지만 나는 고작해야 한 장을 간신히 찾을 정도였다.

요즘 아이들은 소풍가서 보물찾기를 하지 않는단다. 예전처럼 자연속의 한적한 공간이 아니고 많은 사람들로 붐비는 놀이공원 같은 곳으로 소풍을 가니 보물찾기를 하고 싶어도 여건이 허락하지 않는다. 친구들의 장기자랑도 같은 것도 없이 놀이기구를 타다가 집으로 돌아오곤 한다. 우리가 어렸을 때와는 다른 소풍문화지만 지금의 아이들에겐 이런 방식의 소풍이 맞을 것이고, 이 다음에 성인이 돼서도 즐거운 추억으로 기억되리라 믿는다.

참새사냥

산골마을 아이들은 틈나면 참새를 잡으러 다녔다. 아이들의 호주머니
속엔 으레 고무줄로 만든 새총 하나씩은 들어있기 마련이었다. 아이
들은 학교가 끝나고 나면 새총을 쥐고 참새사냥을 나섰다. 주머니 속
엔 총알로 쓰기 위해 모아둔 잔돌이 가득했다. 새총은 주로 'Y'자로
생긴 나뭇가지를 이용해 만들었다. 아카시아 나무나 참나무는 결이
약해 갈라지기 때문에 결이 단단한 밤나무나 박달나무를 이용해 만들
었다.

Y자로 생긴 적당한 크기의 나뭇가지를 잘라 껍질을 벗겨내고 Y자의
양쪽 끄트머리에 홈을 판 후 고무줄을 단단히 묶어 고정시킨다. 고무
줄로만 매듭을 지으면 풀릴 염려가 있기 때문에 실로 갈무리를 하는
게 중요하다. 이번에는 고무줄 가운데를 가위로 자른다. 이때 양쪽 길
이가 똑같도록 잘라주어야 한다. 양쪽 고무줄의 길이가 다를 경우 새
총의 정확도가 떨어지기 때문이다. 이제 자른 고무줄에 직사각형의
가죽을 대고 송곳이나 못으로 구멍을 뚫은 다음 연결하면 새총이 완
성되었다.

아이들은 새총을 가지고 다니며 수시로 쏘는 연습을 했다. 새총의 총알로 사용되는 작은 돌은 주위에서 얼마든지 구할 수 있었다. 어머니가 산에 가서 주워와 멍석을 깔아놓고 말리는 도토리가 동그랗고 가벼워 새총의 총알로는 제격이지만 도토리를 너무 많이 훔칠 경우 참새보다 먼저 어머니에게 얻어맞을 수 있기 때문에 주로 작은 돌멩이를 총알로 사용했다. 새총을 쏘는 연습은 언제 어디서나 가능했다. 학교가 끝나고 집에 돌아오다가 길가의 나뭇가지를 표적으로 삼아 쏘기도 하고, 개울을 건너다가 다리난간을 표적으로 삼아 쏘기도 했다. 그러나 나뭇가지나 다리난간은 표적이 너무 커서 총알이 정확하게 어디에 맞았는지 파악하기 힘들고 새총의 위력도 알 수 없어 실전연습으로는 적합하지 않았다.

실전연습은 무엇보다도 깡통이 좋았다. 깡통을 세워놓고 거리를 둔 다음 총알을 장전하고 발사하면, '핑' 소리를 내며 날아간 총알이 깡통에 정통으로 맞으면 '깡' 소리를 내며 튕겨져 나갔다. 가끔 음료수병을 표적으로 사용하기도 했지만 음료수병은 새총을 맞으면 산산조각 나기 때문에 꺼려했다.

실전연습이 마무리하고 새로 만든 새총이 손에 익으면 본격적으로 사냥을 나섰다. 참새를 잡으러나갈 때는 두 명 정도가 함께 다녔다. 여러 명이 몰려다니면 참새들이 소리를 듣고 도망가기 때문이었다. 사람들의 발자국 소리만 들려도 날아가 버리는 참새가 시끄러운 아이들 소리를 듣고도 나뭇가지 위에 가만히 앉아있을 리 만무하다.

참새를 잡을 때는 몸을 최대한 숨겨야했다. 참새는 시력이 좋아 멀리서 새총을 겨눠도 금방 눈치 채고 날아가 버리기 일쑤였다. 신기하게도 새총을 들지 않고 걸어갈 때는 어느 정도 거리가 가까워도 참새가 날아가지 않는데, 새총을 꺼내 조준을 하는 순간은 어찌 알았는지 순식간에 날아가 버렸다. 새총을 최대한 들키지 않고 참새에게 가까이 접근하는 것이 관건이었다.

새총을 몸 뒤에 숨기고 살금살금 다가간다. 참새와의 거리가 좁혀지면 몸을 최대한 숙이고 접근한다. 그러다가 적당한 거리에 들어오면 재빨리 총알을 장전해 발사했다. 그러나 총알은 번번이 참새를 비껴갔다. 정확히 말하면 참새 근처에도 가지 못했다. 정확히 맞출 만큼 참새 가까이 접근하지 못했기 때문이었다. 참새는 총알이 날아오면 휙 날아올랐다가 어느 정도 시간이 흐르면 다시 앉아있던 자리로 돌아왔다. 하지만 참새에게 들켜버린 이상, 이미 사냥은 끝이다. 사냥감에게 자신의 모습이 노출된 사냥꾼은 더 이상 사냥꾼이라 할 수 없다.

참새가 워낙 눈치가 빨라 새총을 쏘아 맞출 수 있는 거리까지 접근하는 건 거의 불가능했다. 어쩔 수 없이 매복을 해야 했다. 매복을 하기 위해선 참새가 날아다니는 경로를 파악해야 하고, 어느 나뭇가지에 잘 앉는지 평소에 잘 살펴야 한다. 참새는 정해진 길로 날아다니는 성향이 있다. 하늘이 무슨 길이 있냐고 물을지 모르지만 참새들이 날아다니는 길은 따로 있다. 예를 들어 뒷동산에서 날아온 참새가 대문간의 대추나무 가지에 앉았다가 앞집 지붕 위에 내려앉고 다시 옆집 오동나무에 걸터앉았다가 뒷산으로 돌아가는 식이다.

간혹 한두 마리가 늘 다니던 길에서 벗어나 다른 곳으로 날아가기도 하지만 곧 무리와 합류해 함께 움직인다. 대문간 옆에 있는 대추나무는 대문에 숨을 수 있기 때문에 참새에게 가장 가깝게 접근할 수 있는 곳이었다. 논으로 밭으로 뛰어다니며 참새를 쫓다가 하루 종일 허탕만 치고 돌아온 날은 대문간에 매복을 하고 참새를 기다렸다. 매복을 한 지 얼마 지나지 않아 참새들이 대추나무에 내려앉았다. 조무래기들이 조용히 새총에 장전을 하고 대문 밖으로 우르르 뛰어나와 총알을 발사했다. 그러나 참새는 이미 뛰쳐나오는 발걸음 소리를 듣고 저 멀리 날아가 버린 후였다.

그래서 남은 사냥터는 산밖에 없었다. 뒷산은 덩굴이 많고 가시가 많아 몸을 할퀴거나 옷이 찢어질 염려가 많았지만 그만큼 몸을 숨길 곳도 많았다. 그날도 친구와 둘이서 산으로 참새를 잡으러 갔다. 참새가 날아다니는 길목에서 매복을 했다. 숨소리조차 크게 내지 않고 참새

194

가 날아와 앉기를 기다렸다. 새총은 이미 총알을 장전하고 언제든지 발사할 수 있게 고무줄은 팽팽히 당겨진 상태였다. 있는 힘껏 고무줄을 잡아당기느라 팔에 쥐가 날 지경이었지만 참새를 잡겠다는 생각에 그 고통도 꾹 참았다. 그러나 역시 참새는 쉽게 잡히지 않았다. 새총으로 잡을 수 있는 가까운 거리에 참새가 앉았지만 나뭇잎에 가려 잘 보이지 않거나 발사된 총알이 가려진 나뭇가지에 맞고 튕겨나가기 일쑤였다. 어쩌다 장애물이 없이 발사된 총알은 아슬아슬하게 참새의 콧잔등을 스치고 지나갔다.

그렇게 참새사냥은 늘 허탕을 쳤다. 그래도 간혹 운이 좋은 날에는 참새 한두 마리를 잡아 집으로 돌아오곤 했다. 하루는 새총을 장전하고 한참 앞을 노려보고 있는데, 친구 녀석이 입을 삐죽거리며 옆을 보라고 했다. 몸을 살짝 옆으로 틀자 바로 5미터 앞에 참새 한 마리가 앉아 있었다. 그동안 수없이 깡통을 맞추며 연습을 하고 산과 들을 뛰어다니며 실전에 대비했던 실력을 발휘할 순간이 기어이 오고야만 것이다. 숨을 멈추고 한쪽 눈을 감고 정조준을 한 뒤 총알을 튕겨 보냈다. 명중! 그동안 갈고닦은 실력이 헛되지 않았음을 증명했다. 그날 수확은 한 마리밖에 없었지만 새총을 쏘는 솜씨를 온 동네에 자랑할 수 있는 더없이 좋은 기회였다. 친구와 나는 뒷마당에 짚불을 피워 참새를 구워먹었다. 날개도 한쪽씩 사이좋게 나누고, 다리도 한쪽씩 나누고 몸도 반으로 갈라 나누어먹었다. 참새머리는 그날 사냥에 성공한 내

몫이었다.

새총으로 참새를 잡으러 다니는 일은 참새를 잡는 것보다는 산으로 들로 뛰어 다니는 재미가 더 컸다. 새총을 가지고 친구들과 온종일 뛰어 다니다가 운이 좋아 참새 몇 마리를 잡으면 함께 구워먹는 즐거움 때문에 참새사냥을 다녔다.

새총보다 더 확실하게 참새를 잡을 수 있는 방법은 덫을 이용하는 것이었다. 덫은 나무와 새끼줄을 이용해 만든다. 나무와 송판을 이용해 밑바닥을 짜고 그 위에 물푸레나무에 새끼줄을 엮어 만든 그물을 설치한다. 그물을 밑바닥에 고정시키고 조그만 막대기로 그물 한쪽을 받쳐서 고정시킨 다음, 미끼와 연결하면 된다. 참새가 날아와 미끼를 쪼면 그물을 받치고 있던 막대가 쓰러지면서 참새가 그물에 갇히는 구조이다. 참새 덫을 만드는 건 쉬운 일이 아니었다. 참새가 미끼를 쪼고 있을 때 그물을 받치는 막대가 제때 쓰러져야 하는데 이게 말처럼 쉽지 않다. 오히려 참새가 잡히는 경우보다 먹이만 없어지는 경우가 더 많았다. 그래서 막대에 길게 끈을 연결해 사람 손으로 잡아당기는 방법을 고안했다. 삼태기에 막대를 받쳐 세워 놓고, 안쪽에 새가 좋아하는 먹이를 둔 다음, 막대에 끈을 연결해 새가 눈치 채지 못하는 곳에 숨어 있다가 새가 들어오면 끈을 잡아당겨 막대를 쓰러뜨리는 방법이다.

모처럼 고향에 내려온 작은 아버지가 참새를 잡아서 구워먹자고 했다. 마당에 삼태기로 덫을 만들어 세워놓고 막대기에 끈을 연결 했다. 안방에 들어가 참새 몰래 숨어서 덫을 지켜볼 요량이었다. 막대가 쓰러질지도 모른다는 생각에 뒷걸음으로 안방까지 갔다. 그리고 급하게 여닫이문을 닫았다. 막대에 신경을 쓰느라 사촌동생이 방에서 기어나오는 모습을 보지 못했다. 갓 돌이 지난 사촌동생이 문지방을 짚고 넘다가 문틈사이에 손을 찧고 말았다. 조용해야할 사냥터에 사촌동생의 울음소리가 퍼졌다. 벌겋게 부어오른 사촌동생의 손가락을 보며 밤늦게까지 잠을 이루지 못했다.

참새를 잡는 가장 확실한 방법은 새그물을 설치하는 것이다. 새가 날아다니는 길목에 눈에 잘 보이지 않는 새그물을 설치하면 참새가 날아다니다가 그물에 걸린다. 그물이 워낙 촘촘해 한번 걸리면 절대로 빠져나오지 못한다. 앞집에 새그물이 있었다. 앞집에 사는 형은 겨울만 되면 우리 집 대문간에 새 그물을 설치했다. 매일은 아니지만 종종 아침이면 그물에 걸린 참새를 볼 수 있었다. 하지만 우리에게 돌아온 몫은 없었다. 언젠가 그물에 걸린 제비를 풀어준 기억밖에 없다.

긴긴 겨울밤이면 동네 형들은 손전등을 가지고 새를 잡기도 했다. 황토로 지은 초가집 지붕 밑에 새가 집을 짓고 있었다. 동네 형들은 유심히 새가 날아다니는 걸 지켜보았다가 깊은 밤이 되면 사다리를 타고 올라가 잠든 새를 손쉽게 잡곤 했다. 그 모습을 보고 나도 유심히 새가 드나드는 것을 살폈지만 끝끝내 새가 지붕 밑으로 드나드는 모습을 보지 못했다.

그러다 참새고기를 실컷 먹을 수 있는 기회가 생겼다. 무척 추운 어느 해 겨울이었다. 평소 겨울보다 눈도 많이 쌓여 온 세상이 하얗게 변해 있었다. 가을 추수가 끝나고 자투리 벼이삭을 비닐하우스 안에 모아 두었다. 탈곡 뒤에 나오는 벼이삭엔 채 탈곡되지 않은 낱알이 남아있었다. 탈곡이 끝나고 벼이삭을 도리깨로 후려쳐 낱알을 마저 수확해야 온전히 수확이 끝났다고 할 수 있다. 탈곡 과정에서 나온 벼이삭은 며칠 동안 햇볕에 말렸다가 보통 겨울이 오기 전에 마저 탈곡작업을 한다. 하지만 그 해는 벼이삭을 털지 못한 채 겨울을 맞았다. 추위가 유난히 빨리 찾아왔기 때문이었다. 부모님은 벼이삭을 비닐하우스 안에 쌓아두고 틈날 때마다 조금씩 훑어냈다.

벼이삭을 훑고 나서는 비닐하우스 입구를 막아 놓는데, 어느 날 저녁에 그만 잊어버렸다. 그리고 며칠 동안 계속 눈이 내렸다. 산과 들이 온통 눈 속에 파묻혔다. 나뭇가지도 눈에 덮여 새들이 앉을 자리도 없었던 겨울밤이었다. 어찌나 추운지 방안에 떠놓았던 자리끼도 꽁꽁 얼어붙었다. 잠이 덜 깬 새벽, 솜이불을 머리끝까지 뒤집어쓰고 누워있는데 밖에서 동생이 부르는 소리가 들렸다. 화장실에 가던 동생이 비닐하우스 안에 참새가 들어가 있는 것을 보고 재빨리 입구를 막은 다음, 잠들어있는 식구들을 깨운 것이다. 먹이를 찾던 참새 떼가 비닐하우스 안에 훑어놓은 낟알을 보고 몰려든 것이다. 잠에서 깨어난 식구들이 모두 달려들어 빗자루를 이용해 참새를 잡기 시작했다. 겨울 새벽에 난데없이 일어난 참새타작 끝에 십여 마리의 참새들을 포획할 수 있었다. 짜릿한 횡재를 맛본 식구들은 저녁마다 비닐하우스 입구를 열어놓고 잠자리에 들었지만 이후 이런 일은 다시 일어나지 않았다.

고등학교에 입학하고 나서는 참새를 거의 잡으러 다니지 않았다. 참새를 쫓는 일 따위는 시시해졌다. 새총을 가지고 참새를 잡는 일 따위는 조무래기들이나 할 일이었다. 그렇게 나도 어린 시절 참새사냥과 작별했다.

시골에서는 대부분의 학생들이 고등학교를 졸업을 하면 농사꾼이 되던 그런 시절이었다. 농사가 짓기 싫어 고등학교를 졸업하고 무작정 서울로 상경하는 사람도 많았다. 조그만 시골 동네에서 대학교에 진학하는 사람은 불과 몇 명에 불과했다. 고등학교를 졸업하면 무슨 일을 할지가 시골 고등학생들의 고민이었다. 신문도 동네이장과 새마을 지도자, 이렇게 두 집에만 배달되던 시절이었다. 정보는 막혀있었고 학생들은 답답했다. 정보가 뭐하는 것인지도 몰랐다. 알고 있는 것이라고는 미리 서울로 향한 동네 형들이 어디에서 무슨 일을 하고 있다는 소식 정도였다. 명절을 맞아 고향에 내려온 동네 형들을 통해 서울 생활을 귀동냥해둔 다음, 형들의 말대로 고등학교를 졸업한 뒤 그렇게 서울로 떠나갔다. 그렇게 영등포 유압가게로, 청계천 세운상가로 가리봉동으로, 구로공단으로 시골사람들이 하나둘 떠났다.

응답하라 1986

농사일을 거들기 위해 고향에 내려갔다가 우연히 오래된 편지뭉치를 발견했다. 편지는 마루 한켠에 있는 장식장 안의 대학 홀더(holder)에 차곡차곡 놓여있었다. 편지봉투를 보니 낯익은 이름들이 눈에 들어온다. 설레는 마음으로 대학교정을 처음 밟았던 86학번 동기들의 이름, 누구보다도 가깝게 지냈던 고향 친구, 친 동생 등이 보낸 편지가 켜켜이 담겨있었다. 마루에 앉아 하나 씩 편지를 읽어 보기 시작했다.

첫 번째 편지는 대학교 여자동기 P에게서 온 편지다. 날짜를 보니 1986년 7월에 보낸 걸로 되어 있다. P는 편지에 '방학이라고 어떻게 연락 한번 안 하느냐'며 정겨운 핀잔을 하고 있었다. P는 대학교 1학년 때 가깝게 지낸 여학생이다. 공부를 하겠다며 도서관에 자주 드나들다가 역시 도서관을 자주 찾던 P와 친해졌다. P와 나는 도서관에 함께 다니던 친구들을 규합해 공부모임을 만들었다. 우리는 대학도서관에 자리를 잡아놓고 함께 공부도 하고 이야기도 하며 시간을 보냈다. 날씨가 좋은 날엔 버스를 타고 교외에 놀러가기도 했다. 나는 P를 좋아했다. P는 긴 생머리를 하고 있었고 수수하게 아름다운 얼굴이었다. 특히 웃을 때 살짝 보이는 덧니가 매력적이었다. 같이 어울려 다니는 친구들 사이에서 내가 P를 좋아한다는 건 공공연한 비밀이었지만 누구도 이를 대놓고 말하지는 않았다. 우리는 그렇게 1년간을 애매한 사이로 보냈다.

P의 편지는 연한 노란색 바탕이어서 흰색의 다른 편지에 비해 눈에 띄었다. 겉봉투엔 이름대신 커다란 물음표가 적혀 있었다. 방학을 맞아 시골에 내려와 있던 나에게 P는 까만 얼굴이 농사일하느라 더 까매졌겠다며 소식 한번 없는 나를 책망했다. 편지 말미엔 수줍게 '쪼금 보고 싶다' 라는 문구가 적혀있었다. P에게서 온 편지는 이외에도 몇 통 더 있었다. 내가 군대를 가기 위해 휴학을 했을 때도 P로부터 두 통의 편지가 더 왔다. 휴학을 한 나에게 P는 '이대로 정말 영영 이별인거니?' 라며 아쉬움인지 미련인지 모를 편지를 보냈다. P에게서 온 마지막 편지에서 P는 마음이 울적해 학교에 가지 않고 집에 있다며 '네 생각을 하니까 그래도 기분이 조금은 좋아졌다' 라고 했다.

나는 P에게 답장을 보내지 않았다. 휴학을 하면서 P에 대한 나의 마음을 정리하기로 마음먹었기 때문이다. 우리가 1년을 애매모호한 사이로 보낸 건 P가 자신의 마음을 확실하게 표현하지 않았기 때문이다. P는 나를 좋아하는 것 같다가도 어떨 때 보면 친구 이상의 감정을 갖고 있지 않다고 느껴지기도 했다. 돌이켜보면 나 역시 P에게 확실한 마음을 표현하지 못했다. 좋아한다는 말을 하지도 못했고 사귀자는 말도

건네지 못했다. 우리 둘의 사랑은 그렇게 어설펐다. 군을 제대하고 복
학해서 P와 몇 번 마주치기는 했지만 이미 그때는 친구 이상도 이하도
아닌 관계가 되어버렸다.

1986년의 충북 음성은 아직 전화가 보편화되지 못했던 시절이다. 도
시에는 집집마다 전화가 있었지만 시골엔 동네회관에 있는 까만 전화
기 한 대 밖에 없었다. 집에 전화가 없다보니 편지가 친구들과 연락할
수 있는 유일한 방법이었다. 우편배달부는 오전 11시쯤 우리 동네를
지나갔다. 밖에서 일을 하다가도 11시가 가까워 오면 '누구에게 편지
가 왔을까' 하는 기대감에 마음이 설레곤 했다. 멀리서 날아온 소식들
을 몇 번이고 다시 읽었고 특히 P에게서 온 편지는 수십 번을 읽고 또
읽었다. 말하지 못한 마음 때문이었는지, 편지를 읽는 동안 나는 P와
함께 있었고 마음속으로 대화를 나누었다.

지금은 청주 김수녕양궁장 앞에서 꽃집을 하고 있는 정일이라는 친구
가 보낸 편지도 여러 통이다. 정일이와 나는 방학 때마다 자주 편지를
주고받았다. 정일의 편지는 주로 스무 살의 슬픈 자화상을 애기하고
있었다. 자신의 정체성에 대한 고민, 친구에 대한 우정과 사랑, 세상
을 향한 차가운 분노가 편지에 담겨있다. 스무 살의 정일이는 길 잃은
자신의 모습을 찾고 있었다. 자신을 찾을 수 있는 방법에 대해 고민했
고 자신의 모습을 찾기에는 이미 너무 많이 와버린 게 아닌가하는 걱

정도 비쳤다. 자신의 가치를 찾기 위해 방황하던 스무 살의 청년이 그곳에 서있었다.

군대에 가있던 시골친구 원영이는 친구들과 함께 뛰어 놀던 어린 시절에 대한 그리움을 적고 있었다. 군대에 와보니 무엇보다도 친구들의 소중함을 알겠다며 영원히 변치 않을 우정을 약속했다. 시간을 내서 면회를 한번 와달라는 글도 있었다. 하지만 이런저런 이유로 소중한 친구의 부탁을 들어주지 못했다. 원영이는 요즘도 가끔 면회 한번 오지 않은 나에 대한 서운함을 토로한다.

여학생 K는 방학동안 하숙집에 몇 번 전화를 했다며 학교에 나올 일 있으면 전화를 한번 해줬으면 하는 편지를 보냈다. 만나서 꼭 할 이야기가 있다고 했다. 하지만 휴학을 한 상태였기에 학교에 갈 일은 없었다. 제대 후 학교에 복학했을 때 K는 졸업을 한 후였고 이후 두 번 다시 얼굴을 보지 못했다.

군대에 간 동생에게서 온 편지도 있었다. 부모님 안부를 묻는 내용과 자기는 군대에서 잘 있으니 걱정하지 말라는 내용이었다. 제대를 하고 무엇을 할지 고민하고 있었다. 동생은 군대에 있으면서 열관리 공부를 했고 제대를 한 후 열관리 자격증을 취득했다. 지금은 회사에서 보일러 관리업무를 맡고 있다.

가장 많이 편지를 보낸 친구는 종준이었다. 종준이와는 문학이야기를 하며 가까워졌다. 학교 도서관 앞에서 우연히 만나 문학에 대해 애기를 시작했다. 마음이 통해 매 주 한 편씩 시를 습작해 서로에게 읽어주곤 했다. 문학에 뜻을 두었던 동기 4명이 문학모임을 구성해 한 달에 한번 정도 모임을 이어갔다. 모임을 통해 우리는 자신이 습작한 시나 수필을 함께 읽고 토론하며 문학에 대한 꿈을 키웠다. 방학을 맞아 헤어지며 서로 방학동안 편지로 일주일에 한 편씩 시를 습작해 교환하기로 약속했다. 하지만 그 약속을 지킨 사람은 종준이 뿐이었다. 방학 중에도 종준이는 매 주 한 편씩 시를 써서 보냈다. 난 그가 보내준 시를 읽으며 새로운 생각과 만날 수 있었다. 우리의 문학모임은 대학교 1학년 내내 이어져, 그해 12월 '지금의 단계'라는 공동습작집을 발간하기도 했다. 문학모임 역시 내가 군대에 가기 위해 휴학을 하면서 맥이 끊겼다.

나의 대학 1학년은 이렇게 꿈과 열정, 어설픈 사랑, 아픔과 혼란이 뒤섞인 시기였다. 고등학교를 졸업하고 갑자기 나타난 자유 앞에 당황했다. 때론 길을 잃고 헤매기도 했다. 학교라는 울타리 안에 갇혀 살다가 아무런 준비도 없이 느닷없이 방목된 현실 앞에서 정체성을 찾기 위해 고민했다. 때로 세상을 향해서는 차가운 시선을 던지며 참다운 삶을 찾기에 방황하고 흔들렸다. 그런 아픔을 통해 한 계단씩 자라고 있었다.

시골집에서 우연히 발견한 편지뭉치 속에 나의 스무 살, 우리시대 스무 살 청년들의 모습을 찾을 수 있었다. 편지를 하나하나 읽으며 삶에 대해 치열하게 고민했던 젊은 날의 모습들이 영화필름처럼 스쳤다. 20년이 훨씬 지난 지금, 문득 과연 그 시절 치열하게 고민했던 결과대로 우리는 살고 있을까하는 생각이 커다란 울림으로 되살아났다.

편지뭉치를 집으로 가져 올 것인가 한참을 고민하다가 그대로 시골집에 두고 오기로 했다. 스무 살의 꿈을 갑갑한 도시의 벽에 가둬놓을 수는 없다고 생각했다. 가끔 시골에 갈 때마다 꺼내보는 게 훨씬 좋을 것 같았다. 그때마다 내 꿈들도 다시 살아 움직일 테니까. 집으로 돌아오는 차 안에서 지금의 내 모습을 돌아보았다. 그러다가 문득 앞으로 20년 후 나는 오늘을 되돌아보고 있지 않을까하는 생각을 했다. 그 무렵이면 나는 과연 오늘을 어떻게 기억할까? 삶의 무게에 짓눌려 숨조차 쉬기 힘들었던 모습으로 기억할까? 아니면 열정적인 삶을 살았던 모습으로 기억할까?

편지를 써야겠다는 생각을 했다. 지금 가까이 있는 사람들에게, 멀리 떨어져 있지만 소중한 추억을 함께 간직한 사람들에게, 오늘을 치열하게 함께 살아가고 있는 사람들에게 편지를 써야겠다. 세월이 흐른 후 그들이 내가 보내준 편지를 받아보며 새로운 꿈과 열정으로 가득했던 오늘을 기억할 수 있도록 편지를 쓸 것이다. 그들이 답장을 보내준다면 나 역시 그 편지를 읽으며 아름다웠던 오늘을 기억할 것이다.

사진은 그리움의 공간

아내는 식탁 유리 밑에 여러 장의 사진을 끼워뒀다.

"아빠, 식탁에 사진 보면 정신없지 않아?"

"그러게. 사진이 좀 많기는 하네."

"아빠가 엄마한테 얘기 좀 해."

아이들은 그게 못마땅한 모양이다.

아내가 식탁유리 밑에 끼워둔 사진은 30여 장 정도 된다. 사진이 놓인 형태에 어떤 순서나 규칙은 없다. 그저 손에 집히는 대로 끼워둔 모양이다. 아이들 유치원 다닐 때의 사진, 초등학교 입학식 사진, 계곡에서 찍은 사진 등이 순서 없이 진열돼 있다.

아내에게 사진이 너무 많은 것 아니냐고 하자 아내가 '좋지 않느냐' 며 반문한다. 아내의 얘기를 듣고 가만히 사진을 살펴본다. 사진 속에서 그때 그 순간의 모습들이 되살아난다.

고무대야에 들어가 머리만 쏙 내밀고 있는 아이의 사진은 더운 어느 여름날의 풍경, 골목길에서 동네아이들과 함께 뛰어 놀았던 즐거웠던 한때, 현관 계단에 앉아 그 모습을 지켜보던 아이 엄마들의 환한 표정, 유채꽃을 배경을 찍은 가족사진은 경주여행의 행복했던 추억이 담겨있다. 조카의 고등학교 졸업사진은 겨울답지 않게 포근했던 기억과 그 시절의 이야기가 조잘조잘 흘러나온다.

사진 속에 있는 십 수 년 전의 나를 바라보고는 '그때는 참 젊었었는데' 하는 회한에 잠긴다. 짧게 각진 머리는 새치 하나 없고 윤기가 도는 팽팽한 얼굴엔 총명함마저 흐른다. 옆에 있는 아내도 젊고 예쁘다. 참 좋을 때였다 생각을 하다가 부모님 사진에 시선이 머물자, 지나간 시간에 대한 그리움이 무심한 세월에 대한 안타까움으로 변한다. 허리를 꼿꼿하게 펴고 있고 얼굴에 살이 붙은 부모님의 사진을 보며 이제는 너무나 연로한 부모님에 대한 안타까운 마음에 가슴이 찌르르 저려온다. 극구광음(隙駒光陰)처럼 흘러가버렸을 부모님의 팔십 평생이 못내 아쉽고 얄밉기만 하다.

못자리를 만들기 위해 볍씨를 뿌리고 있는 사진이 눈동자를 사로잡는다. 시골집 앞마당에서 찍은 사진인데 아버지와 나는 볍씨를 뿌리고 있다. 지나가던 동네 아저씨는 볍씨가 잘 뿌려졌는지 빤히 모판을 들여다보고 있다. 일을 하는 모습을 지켜보던 아내가 살그머니 찍은 모양이다. 따뜻했던 봄날에 대한 기억과 고향마을에 대한 정겨움이 사진 속에 묻어난다.

고향집 마루에도 그리움이 걸려있다. 고향에 가면 마루 천장에 비스 듬히 걸려있는 낡은 사진을 보며 지나간 세월을 떠올리곤 한다. 여러 장의 사진이 세월의 순서대로 액자에 담겨있다. 그중 제일 눈에 띄는 건 아버지의 환갑잔치 사진이다. 두루마기를 차려입은 아버지와 곱게 한복을 입은 어머니, 다른 친척들의 모습이 사진에 담겨있다. 그날따 라 유난히 하얗게 빛나던 담장의 모습도 반갑다. 아버지의 환갑사진 옆에 손주들의 돌 사진, 누나네 가족과 조카들 사진, 나와 동생의 결 혼식 사진이 나란히 걸려있다. 이 공간은 부모님의 공간이다. 그 공간 에 아버지와 어머니는 지난 세월을 걸어놓는다. 못에 비스듬히 걸린 추억을 이따금 바라보며 고단해도 힘이 되었던 희망들과 이제는 품을 떠나 훌쩍 커버린 자식들을 그리워할 것이다.

가족들과 함께 생활할 땐 몰랐었는데, 멀리 떨어져 혼자 생활하다 보 니 가족들이 그립고 보고 싶다. 좁은 방안에 혼자 있는 시간이면 더욱 그렇다. TV를 보다가, 밥을 먹다가, 자리에 누워 있다가 문득 가족들 이 보고 싶고 그리워진다. 나도 이럴진대 연로하신 부모님이야 오죽 하랴. 그동안 미루고 미뤄왔던 가족사진을 찍어야겠다. 사진속의 부 모님이 활짝 웃으면 좋겠다. 사진을 찍어 부모님께도 보내드리고 내 방에도 고향집 마루처럼 사진 한 장 걸어놓아야겠다.

아내와 어머니는 닮았다

아내와 어머니는 닮았다. 피 한 방울 섞이지 않은 사이인데도 어쩜 그렇게 닮았는지 모르겠다. 행동은 물론 성격까지 닮았다. 걱정거리가 생기면 몇날며칠을 잠을 이루지 못하는 것도 닮았고, 자기 자신보다 가족을 먼저 챙기는 것도 닮았다. 음식을 양껏 만들어 주위 사람들에게 나누어주기를 좋아한다는 것도 똑같다.

어머니는 만두를 빚을 때면 입이 떡 벌어질 정도로 반죽을 많이 한다. 만두 속도 차고 넘칠 정도로 잔뜩 준비한다. 식구들이 모두 둘러앉아 만두를 빚어도 족히 두 세 시간은 걸려야 만들 수 있는 분량이다. 만두뿐만 아니라 팥죽도, 식혜도, 동치미도 많이 만든다. 그러고는 자식들이 올 때마다 토광에서 꺼내 차에 실어주시느라 정신이 없다. 김장도 다음해 가을까지 먹고도 남을 정도로 많이 담근다. 텃밭에 심어놓은 파나 상추는 동네 사람이면 누구든지 솎아서 먹도록 한다.

김장이 겨울 양식이었던 시절이 있었다. 그 시절, 김치는 반찬으로만 사용되지 않았다. 김치로 국을 끓여먹었고, 죽을 쑤어먹기도 했으며 김치전도 수시로 부쳐 먹었다. 무엇보다도 김치는 만두를 만드는데 없어서는 안 될 중요한 재료였다. 겨울이면 어머니는 수시로 만두를 빚으셨다. 지금처럼 만두 속에 고기를 넣을 수 있는 시절도 아니었다. 김치를 다지고 당면을 삶고 두부를 으깨 넣는 게 전부였다. 먹을 게 넉넉하지 않던 시절, 만두는 겨울에 맛볼 수 있는 최고의 음식이었다.

손이 큰 건 아내도 마찬가지다. 아내는 잡채를 자주 하는데 그 양을 보면 어머니가 만두를 만들 때처럼 입이 절로 벌어진다. 당면을 한 솥 삶고 당근과 시금치를 데치고 고기를 볶고 갖은 재료를 넣어 잡채를 만들어내는데 양이 얼마나 많은지 잡채를 담을 그릇이 모자랄 정도이다. 그렇게 잔뜩 잡채를 만들어놓고는 시어머니께 드린다며 냉동실에 얼리고, 언니와 조카 몫도 한 통씩 담아둔다. 김밥을 만들 때도 몇 십 줄을 싸서는 이집 저집 함께 나누어 먹고 형부가 좋아한다며 양념게 장도 넉넉하게 만든다. 시어머니한테는 '어머니 힘드신데 뭐 하러 이 렇게 음식을 많이 하시느냐'며 잔소리를 하면서도 정작 자신이 음식을 만들 땐 그 사실을 잊어버리는 모양이다. 내가 '힘든데 왜 그렇게 많이 하냐'며 잔소리를 하면 '어차피 만드는 건데 다 같이 나누어먹으면 좋지 않느냐'며 여러 소리 하지 말고 와서 양념 뚜껑이나 열어달란 다. 그렇게 말하는 모습이 영락없이 어머니를 닮았다.

무거운 물건을 번쩍번쩍 들어나르는 것도 닮은 점이다. 아이들이 어 렸을 때 읽었던 책을 초등학교에 다니는 조카에게 준다며 아내가 책장을 정리하던 때의 일이다. 아내가 책장의 책을 꺼내 종이상자에 담더니 1층까지 내려다 달라고 말한다. 조금 있다가 밖에 나갈 때 내려다 놓겠다고 했는데, 아내가 아이들 방에서 책이 담긴 무거운 종이 상자를 번쩍 들더니 현관까지 옮겨놓는다. 조금 있다가 들고 내려가면 되는데 왜 힘들게 현관까지 가져오느냐고 말하자 '이러면 당신이 조금이라도 힘이 덜 들 것 아니냐'고 말한다. 고깟 몇 걸음 아무 도움도 되지 않는다고 핀잔을 줬다.

어머니도 마찬가지다. 시골에 농사일을 거들러갔을 때의 일이다. 수확한 벼를 경운기에 실어 창고로 옮기는 일을 하는데 어머니가 무거운 볏가마를 경운기 바깥으로 자꾸 꺼내놓는다. 힘든데 왜 그러시냐 말하자 '그래야 조금이라도 편할 것 아니냐'며 멋쩍게 웃는다.

어머니는 도토리묵을 좋아한다. 배탈이 나 음식을 먹지 못하고 누워 계실 때도 도토리묵이라면 벌떡 일어나 밥상머리에 다가앉을 정도이다. 도토리묵을 썰고 물을 부어 김치 등으로 간을 한 다음, 밥과 함께 말아먹는 것을 제일 좋아하신다.

도토리묵은 겨울 양식으로도 이용된다. 가을이 되면 어머니는 앞치마를 두르고 도토리를 주우러 다니셨다. 학교가 끝나고 집에 돌아오면 어머니는 나에게도 도토리를 따러가자고 했다. 어머니 손에 이끌려 커다란 자루와 곰배(굵은 나무를 잘라 가운데 긴 막대기를 이어 만든 것으로 도토리를 딸 때 이용하던 것이다. 시골에서는 곰배라고 불렀다)를 들고 따라나선다. 산에 도착해 도토리가 많이 달린 참나무를 곰배로 힘껏 내리치면 '후두둑' 하고 소나기 쏟아지듯 도토리가 떨어진다. 땅에 떨어진 도토리를 자루에 주워담고, 또 다시 다른 참나무를 찾아다니길 반복했다. 그렇게 온종일 도토리를 따러 다니다가 날이 어둑해져서야 집으로 돌아왔다. 수확한 도토리는 마당에 멍석을 깔아 말렸다. 도토리는 고무줄 총의 총알로 쓰기에 적당한 크기다. 멍석에 널어놓은 도토리를 어머니 몰래 한 주먹씩 쥐고 참새를 잡는다며 새총을 들고 뛰어나갔다. 도토리 가만 두라는 어머니의 잔소리는 대문간을 뛰쳐나가는 나를 따라잡지는 못했다.

가을이면 도토리뿐만 아니라 밤도 따러 다녔다. 어머니는 잘 익은 알밤뿐 아니라 조금 덜 여문 밤송이까지 따라고 하셨다. 나무 밑에서 밤송이를 털다가는 가시에 찔려 몸이 성할 리 없기 때문에 나무에 올라가 밤을 털었다. 긴 장대를 가지고 나무에 올라 밤송이가 달린 가지를 힘껏 내리쳤다. 장대를 내리칠 때마다 나뭇가지가 흔들렸고 나무에 오른 내 몸도 흔들렸다. 바람도 흔들리고 하늘도 뱅뱅 돌았다.

이렇게 수확한 밤은 잘 익은 것을 골라 자루에 담아놓고, 덜 여문 밤송이는 땅을 파고 묻었다. 겨우내 땅속에 묻혀있던 밤은 봄이 되면 가시가 있는 겉껍질도 잘 벗겨지고, 밤도 거짓말처럼 잘 영글어 있었다. 어머니는 봄 소풍 때 마다 밤을 꺼내 쪄주셨다. 선생님에게 드릴 몫은 따로 쌌다. 선생님들은 '조선 밤이라 그런지 정말 맛있다'며 내 머리를 쓰다듬었다.

아내도 가을이면 도토리를 주우러 다닌다. 주거하고 있는 동네가 도심 외곽에 있다 보니 인근에 논과 밭이 있고 조그만 야산도 있다. 아이들이 학교에 가고 나면 아내는 도토리를 주우러 산에 오른다. 도토리를 얼마나 열심히 줍는지 아침에 나갔다가 점심시간이 한참 지나도 모를 정도라고 한다. 도토리를 줍다보면 배고픈 것도 잊어버린단다. 그렇게 한참 동안 산속을 헤매고 다니다가 땅에 떨어진 도토리가 더 이상 보이지 않게 돼서야 집으로 돌아온다. 그리곤 그 다음 날 또 도토리를 주우러나간다. 그렇게 가을 내내 도토리를 주우러 다니다 보니 몸에 탈이 나지 않을 리 없다.

어느 날, 몸이 너무 피곤하고 피부에 물집 같은 게 생긴다며 병원에 다녀오더니 대상포진이라는 진단을 받았다. 대상포진은 몸이 피곤하면 발병하는 거라며 의사가 쉬라고 말했다는데도, 처방 받아온 약을 먹고 하루 정도 누워 있다가 몸이 좀 괜찮다 싶은지, 다음 날 또 도토리를 주우러나갔다. 아내가 도토리 줍는 걸 좋아한다는 걸 알게 된 손위 동서도 틈만 나면 도토리를 주워다 준다. 주워온 도토리를 햇볕 좋은 옥상에 잘 말렸다가 껍질을 까고 알맹이만 추려 시어머니께 갖다 준다. 그러면 어머니는 당신이 주워온 도토리를 합쳐 도토리묵을 쑨다. 도시에서는 쉽게 볼 수 없는 어머니의 도토리묵은 없어서 못 먹을 정도로 인기가 많다.

옷을 사는 것도 닮았다. 여름옷을 산다며 밖에 나갔다 돌아온 아내의 손에 아이들과 내 옷만 몇 개 들려 있을 뿐 정작 아내가 입을 옷은 없다. 당신 것은 왜 없느냐고 물으니 별로 맘에 드는 게 없더란다. 그래도 하나 정도는 사오지 그랬냐고 하자 다른 옷도 많은데 뭐 하러 돈을 쓰냐며 밖에서 일하는 사람은 좋은 옷을 입어야 하지만 집에 있는 사람은 편한 옷이 제일이라고 한다.

어머니도 장에 가면 아버지가 입을 만한 옷을 이리저리 살펴보고 몇 개 구입하지만 정작 당신이 입을 옷은 사시질 않는다. 그게 안타까워 어머니가 입을만한 옷을 몇 벌 사다드렸는데 장롱에 고이 걸어만 두고 입고 다니시질 않는다. 아내와 어머니는 참 많이 닮았다.

양말

아침에 출근할 땐 몰랐는데 퇴근하고 집에 돌아와서 보니 양말에 구멍이 나있었다. 방바닥에 철퍼덕 주저앉아 양말을 벗다가 발뒤꿈치 부분에서 엄지손톱만한 구멍을 발견했다. 하루 종일 이 양말을 신고 돌아다녔는데도 구멍 난 사실을 전혀 모르고 있었으니 나도 참 무디구나하는 생각에 웃음이 나왔다. 언제 어디서 산 양말인지는 모른다. 결혼을 하고 나서 내 손으로 직접 양말을 구입할 일이 없으니 언제 샀는지 모르는 게 당연한지도 모른다. 샀던 기억은 없어도 오랜 세월동안 나와 함께 해왔던 양말이라는 것은 알 수 있었다. 아침에 양말을 꺼내는데 어색한 느낌이 들지 않은 것도 그렇고, 양말을 신는데 중간에 걸림이 없이 양말에 발이 쑥 들어가는 것만 봐도 그렇다.

구입한 지 채 1년이 지나지 않은 양말은 금방 알 수 있다. 이런 양말은 모양부터가 다르다. 오래된 양말은 목 부분이 헐거워져있거나 발바닥에 움푹 들어간 부분이 느슨해져있기 마련인데 구입한 지 얼마 되지 않은 양말은 이런 변형이 없다. 늘어나거나 느슨해진 부분이 없이 처음 만들었을 때의 모습을 그대로 간직하고 있다. 새 양말을 신을 때면 약간 설레기도 하고 나도 모르게 기분도 좋아진다. 발바닥부터 발목

까지 전체적으로 살짝 조이는 느낌과 함께 실려 오는 긴장감도 좋다. 새 양말을 신을 때면 왠지 모를 새로운 의욕 같은 것이 솟아오르기도 한다.

오래된 양말은 이런 느낌이 없다. 양말을 꺼낼 때도 그렇고 신을 때도 별반 느낌이 다르지 않다. 아침에 일어나면 저절로 눈이 떠지듯이 자연스럽게 양말을 꺼내고 습관처럼 양말을 신는다. 이럴 때의 양말은 일상이다. 일상의 한 부분이 된 양말은 하루 종일 구멍 난 양말을 신고 다녀도 모를 정도로 내 몸에 익숙하다. 양말의 모양새도 발 모양에 맞춰져 있고, 발목 부분도 헐거워져 신고 벗기 편하도록 되어 있다.

내가 신고 다니는 양말이 내 발 모양에 맞춰 달라진 것이 당연한 일인데도 구멍 난 양말을 보니 순간 안타까운 마음이 들었다. 오랜 세월 내 몸무게를 얇은 천 쪼가리 하나로 버티고 오르막길도 내리막길도 함께 걸었을 생각을 하니 미안하기도 했고 고마운 마음도 들었다.

구멍 난 양말을 깁기로 했다. 만원이면 열 켤레씩 살 수 있을 정도로 양말이 흔한 시대가 됐지만 그렇다고 구멍 난 양말을 버릴 수는 없었다. 오랜 세월 동안 나와 함께 해 온 양말을 길 바닥에 나뒹구는 쓰레기와 같은 급으로 취급할 수는 없었다.

반짇고리를 꺼냈다. 아내가 혼자 살려면 꼭 필요하다며 사주고 간 것이다. 바늘을 꺼내 실을 꿰고 한땀한땀 양말을 꿰맸다. 엄지손톱만한 구멍이라 시간이 오래 걸리지는 않았다. 양말을 다 꿰맨 다음, 실에 매듭을 짓고 끊어내니 언제 구멍이 났냐 싶게 금방 멀쩡해졌다. 구멍 난 부분이 사라지고 말끔해 보이니 앞으로 몇 년 동안은 더 신고 다녀도 되겠다 싶었다.

예전에 어머니도 양말을 꿰맸다. 설빔으로 얻어 신을 정도로 양말이 귀했던 시절의 이야기다. 고무신을 신고 하루 종일 산으로 들로 뛰어다니느라 아이들의 양말은 하루가 멀다 하고 구멍이 났다. 게다가 논일, 밭일에 허리 펼 시간조차 없었던 부모님의 양말은 말할 필요도 없다. 하루 일을 마치고 저녁상을 물리고 나면 어머니는 등잔불을 켜고 양말을 꿰매기 시작했다. 세숫대야만한 크기의 함지박엔 구멍 난 양말이 가득했다. 그 곁에는 헤진 부분에 덧댈 온전치 못한 양말이 놓여 있었다. 문틈 사이로 들어오는 바람에 불빛은 흔들리는데 어머니는 한참 동안 꼼짝도 않고 양말을 꿰맸다. 흐릿한 등잔불 밑에서 양말을 깁는 어머니의 따스한 모습은 내 어린 시절의 기억 한쪽에 등잔불만큼이나 또렷이 자리 잡고 있다. 그때 어머니는 양말을 기우며 무슨 생각을 하셨을까?

엄마의 꿈

어머니가 갓 시집을 왔을 때 시동생이 청주교대에 다니고 있었다. 그런데 할머니, 그러니까 어머니의 시어머니는 갓 시집온 새색시를 청주에 있는 시동생에게 보내 시동생 밥을 해주라고 하셨다. 새색시에게 신랑과 떨어져 시동생 밥을 해주라니 참 이런 시집살이가 어디 있나 싶으셨단다. 그래도 시어머니의 명을 어길 수 없어 어머니는 청주로 갔다. 시동생이 자취하고 있는 곳에 가서 주인댁에 방을 하나 얻고 시동생 수발을 들기 시작했다. 밥을 하고 설거지를 하고 청소를 하고 남는 시간에 틈틈이 주인집 빨래도 해주고 청소도 해주고 설거지도 해주고 그러셨단다.

그런 어머니를 눈여겨 본 주인집 양반이 청주의 연초제조창에 일자리가 있으니 거기서 일해보지 않겠느냐고 물었다. 일자리를 구하기가 하늘의 별따기보다 어려웠던 시절이었다. 어머니는 남편과 시어머니에게 연초제조창에서 일을 하겠다고 말했다. 그러나 시어머니는 새색시가 밖으로 돌면 안 된다며 바로 집으로 내려오라고 했다. 어머니는 아쉬움을 뒤로 하고 시골로 돌아올 수밖에 없었다. 팔순이 다된 어머니가 이 얘기를 들려주며 지금 같으면 시골로 돌아가지 않고 연초제조창에 들어가 일을 했을 거라며 회한에 젖는다. 그때 어머니가 시골로 돌아가지 않고 연초제조창에 근무를 했다면 어머니의 인생은 어떻게 달라졌을까? 촌부의 아낙으로 살아가는 시골생활보다 풍요로운 생활을 했을까?

직장에 다니고 싶었던 어머니의 꿈은 오십이 다 돼서 이루어졌다. 중부고속도로가 생기고 음성 인터체인지가 인근에 생기면서 주위에 공장들이 들어서기 시작했고 어머니도 종이상자를 생산하는 공장에 들어갔다. 새벽에 일어나 텃밭에 가서 일을 하고 공장에 출근해 하루 종일 서서 일하다가 여섯시에 퇴근해 다시 들로 나가 일하는 생활이 십년 넘게 이어졌다. 그래도 어머니는 지치지 않았다. 당신 손으로 일을 해서 월급을 받아온다는 사실이 어머니는 못내 기쁘기만 했다. 그 당시 어머니 월급은 15만원 정도였는데, 시골에서는 구경도 못하는 큰 돈이었다.

일 년 내내 뼈 빠지게 농사를 지어봐야 식구들 먹을 양식을 제하고 나면, 농협에서 얻어다 쓴 빚을 갚기에도 부족한 시골살림은 늘 궁핍하기만 했다. 이런 와중에 어머니가 벌어오는 돈은 가뭄에 단비 정도가 아니라 사막에 큰비가 내려 숲이 생기는 것과 다를 바 없었다. 어머니는 당신이 일을 해서 집안을 건사한다는 사실에 큰 자부심을 지녔다.

당시 시골 사람들은 누구나 농협에 빚을 지고 있었다. 경운기를 사기 위해 농협 빚을 얻어다 썼고, 봄 농사를 시작하면서 비료나 농약을 외상으로 얻어다 썼다. 경운기를 사면서 얻은 빚에 이자가 더해지고 여기에 비료 값이나 농약 값까지 더해지니 빚은 늘어만 갔다. 어머니는 직장생활을 하면서 농협 빚을 먼저 갚기 시작했다. 농협 빚을 다 갚고 나서야 어머니는 그토록 갖고 싶었던 냉장고를 샀다. 어머니의 월급으로 가끔 돼지고기도 사먹을 수 있었고, 당시 한창 유행이던 양념치킨도 시켜 먹었다. 어머니는 십 년이 넘게 회사 생활을 했다. 회사에서 십년 장기 근속수당으로 주는 황금열쇠도 받고 정년이 될 때까지 근무를 했다. 어머니는 당신이 조금 더 일찍 공장에 다닐 수 있었다면 형편이 더 좋았을 거라고 늘 아쉬워했다.

나이 때문에 종이상자를 만드는 공장을 그만두기는 했지만 어머니를 필요로 하는 일자리는 많았다. 인근 공장에 나가 직원들 밥을 해주었다. 규모가 크지 않은 공장에선 어머니처럼 시골 아주머니들을 채용해 직원들의 식사를 책임지게 했다. 일종의 사원식당인 셈이다. 새벽에 들에 나가 일을 하고, 회사에 출근했다가 퇴근하고 다시 들로 나가는 생활이 다시 반복됐다. 어머니는 그렇게 이십오 년을 사셨다. 이제 연로해서 더 이상 당신을 받아주는 곳도 없는데, 어머니는 아직도 돈을 벌 수 있는 일자리가 있으면 일을 하러 나가신다.

최근엔 면에서 운영하는 종묘장에 나가 일을 하신다. 그렇게 번 돈으로 손주들에게 용돈을 주고, 장에 나가 몸이 불편한 아버지의 주전부리를 산다. 일전에 고향에 갔을 때 어머니가 조용히 다가오더니 만 원짜리 몇 장을 꺼내며 손에 쥐어주셨다. 왜 그러냐고 묻자 먹고 싶은 거 사 먹으라신다. 나도 직장에 다니고 월급을 받고 있으니 안 줘도 된다고 하는데도 몇 번이고 손을 내민다. 집에 와서 아내에게 얘기를 했더니 '그래서 돈을 받았냐'고 묻는다. '설마 받았겠냐'고 하자 '잘 했다'며 큭큭 웃는다.

회사에서 발령을 받아 지방으로 내려가게 됐다고 말하자 어머니는 한 걱정을 하시면서 '혼자 살려면 돈이 필요할 텐데, 이거 가져가라'며 또 만 원짜리 몇 장을 내민다. 한사코 거부하고 돌아오면서 오십이 다 된 아들에게 아직도 용돈을 주는 어머니 마음에 울컥했다. 어머니는 가끔 이런 말을 한다. 예전에 애비가 학교 다닐 때 용돈 한번 제대로 줘본 적이 없어서 마음이 아팠다고. 타지에서 학교에 다니던 내가 고향에 다니러오면 돈 한 푼 쥐어 보내지 못한 게 못내 마음에 걸린다고. 그래서 어머니는 아직도 자식에게 용돈을 주시려 한다.

지방에 내려오고 나서 고향에 계신 부모님과 통화를 많이 한다. 혼자 살고 있는 자식 걱정에 부모님이 하루가 멀다 하고 전화를 하고, 그런 걱정을 알기에 나도 틈날 때마다 전화를 한다. 지방에 내려오고 나니 이렇게 좋은 점도 있다.

미역국

아내가 끓여준 부대찌개에 파김치를 반찬삼아 밥을 먹고 거실에 누워 TV를 본다. 오랜 시간 버스를 타고 와서 그런지 저절로 눈이 감긴다. 옆에 누워있던 아내와 아들은 '그만 자야겠다' 며 방으로 들어간다. 딸은 아직도 식탁에서 핸드폰을 만지작거리고 있다.

그만 들어가서 자라고 한마디 하려다가 꾹 참는다. 얼마 전에 똑같은 잔소리를 했다가 '졸리지 않은데 자꾸 들어가서 자라고 그런다' 며 투덜대는 모습을 봤기 때문이다. 혀에서 맴도는 잔소리를 꾹 밀어 넣고 '들어갈 때 불 끄고 들어가라' 는 말을 대신 꺼낸다. 조금 있으면 들어가서 자겠거니 했는데 도통 그럴 기미를 보이지 않는다. 더 참기로 했다. 그러다가 설핏 잠이 들었다.

잠결에 부스럭거리는 소리가 들린다. 딸이 주방에서 무엇을 하고 있는 모양이다. '아빠가 자는데 시끄럽게 하느냐' 며 잔소리를 하려다가 다시 참는다. 이번엔 달그락거리는 소리가 들린다. 뒤이어 수돗물 소리가 들리고 또 다시 부스럭거리는 소리가 들린다. 참지 못하고 잔소리를 꺼내려는 순간 딸이 불을 끄고 방으로 들어간다.

단잠을 잤다. 부산에서 혼자 있을 땐 자다가 중간에 두세 번 정도는 깨곤 했는데, 피곤해서 그런지, 집이 주는 안락함 때문인지 한 번도 깨지 않고 새벽까지 푹 잠을 잘 수 있었다. 꿈을 꾼 것 같기도 하고 아닌 것 같기도 했다.

새벽에 일어나 물을 마시기 위해 불을 켜고 주방으로 향했다. 컵을 집어 드는데 커다란 양재기에 미역을 불리고 있는 모습이 눈에 보인다. 그제야 딸이 어젯밤에 주방에서 무엇을 하고 있었는지 깨달았다. 전화를 해서 내일이 엄마 생일이라며 케이크 꼭 사갖고 오라며 당부하던 딸의 목소리가 생각났다. 본인은 아침에 일찍 일어나 요리를 하겠노라고 했다.

부대찌개에 밥을 먹고 있는데, 딸이 종이에 무엇인가 쓰더니 슬쩍 내민다. '미역국 끓이려 했는데 엄마가 부대찌개를 끓였다' 며 휘갈겨 쓴 글씨가 보인다. 딸의 표정이 멋쩍게 보였다.

식구들이 모두 잠자리에 든 시간, 딸은 식탁에서 핸드폰을 만지작거리며 내일 아침에 미역국을 끓여야할지를 놓고 한참을 고민했을 것이다. '부대찌개도 있는데 또 미역국을 또 끓였느냐' 는 엄마의 잔소리도 생각났을 것이다. 그렇게 한참을 고민 하다가 미역을 물에 불려놓았겠지.

식구들 생일이면 어머니도 미역국을 끓였다. 어머니의 생일 미역국에는 반드시 닭고기가 들어갔다. 어머니가 끓여주는 미역국도 맛있었지만, 그것보다 더 신기했던 건 여덟 명이나 되는 식구들 생일을 일일이 기억하고 있다는 것이다. 그렇다고 달력에 무슨 표시를 별도로 해놓거나 하지도 않았다. 양력도 아닌 음력생일을 정확하게 기억하니 지금 생각해도 놀랍기만 하다. 하긴 어머니는 지금도 손주들 생일까지 정확하게 기억하고 있다가, 생일 때마다 전화를 넣어 '미역국은 먹었느냐' 고 물어보신다.

이렇게 식구들 생일을 챙기고 미역국을 끓였지만 어머니 당신의 생일은 정작 그냥 지나치는 경우가 많았다. 어머니는 일일이 가족의 생일을 챙겼지만, 정작 어머니의 생일을 기억하고 챙기는 가족은 아무도 없었다. 어머니가 당신 생일에 손수 미역국을 끓였는지는 기억나지 않는다. 미역국을 끓였더라도 닭고기는 넣지 않았던 모양이다. 어머니의 생일에 닭고기 미역국을 먹은 기억은 없다. 다만 몇 번인가 할머니가 새벽에 일어나 '오늘 네 엄마 생일' 이라며 미역국을 끓였던 기억만 남아있다.

이발소

3주에 한 번 정도 미장원에 간다. 남자가 미장원에 너무 자주 가는 것 아니냐고 말하는 사람도 있지만 머리숱이 많아 이발한 지 3주만 지나면 머리가 덥수룩해 빗으로 아무리 빗어 넘겨도 며칠 동안 머리를 감지 않은 것처럼 지저분해 보여 어쩔 수 없다. 파마나 염색을 하게 되면 더 자주 미장원에 갈 수 밖에 없다.

평일엔 회사에 출근하고 주말을 이용해 미장원에 갈 수 밖에 없는데, 오전에 미장원에 갔다가 아직 문을 열지 않아 다시 돌아오기 일쑤다. 아내는 미장원에 가기 전에 미리 전화를 하거나 예약을 하고 가라고 애기하는데, 전화번호를 모르니 매번 허탕치고 그냥 돌아온다. 미장원 전화번호를 적어놓으라고 애기하는데 이게 잘 되지 않는다. 미장원이 멀리 있는 것도 아니고, 문이 닫혀있으면 오후에 또 오면 되지 않겠는가하는 생각 때문이다.

반면, 아내는 미장원에 갈 때마다 항상 예약을 한다. 전화를 걸어 미리 예약을 하고 정해진 시간에 미장원에 간다. 아내는 미장원에 가면서 아이들더러 함께 가자고 하지만 아이들은 선뜻 따라나서지 않는다. 아내가 '앞머리가 눈을 찌르지 않냐' 며 지저분해 보인다고 하면 아이들은 나를 보며 묻는다.

"아빠, 나 이발해야 할 것 같애?"

그러면 나는 이렇게 대답한다.

"아니, 아직 괜찮은데. 아빠 학교 다닐 때는 명절이나 돼야 이발소에 갔는데 뭐."

이 말에 아내는 입을 삐쭉하며 혼자 집을 나선다.

초등학교 다닐 때 이발소는 학교 앞에 있었다. 문방구와 이발소가 함께 있었는데, 학생들은 이발소보다는 문방구를 더 좋아했다. 문방구에는 1원에 한 개씩 주는 커다란 '눈깔사탕'과 '쫀드기'와 같은 초등학생들이 좋아하는 사탕이며 과자가 잔뜩 있었다. 남자아이들이 좋아하는 딱지와 구슬, 여자아이들이 좋아하는 종이인형도 있었는데 가난한 시골살림에 문방구에서 물건을 구입하는 학생들은 많지 않았다.

학교 앞 문방구가 유일하게 장사가 잘될 때는 운동회가 열리는 날과 소풍을 가는 날이었다. 운동회가 열리는 날이면 문방구 주인은 리어카에 물건을 실어 학교 운동장 안에 좌판을 펼쳤고, 소풍 가는 날엔 리어카를 끌고 학생들과 함께 소풍 길에 나섰다. 당시 운동회는 학생들뿐만 아니라 어른들도 농사일을 잠시 쉬고 함께 즐기는 축제였다. 학부모뿐만 아니라 인근 동리의 어른들까지 모두 모여드는 운동회는 장날보다 더 많은 사람들이 모여들었다. 교문 양옆에는 청군과 백군

진영이 위치해 있고, 그 옆으로 학부모들이 자리를 펴고 앉아있었다. 운동회 종목도 학생뿐만 아니라 어른들도 함께 참여할 수 있는 종목이 많았다.

점심시간이 되면 운동장은 야단법석이 된다. 집에서 준비해 온 맛있는 음식들이 차려지고 학생들은 그 사이를 뛰어다니며 김밥과 사이다를 마셨다. 운동회 때나 볼 수 있는 이웃 동네에 살고 있는 친척들을 찾아가 인사도 하고 친구들과 달음박질을 한다. 웃고, 떠들고, 뛰어다니는 아이들 때문에 운동장은 난장판이 되지만 그중에서도 제일 바쁘고 정신없는 곳은 문방구 주인이 펼쳐놓은 좌판이었다. 그곳에는 문방구 주인이 야심차게 준비한, 평소에는 볼 수 없었던 각종 장난감과 예쁜 인형들이 놓여있었다. 학생들 손에 이끌려온 엄마들은 치마 안쪽에 꼬깃꼬깃 감춰두었던 돈을 꺼냈고, 장난감을 손에 쥔 아이들은 운동장으로 달려 나가 맘껏 폼을 잡으며 뛰어놀았다.

이발소는 문방구를 지나 마당 안쪽에 자리 잡고 있었다. 인근 십여 리에 한 곳 밖에 없는 이발소였지만 손님이 있을 때보다 없을 때가 더 많았다. 모처럼 서울 나들이를 가는 어른들이 가끔 찾아와 이발을 할 뿐이었다. 이발소는 명절을 앞두고 바빠지기 시작한다. 어른들은 물론 아이들도 명절을 보내기 위해 이발을 하기 때문이다. 문방구 주인에서 이발사로 변신한 아저씨는 문방구 문은 아예 닫고 이발 손님을 맞는다. 아침 일찍부터 해가 질 때까지 손님들이 모여 모처럼 이발소도 북적댔다.

초등학교 아이들은 의자 팔걸이에 나무판을 얹어 앉혀놓고 이발을 했다. 머리를 감지 않아 뭉쳐진 머리카락들이 사각사각 가위소리에 잘려나가면 꾀죄죄했던 아이들의 머리가 마술처럼 깔끔해졌다. 이발을 마치고 나면 타일을 붙여 만든 세면대에 엎드리게 하여 머리를 감겨주었는데, 이발사 아저씨의 손길이 그렇게 시원할 수가 없었다. 이발을 마치고 나면 아저씨는 분 같은 약을 머리에 발라주곤 했다. 그렇게 이발을 하지만 돈을 낸 적은 한 번도 없다. 이발요금은 가을걷이가 끝나고 난 뒤 쌀이나 곡식으로 한 번에 지불했기 때문이다.

머리를 빡빡 밀어야 했던 중학교 시절에는 1년에 몇 차례씩 이발소를 다녀왔다. 특히 여름방학이나 겨울방학이 끝나고 나면 반드시 이발을 했다. 어느 해인가 친구들끼리 뛰어노느라 정신이 없어 이발을 하지 못했던 적이 있다. 개학 전날 저녁이 돼서야 이발을 하지 않은 걸 깨닫고 등교하면 혼날 걱정에 얼굴은 먹구름처럼 어두워졌다. 똑같은 걱정을 지닌 친구들과 함께 모여 대책을 논의했다. 마침, 친구 한 명이 자기네 집에 바리캉이 있다고 해서 친구들끼리 서로 머리를 깎아주기로 했다. 모든 걱정거리가 술술 풀리나 싶었지만 언제 머리를 밀어봤는지 도무지 알 수 없는 바리캉은 머리카락을 자르지 못하고 쥐

어뜯기만 했다. 바리캉이 머리를 파먹을 때마다 눈물이 쏙 나올 정도
로 아팠지만 그 와중에도 친구들이 서로 머리를 깎아준다는 게 더 공
연히 재미있었다. 머리카락이 뽑히는 아픔에 눈물을 빼고, 서툴게 머
리를 깎는 친구 모습에 깔깔거리며 그해 방학이 저물었다.

군대에서 이발을 했던 애기도 빼놓을 수 없다. 논산 훈련소에 입소하
기 전 머리를 빡빡 밀었던 기억도 생생하지만 그보다는 훈련소에서
머리를 깎았던 기억이 더 생생하다. 훈련소에서 입소하기 전 기억은
어색함으로 남아있지만 훈련소 안에서의 기억은 슬픔으로 남아있다.
훈련소에 입소해 한 달 정도 시간이 흐른 일요일 오후였다. 훈련병을
연병장에 집합시키고 조교는 바리캉 몇 개와 가위 몇 개를 던져주고 1
시간 안에 모두 머리를 깎으라고 매정하게 명령했다.

100명이 넘는 훈련병들이 1시간 안에 모두 머리를 깎는 것은 불가능
했다. 하지만 명령은 따를 수밖에 없다. 훈련병 몇 명이서 바리캉을
들고 다른 훈련병들의 머리를 깎기 시작했다. 기다리는 사람이 많고
시간은 짧으니 제대로 된 이발을 할 수 없었다. 머리를 깎는 건지 뽑
는 건지 모를 정도였다. 깎인 머리카락보다 뽑힌 머리카락이 많았지
만 눈물은 나오지 않았다. 시간이 점점 흐르자 불안해진 나머지 가위
를 집어 들었다. 그리곤 서툰 가위질로 다른 훈련병들의 머리카락을
잘랐다. 생전 처음 잡아보는 이발가위는 순식간에 흉기로 변했다. 머

리카락을 자르다가 그만 두피를 잘라버린 것이다. 머리에선 피가 흘렀지만 머리를 맡긴 훈련병은 괜찮다며 마저 머리를 깎아달라고 부탁했다.

머리카락의 길이는 일종의 통제수단이다. 군대에서 머리를 빡빡 미는 것도, 그 옛날 학창시절 빡빡 머리를 하고 다녔던 것도 통제를 수월하게 하고 명령에 순응하도록 만들기 위한 것이었다. 요즘 학생들은 옛날처럼 머리를 빡빡 밀지는 않지만 교칙에 정해진 길이 이상으로 머리를 기르지는 못한다. 아직도 학생들을 통제의 대상으로 생각하는 것 같아 씁쓸하다.

이웃사촌

한가한 일요일 오후, 집에서 휴식을 취하고 있는데 초인종이 울렸다. 뒷집에 사는 아주머니다. 문을 열자 아주머니가 스테인리스 그릇에 곱게 담긴 비빔국수를 내민다. 딸이 찾아와 모처럼 비빔국수를 했다며 맛이나 보라고 가져왔다고 했다. 하얀 국수면발에선 자르르 윤기가 흘렀다. 면발 위에 살포시 올라가있는 오이채와 정성스럽게 뿌려진 들깨 모습에 침이 절로 넘어갔다. 국수가 퍼질까봐 식구들 먹으라고 한 그릇씩 담아주고는 당신은 맛도 못보고 우리 집으로 가져왔다고 했다.

언젠가 연세가 지긋하신 뒷집 아저씨가 자투리땅에 일군 밭에 배추를 심고 있기에 일손을 거든 적이 있었다. 배추를 심고 나서 길가에 걸터앉아 막걸리를 마시고 있는데 아주머니가 비빔국수를 말았다며 들어와서 한 그릇 먹고 가라며 손짓을 했다. 금방 밥을 먹고 나왔다고 사양을 했지만 아주머니는 당신이 제일 잘하는 요리가 비빔국수라며 그러지 말고 들어와서 후딱 먹고 가라고 했다. 쭈뼛쭈뼛 집안으로 들어가 국수를 한 그릇 얻어먹는데 맛이 정말 기가 막혔다. 비빔국수를 제일 잘한다는 아주머니의 말이 허언이 아니었다. 이번에 다시 비빔국수를 만들며 아주머니는 그때 맛있게 국수를 먹어주던 내 모습을 떠올렸나보다.

뒷집 아주머니가 음식을 나눠준 건 처음이 아니다. 김치전을 부쳤다며 가져다주기도 하고, 딸이 사왔다며 과일을 나눠주기도 했다. 그러면 아내는 아주머니가 음식을 담아온 그릇에 꼭 무언가를 담아 되돌려주었다. 아파트 숲속 사이로 오순도순 모여 있는 단독주택에 사는 사람들은 대부분 친하게 지내는 편이다. 마을에 새로 이사를 오면 떡을 해서 돌리고 맛있는 음식을 하면 이웃과 함께 나누어먹는다. 농사를 짓는 사람들도 있어 오이나 파 등 채소를 나누어주기도 한다. 일산으로 이사를 오고 이웃들과 친하게 지내면서 내가 태어난 고향과 참많이 닮았구나하는 생각을 한다. 이웃들과 함께 부대끼며 정을 나누는 모습이 시골의 두터운 정과 꼭 닮았다

고향마을 사람들은 무슨 일이든지 함께 한다. 농사일도 함께 하고 음식도 함께 나눈다. 텃밭에 풍성하게 심은 각종 채소는 이웃집 사람이면 누구나 함께 나누어먹는다. 단, 텃밭 주인에게 채소 좀 얻어가겠노라고 먼저 말을 한다. 동네 가까운 곳에 밭이 없는 사람들에게 모종을 기를 땅을 빌려 주기도 했다. 모종은 비닐하우스에서 길러내는데 저녁엔 보온덮개를 씌워주고 아침엔 벗겨내야 했다. 모종을 기르는 동안 수시로 물도 주고 풀도 뽑아야하기 때문에 비닐하우스는 되도록

살고 있는 집과 가까운 곳에 있어야 했다. 텃밭을 갖고 있는 사람들은 그렇지 않은 사람들에게 모종을 기르는 동안 무료로 밭을 빌려주곤 했다. 모종을 기르는 비닐하우스가 한 곳에 모여 있으면 일하기도 편했다. 보온덮개를 덮으러 왔다가 이웃집 비닐하우스의 보온덮개를 대신 덮어주기도 하고, 급한 일이 있어 외지로 나갈 때도 비닐하우스를 살펴달라고 부탁을 할 수 있었다. 풀을 뽑거나 모종을 이식할 때도 여럿이 모여 일을 했다.

모내기를 하거나 밭에 작물을 심을 때도 두레를 만들어 함께 일을 했다. 기계화되지 않고 일일이 사람 손으로 농사를 지어야 했던 시절, 모내기나 고추, 담배를 심는 일은 여럿이 힘을 모으지 않으면 안 될 정도로 많은 일손을 필요로 했다. 농사일의 종류에 따라 분업화된 두레는 같은 노동량으로 더 많은 성과를 낼 수 있는 훌륭한 제도다. 어떤 일을 하느냐에 따라 노동의 강도가 다르기 때문에 두레를 할 때는 쉬운 일과 어려운 일을 번갈아 맡는 식으로 불평등을 최소화했다. 또 비교적 힘이 덜 드는 일은 나이든 어른들이 맡았고, 힘을 필요로 하는 일은 젊은 청년들이 맡았기 때문에 나이에 상관없이 누구나 두레에 참가할 수 있었다. 두레를 만들어 함께 농사를 짓고 풍년가도 부르고 농주를 마시다 보면 힘든 농사철도 어느덧 끝나기 마련이었다.

시골에서는 누구네 집 제사가 언제 돌아오는지 정도는 대부분 알고 있다. 정확한 날짜는 모르더라도 몇 월쯤에 제사가 있고 그게 초순인지 중순인지 말인지는 알고 있다. 이웃에 친척이 산다면 제삿날까지 정확하게 기억한다. 제삿날에는 많은 음식을 준비하기 마련이라 가까운 이웃이나 같은 동네에 살고 있는 친척들이 와서 음식준비를 돕는다. 제사는 보통 밤 12시가 다 돼서야 지냈다. 나는 그때까지 잠을 참지 못하고 사랑방에 쓰러져 잠들기 일쑤였는데 제사를 지낼 때가 돼서야 어른들이 깨웠다. 하루 종일 뛰어노느라 깊이 잠들었는데도 '제사 지내게 어서 일어나라'는 어른들의 말 한마디에 벌떡 일어날 수 있었던 건 평소에는 먹어보지 못하는 제사음식 때문이었다.

산골마을의 제사상에는 소고기와 돼지고기, 닭고기가 올라가고, 각종 전과 부침개, 떡, 과일, 나물도 함께 올라갔다. 모두 평소에는 맛볼 수 없는 귀한 음식들이었다. 제사보다는 젯밥에 더 관심이 많았다. 제사가 모두 끝나면 마지막 절차가 남아있었다. 제사음식을 도와줬던 이웃집이나 같은 동네에 살고 있는 친척들에게 음식을 나누어주는 일이다. 어머니는 고기, 전, 과일, 떡 등을 접시에 가지런히 담아 이웃집에 주고오라며 심부름을 시켰다. 불빛 하나 없는 깜깜한 밤길이지만 제사음식을 먹을 수 있다는 생각으로 가득 찬 머릿속에 무서운 생각이 들어올 틈은 없었다.

우리가 제사음식을 나누듯 이웃들도 제사 음식을 나누어주었다. 어머니가 이웃집에 제사음식을 도와주러 가는 날이면 일찍 저녁을 먹고 이웃집 제사가 끝나기만을 기다렸다. 그러나 초저녁잠이 많았던 나는 언제나 이웃집 제사가 끝날 때까지 기다리지 못하고 잠이 들었다. 다음 날 눈을 뜨자마자 제사음식을 찾는 나에게 어머니는 손도 대지 않은 음식을 접시 째 고스란히 내밀곤 했다. 먹을 게 부족했던 시절, 제삿날은 명절과 함께 유일하게 고기를 맛볼 수 있는 날이었다.

아내는 비빔국수를 담아온 아주머니 네 그릇을 비우고 깨끗하게 씻은 다음, 시골에서 가져온 채소를 담아 돌려주었다. 며칠 뒤엔 동네식당에서 두부를 삶아 이웃들과 막걸리를 마셨다. 이렇게 동네 사람들과 어울려 지내는 모습을 다른 사람들에게 들려주자 '동네가 꼭 시골 같다'며 다들 부러워한다. 일에 지치고 경쟁에 쫓기고 옆집에 누가 사는지도 모르는 각박한 세상에 지쳐갈수록 사람들은 고향의 푸근함, 이웃의 정을 그리워한다. 누군가 마음을 열고 다가오기를 바라서는 안 된다. 내가 먼저 다가가야 한다.

고구마

지난 봄, 일산시장에서 고구마 500포기를 구입해 텃밭에 심었다. 고추와 상추도 나란히 심었다. 고추는 심어놓은 지 이삼 일이 지나면 땅내를 맡아 꼿꼿해지고 상추도 오밀조밀 모여 있는 모습이 제법 푸르러 보인다.

하지만 고구마는 그렇지 않다. 심는 간격이 넓어 상추처럼 푸르러 보이지도 않고 줄기에 힘이 없어 고추처럼 꼿꼿하지도 않다. 그 모습이 땡볕에 뽑아놓은 풀처럼 영 볼품이 없다.

그래도 여름이 되자 줄기가 무성해졌다. 연한 순을 골라 여름내 꽤 여러 번 고구마 순 나물을 무쳐 먹었다.

햇살 좋은 가을날 고구마를 수확했다. 평소 일요일 같으면 10시가 넘도록 방바닥에서 뒹굴 댔을 아들도 일손을 돕겠다며 아침밥을 먹고 따라나섰다.

낫으로 툭툭 쳐서 줄기를 걷어내고 있는데, 처형이 '줄기가 무성하면 고구마가 잘 안지 않았을 텐데' 라며 의기소침해 한다. 영양분이 줄기로 다 가서 정작 고구마는 시원찮을 거라는 게 처형의 논리다. 언뜻 맞는 말 같기도 해서 뭐라 토를 달지 못한다.

처형의 우려와 달리 고구마는 씨알도 굵고 잘 안았다. 고구마가 땅속 깊이 파고 들어가 두 손으로 힘을 주어 호미질을 해야 고구마가 겨우 보일 정도다.

종이상자로 여섯 개 정도 고구마를 수확했다. 적지 않은 양이다.

옛날 시골에서도 고구마를 많이 심었다. 몇 백 평 크기의 밭에 고구마를 심곤 했다. 기억나는 건 해마다 고구마를 심는 밭이 달랐다는 것이다. 어렸을 적 그 고구마 밭이 다 우리 밭인 줄 알았다. 나이가 들어서야 고구마를 심은 밭이 도지를 주고 얻은 것이라는 걸 알았다. 고구마를 캐는 날이면 학교가 끝나자마자 밭으로 달려 나갔다. 경운기도 없던 시절, 아버지는 일일이 고구마를 지게로 져서 날랐다.

안방 윗목에 수수를 엮어 만든 통가리를 만들어 거기서 고구마가 겨울을 났다. 고구마가 추위에 약하기 때문이기도 했지만, 겨우내 쉽게 꺼내먹을 수 있게 하기 위해서였다.

어머니는 간혹 고구마를 숭숭 썰어 넣은 고구마 밥을 했다. 고구마 밥은 달착지근한 맛이 났다. 고구마를 쪄서 햇볕에 말려놓으면 한겨울 심심한 입을 달래주기에 충분했다. 무쇠 솥에 쪄낸 고구마에 김치를 얹어 시원한 동치미국물과 함께 먹던 맛은 지금도 잊을 수 없다.

화롯불에 고구마를 구워먹기도 했다. 화롯불이 꺼진다는 부모님의 성화를 들어가며 구워먹던 고구마는 더 달콤했다. 고구마가 다 익었는지 보기 위해 젓가락으로 쿡쿡 찔러 보다가 젓가락 꺼내는 걸 잊어버리곤, 뒤늦게 젓가락을 빼내다가 손가락을 데기도 했다.

이런 날이면 또래 아이들과 화롯불에 둘러앉아 끝없는 이야기를 나눴다. 토끼사냥을 어떻게 할 것인지 궁리하기도 했고, 앞으로 펼쳐질 미래에 대해서 애기하기도 했다. 한 번도 가보지 못한 서울을 동경하기도 했다.

꼬챙이 꽂을 땅 한 평 없던 윤씨도 서울에 가서 돈을 벌어 보겠다며 떠났다. 윤씨가 서울에 와서 처음 한 일은 멸치 좌판행상이었다. 사람도 지리도 낯설었던 서울생활. 하루 종일 돌아다녀도 물건 하나 팔지 못했던 윤씨는 점심때가 되면 집에서 싸온 고구마를 물도 없이 가슴을 치며 꾸역꾸역 집어삼켰다.

중학교를 졸업하고 공장에 취직한 옆집 순이는 점심 값을 아낀다며 동료들이 밥 먹으러 갈 때 혼자 수돗가에 앉아 눈물을 흘리며 고구마를 삼켰다. 그렇게 번 돈으로 순이는 명절날이 되면 종합 선물세트를 사들고 고향을 찾았으며, 남동생을 대학까지 졸업시켰다.

박봉에 시달리던 어느 아버지는 며칠을 망설인 끝에 동네 어귀에서 군고구마 한 봉지를 가슴에 품고 집으로 향했을 거고, 주린 배를 움켜

쥐고 몇날 며칠을 기웃거리며 입맛을 다시는 어느 꼬마에게 군고구마 장수는 따뜻한 군고구마 한 봉지를 건넸을 게다.

아이들에게 꾸덕꾸덕하게 쪄서 말린 고구마 맛을 보여주고 싶다.

담배농사와 옥수수

고향마을 사람들은 고추농사와 담배농사를 주로 지었다. 논에는 벼를 심고, 밭에는 고추와 담배를 심었다. 참깨나 들깨, 콩 등 다른 밭작물도 심었지만 고추와 담배에 비하면 그 양은 미미했다. 담배나 고추는 다른 밭작물에 비해 일손이 많이 가고 농사짓기도 힘들지만 그만큼 더 많은 수익을 올릴 수 있었다. 특히 담배농사는 전매청(현재는 한국담배인삼공사로 불리지만 당시에는 전매청으로 불렸다)에서 일괄수매를 해가기 때문에 가격이 떨어질까 걱정할 일도 없고 판매가 안 될까 걱정할 필요도 없다.

그렇다고 담배농사를 아무나 지을 수 있었던 것은 아니다. 담배농사는 전매청과 계약을 맺어야 재배가 가능했다. 전매청과 그해 심을 담배의 양에 대해 미리 계약을 하고 허용된 범위만큼만 담배를 심어야 했다. 계약재배를 하기 때문에 수확이 끝나면 전매청에서 담배를 모두 수매해간다. 마을 사람들이 담배농사를 선호했던 또 다른 이유는 봄에 농사에 필요한 돈을 미리 빌려주었기 때문이다. 전매청에서는 농사에 필요한 돈을 봄에 미리 빌려주고 담배를 수매할 때 빌려간 돈을 제하고 남은 돈을 농부들에게 지급한다.

담배농사는 계약한 만큼만 농사를 지을 수 있기 때문에 담배를 밭에 심고 나서 몇 포기를 심었는지 전매청에 보고해야 한다. 담배는 주로 4월 중순에서 4월 말까지 심었으며, 5월 초에 담배가 심어진 분량을 일일이 세어 전매청에 알려 준다. 담배가 얼마나 심어졌는지 포기를 세는 일은 어린아이들에게 주어진 임무였다. 아이들은 일요일이면 밭으로 나가 밭고랑을 돌아다니며 일일이 담배포기수를 세어야했다. 한번은 어린이날에 담배포기수를 세어야했는데, 어린이들이 가장 기쁘고 즐거워야할 어린이날에 밭에 나가서 일을 한다는 게 말이 되느냐며 심술을 부린 기억이 난다.

고추는 담배를 심고 난 이후인 5월 초부터 밭에 심기 시작한다. 부모님은 어버이날에도 밭에 나가 고추를 심었는데, 난 어버이날에도 부모님이 일을 해야 한다는 걸 이해하지 못했다. 어린이날 아이들이 놀듯이 어버이날에는 부모님도 집에서 쉬어야 한다고 생각했다. 하지만 어버이날이라고 집에서 쉬는 부모는 없었다. 어버이날이면 늘 밭에서 일하고 있는 부모님을 찾아가 종이로 만든 카네이션을 달아주곤 했다.

담배를 수확하기 시작하면 시골은 정신없이 바빠진다. 담배 잎은 보통 일주일에 한번 정도 수확하는데 많은 양을 한꺼번에 수확하기 때문에 혼자서는 일을 해 낼 수 없다. 때문에 시골에서는 다섯 가구나 혹은 여섯 가구가 힘을 모아 담배농사를 지었다. 대여섯 가구가 일주일에 한 번씩 담배를 수확하기 때문에 어른들은 거의 매일 담배를 따러 다녀야했다. 새벽 다섯 시에 밭에 나가 담배를 따서 오전 11시쯤 담배 잎을 경운기에 실어 집으로 돌아온다.

이때부터는 남자들뿐만 아니라 아녀자들도 모두 달라붙어야 한다. 새끼줄에 담배 잎을 하나씩 꿰고 이렇게 엮은 담배 잎을 건조실에 매달아 말렸다. 건조실은 흙벽돌로 지었는데, 시골에서는 가장 높은 건물이었다. 남자 어른들은 사다리를 타고 건조실 꼭대기에 올라가 차례대로 새끼로 엮은 담배 잎을 매달았다. 담배 잎을 매달고 나면 아궁이에 불을 지펴 말리기 시작한다. 담배는 높은 온도에서 말려야하기 때문에 물에 갠 가루석탄을 연료로 사용했다. 아궁이에서 뻘건 불길을 내 뿜으며 타오르는 가루석탄의 온도는 숯가마의 아궁이보다 높으면 높았지 그보다 낮지는 않았다.

담배를 말리는 도중에 온도가 떨어지거나 불이 꺼지면 담배 잎이 모두 썩어버리기 때문에 불을 꺼트리지 않고 일정한 온도를 유지하는 게 중요하다. 아버지는 담배 잎을 말리는 동안 건조실 아궁이 옆에 모기장을 치고 생활했으며 밤에도 수시로 일어나 아궁이를 지폈다. 지금 생각해보면 그 일이 보통 고되고 힘든 일이 아니었을 텐데도 아버지는 힘든 내색 한번 없었다. 그때는 몰랐는데 내가 그때의 아버지 나이가 된 지금, 이제야 아버지가 얼마나 힘들었을지 이해가 된다. 그

힘든 나날을 몸 하나로 묵묵히 견뎌오며 가족들을 위해 희생했을 아버지를 생각하면 눈물이 고인다.

담배가 다 말라갈 때쯤이면 아궁이의 불도 서서히 약해졌고 아버지는 더 이상 물에 갠 가루석탄을 넣지 않았다. 그럴 때면 아궁이에 감자를 구워먹었다. 아직 뜨거운 불길이 살아있는 아궁이에 감자를 집어넣으면 금방 구운 감자가 돼서 나왔다. 아버지가 구운 감자를 꺼내주면 뜨거운 감사를 손으로 후후 불며 먹거나 커다란 양재기에 구운 감자를 으깬 다음 설탕을 뿌려먹기도 했다. 으깬 감자에 설탕을 뿌려먹는 맛은 정말 일품이었다. 요즘 고속도로 휴게소에서 파는 구운 감자와는 절대 비교조차 할 수 없는 맛이다.

고추는 담배를 수확하지 않는 날, 온 가족이 힘을 합해 땄다. 새벽부터 밭에 나가 고추를 따다가 아침밥도 밭에서 먹었다. 저녁나절까지 온종일 밭고랑에서 허리를 구부리고 고추를 따야했다. 바삐 일을 하느라 허리 한번 제대로 펼 시간이 없었다. 한번은 고추를 따는데 비가 억수같이 오기 시작했다. 어린 마음에 이렇게 비가 많이 오니 이제 고추 따는 걸 그만두고 이제 곧 집으로 가겠거니 생각을 했다. 하지만 비가 오기 시작한지 한참이 지났는데도 부모님은 집으로 들어가자는 말을 하지 않았다. 내가 볼멘소리로 이렇게 비가 많이 오는데 어떻게 고추를 따냐며 신경질을 내자 그제야 '너는 그만 집으로 돌아가라' 고 한마디 했다. 그리고 부모님은 다시 고추를 따기 시작했다. 하지만 퍼붓는 빗속에 고추를 따는 부모님을 두고 혼자 집으로 돌아갈 수는 없었다. 화가 났지만 꾹 참고 고추를 딸 수밖에 없었다. 나중에야 그날 고추를 수확하지 않으면 다른 농사일에 밀려 고추를 딸 시간이 따로 없다는 걸 알게 되었다. 비를 맞으면 빨갛게 익은 고추가 금방 곯아 못쓰게 된다는 것도 후에야 알았다. 그날 고추를 다 따고 나서야 집으로 돌아올 수 있었다.

고추는 토광에 말렸다. 토광에 연탄불을 피우고 수수로 만든 발에 고추를 얇게 펴서 널었다. 아버지가 담배 아궁이를 담당했다면 어머니는 토광의 연탄불을 담당했다. 어머니는 일을 하다가도 수시로 토광에 드나들며 연탄불을 갈았고, 토광문이 열릴 때마다 연탄가스 냄새가 흘러 나왔다. 고추가 다 말라가고 연탄불이 시들해질 때쯤이면 옥수수를 구워먹었다. 밭에서 갓 따온 옥수수를 속껍질만 남기고 연탄불에 구웠다. 한쪽만 너무 타지 않도록 수시로 토광에 들어가 옥수수를 돌려주어야 했지만, 맛있게 구워진 옥수수를 먹는 것에 비하면 그 정도는 충분히 감당할 수 있었다. 그렇게 연탄불에 구워진 옥수수는 진한 단맛이 났다. 그때 먹었던 옥수수 맛도 요즘 고속도로 휴게소에서 파는 옥수수와는 비교조차 불가능한 맛이었다.

대학에 입학하고 나서는 여름방학이면 시골에 내려와 농사일을 도왔다. 시골에서 힘들게 농사를 짓는 부모님을 모른 체하고 나 혼자 도시에서 머물 수는 없었다. 그때도 부모님은 담배농사와 고추농사를 지었고, 나는 어른들과 똑같이 새벽 다섯 시에 일어나 담배를 따러 밭으로 향했다. 밭에서 일을 하다보면 아주머니들이 아침밥을 내왔고 밭둑에 둘러앉아 다 같이 아침을 먹었다. 농사일을 하면서 빠질 수 없는 막걸리와 소주도 함께 내왔는데, 나도 어른들 틈에서 막걸리 잔을 가득 채워 들이켰다. 그때 마시던 막걸리 맛은 지금은 도저히 맛볼 수 없다. 더운 여름에 농사일을 한다는 게 쉽지는 않았지만 시원한 막걸리 한잔과 함께 웃고 떠들 수 있는 동네사람들이 함께 있어서 참고 견딜 수 있었다. 아니 돌이켜 생각해 보면 그때 농사를 짓던 때가 도시에서 직장생활을 하고 있는 지금보다 훨씬 행복하고 즐거웠다.

전화기

우리 마을에 전화기가 들어온 건 1987년이다. 저녁이면 친구들이 동네 사랑방에 모여 이야기를 나누거나 라디오도 듣고 가끔 술도 한잔하며 노래도 부르던 시절이었다. 친구들끼리 있기만 해도 좋았던 시절, 저녁을 먹고 나면 누가 먼저랄 것도 없이 사랑방으로 모였다. 매일 저녁 만나던 친구가 갑자기 마실을 나오지 않을 때에는 집에 무슨 일이 있나 걱정을 했다. 간혹 놀이를 하기 위해 편을 가르기도 했는데, 사람 숫자가 맞지 않을 경우 마실 나오지 않은 친구가 빨리 오기만을 기다렸다. 동네에 집집마다 전화기를 놓는다는 소식을 듣고 친구들이 제일 반겼던 것은 집으로 친구를 부르러가지 않고 전화로 불러낼 수 있다는 점 때문이었다. 전화를 해서 '마실 나와라' 하고 말하면 얼마나 편하고 신나겠냐며 껄껄 웃었다. 집집마다 전화가 놓인다는 것은 동네에 처음 전기가 들어온 날, 스위치를 올리자 환하게 불이 밝혀지던 모습보다 더 놀라운 일이었다.

집집마다 전화기를 들여놓기 전에는 동네 회관에 딱 한 대의 전화기밖에 없었다. 전화기 옆에 달린 손잡이를 잡고 빙빙 돌려 교환원을 연결한 다음, 통화할 번호를 알려주면 연결해주는 방식이었다. 그러나

서울로 연결되는 전화는 언제나 시간이 많이 걸렸다. 교환원에게 전화번호를 알려주고 나서도 30분 이상을 기다려야 통화를 할 수 있었다. 그래도 시골에서 서울로 전화를 거는 편은 나았다. 전화를 연결하는 시간이 길어지면 회관에 앉아 이야기를 나누며 연결될 때까지 그저 기다리기만 하면 되었다.

문제는 서울이나 외지에서 전화가 걸려오는 경우다. 동네에 전화기가 한 대 밖에 없다보니 동네사람을 찾는 전화가 걸려오면 스피커를 통해 방송을 해야만 했다. 누구든 외지에서 전화가 왔다는 방송이 들리면 하던 일손도 멈추고 곧바로 회관으로 달려갔다. 회관 가까운 곳에서 일을 하고 있으면 다행이지만 그렇지 않은 경우에는 전속력으로 회관을 향해 내달렸다. 전화를 거는 순간부터 요금이 계산된다는 걸 모두 알고 있기에 전화를 받으러오라는 방송이 나오기가 무섭게 아무리 먼 곳에서 일을 하고 있더라도 한걸음에 달려왔다.

전화기를 설치한 첫날에는 요금이 부과되지 않는다는 소문이 왜 돌았는지는 아무도 모른다. 아마도 전화기를 설치하는 기사가 통화가 잘 되는지 전화기를 이용해 전봇대에 있는 동료와 통화를 하는 모습을 본 사람이 소문의 진원지인지도 모르겠다. 아니면 집집마다 동시에 전화를 들여놓다니 벌어진 소동인지도. 어쨌든, 전화를 설치한 첫 날에는 요금이 부과되지 않는다는 소문이 동네에 쫙 퍼졌고, 동네 사람들은 기회는 이때다, 너도나도 할 것 없이 먼 곳에 사는 친척들에게 전화를 걸어 전화번호를 알려주기 바빴다. 그러나 다음 달, 동네 사람들은 부과된 전화요금 통지서를 보고 모두 깜짝 놀랐다. 특히 머나먼 미국에 하는 사람이 많은 박 씨네는 그야말로 요금폭탄을 맞았다.

이제는 집집마다 전화기가 설치된 수준을 넘어 손에 전화기를 들고 다니는 세상이 됐다. 부모님에게도 스마트 폰을 구입해드렸다. 밖에서 농사일을 하다가 무슨 일이 생길까봐 걱정스럽기 때문이다. 스마트 폰을 전해드리며 단축키대로 자식들 전화번호를 입력했다. 그러나 여전히 부모님은 스마트 폰을 쓰지 않는다. 아들이 지방으로 발령받았다는 소식을 듣고 나서야 비로소 스마트 폰을 이용해 전화를 거셨다.

혼자 부산 생활을 시작한 이후로 오히려 부모님과 통화할 일이 많아졌다. 혼자 생활하는 자식이 안타까워 하루에도 두세 번씩 어머니가 전화를 거시기 때문이다.

성장소설-소풍 가는 날

꿈결인가 싶었다.

마루에 앉아 구름 몇 점 떠 있는 하늘을 멍하니 바라보고 있다가 설핏 잠이 들었다. 5월의 햇살은 따뜻했고, 집안은 개미 발자국소리조차 들리지 않을 정도로 조용했다. 산마루에서 불어온 봄바람이 마당을 지나고 봉당까지 올라와 발가락을 간질인다. 그때 어떤 소리가 들렸다.

봄바람이 아지랑이가 피어나듯 보일 듯 말 듯한 소리를 실어와 마루에 내려놓고는 이내 담장을 넘어 사라졌다. 바람이 머물던 자리에 남겨진 소리만이 귓가를 맴돈다. 그 소리가 현실인지 꿈결인지 몽롱하다. 희미한 기척에 부스스 눈을 뜨고 마루에 걸터앉았다. 담장을 넘어간 바람이 뒷산의 참나무 사이로 지난다. 평소 같으면 닭을 쫓느라 마당을 이리저리 뛰어 다녔을 검둥이는 제집 앞에서 졸고 있고 이제 중간정도 자란 닭들은 모처럼 한가로운 시간을 보내며 마당을 서성이고 있다. 붉은 깃털이 윤기 있는 수탉은 담벼락 아래에 있는 파밭에서 지렁이를 잡아먹는지 흙을 쪼고 서너 마리의 암탉들이 마당을 좌우로 왔다 갔다 한다. 흰 깃털을 가진 암탉이 흙을 쪼자 다른 암탉이 푸드득 날갯짓을 하며 달려든다. 먹이를 두고 다투는 모양이다. 부엌에 들어가 좁쌀을 한 움큼 꺼내 모이를 줄까하다가 아침나절에 어머니가 모이를 준 게 떠올라 그만둔다.

어머니는 아침에 일어나면 제일 먼저 닭 모이부터 챙긴다. 좁쌀이나 싸라기를 바가지에 담아가지고 마당에 나와 '구구구구' 소리를 내면 닭들이 하나둘 모여든다. 닭이 다 있는지 일일이 세어보고는 마당에 모이를 뿌려주고, 닭이 모이를 쪼는 모습을 한참동안 바라보다가 호미를 들고 파밭을 매거나 아니면 부엌에 들어가 가마솥에 밥을 안치곤 했다.

어머니는 소를 키우고 싶어 하셨다. 소 한 마리가 장정 열 명 몫은 한다며 지금은 비어있는 외양간을 아쉬운 눈빛으로 바라보시며 가끔은 구유 통을 청소하거나 외양간 바닥을 빗자루로 쓸어내기도 했다. 소가 있으면 아쉬운 소리를 해가며 남의 집 소를 빌리지 않아도 되고, 쟁기질이나 써레질도 필요한 시기에 적절히 맞춰서 할 수 있다. 소가 없으니 쟁기를 이용해 논밭을 가는 것도 소를 빌릴 수 있을 때까지 기다려야 했다. 밭고랑을 만들고 고추나 콩을 심는 일도 그만큼 늦어질 수밖에 없다. 소를 빌리려는 사람은 많고 빌릴 소는 한정돼 있으니 소 빌리는 문제를 놓고 때론 동네사람들끼리 언성이 높아지기도 했다.

아버지는 소를 잘 부렸다. 키는 작았지만 체구가 다부지고 힘이 좋아지게를 지고 나무를 하러 가도 다른 사람들 보다 머리 하나 높이는 더 높게 쌓아가지고 돌아오셨다. 지게를 지고 가는 아버지의 뒷모습은 몸은 보이지 않고 다리만 겨우 보였다. 그 모습이 마치 지게가 스스로 걸어가는 게 아닌가하는 착각을 불러일으키곤 했다. 소를 잘 부리려면 힘과 강단도 있어야 한다. 소가 게으름을 피우거나 딴청을 피울 때면 힘과 기 싸움으로 소를 제압해야 하는데 기 싸움에서 지면 소가 사람을 무시하고 말을 듣지 않는다. 소가 사람을 얕보면 밭을 갈다가도 밭둑에만 가면 풀을 뜯느라 쟁기를 끌지 않고 쟁기가 조금만 땅속으로 깊이 들어가도 밭 한가운데서 꼼짝도 하지 않으며 딴청을 피우는 일이 벌어지곤 한다.

같은 크기의 밭을 갈더라도 소를 어떻게 부리느냐에 따라 걸리는 시간이 다르기 마련이다. 동네서는 소를 잘 부리는 사람을 상일꾼이라 불렀는데 아버지는 상일꾼 중에서도 단연 최고로 꼽혔다. 아버지는 소가 말썽을 부리면 코뚜레를 잡아 '확' 낚아채곤 했는데 그러면 아무리 사나운 소도 고분고분해졌다. 동네에서 제일 부리기 힘들다는 임 씨 아저씨네 소도 아버지를 만나면 순한 양이 됐다.

처음부터 집에 소가 없었던 것은 아니다. 힘 좋고 말 잘 듣고 일 잘하는 황소가 있었다. 아버지는 봄부터 가을까지 황소 등에 멍에를 씌워 쟁기질을 하고 써레질을 했으며 마차에 농작물을 실어 날랐다. 아버지는 소를 소중히 여기셨다. 쇠 빗을 이용해 수시로 털을 빗기고 여물에도 콩깍지나 겨를 듬뿍듬뿍 넣어주셨다. 풀이 무성하게 자라는 여름에 풀밭에 소를 데려가 풀을 뜯게 하는 것은 내가 맡은 중요한 임무였다.

고등학교까지 졸업한 아버지가 당신은 '이런 시골에서 썩을 사람이 아니다'며 소를 팔아 서울로 간 게 몇 년 전이다. 할머니와 어머니의 반대를 무릅쓰고 서울로 갔다가 1년이 조금 넘어 다시 시골로 돌아왔다. 그 동안 소 판돈은 야금야금 없어졌고, 시골로 돌아올 땐 빈털터리나 다름없었다. 그래도 부쳐 먹을 농토가 있으니 그럭저럭 생활은 꾸려갈 수 있었다.

아버지와 어머니는 새벽부터 밤늦게까지 들에 나가 일을 했다. 하루 종일 허리를 구부리고 삽과 호미로 땅을 일구었다. 어머니는 힘에 부칠 때마다 일 잘하고 말 잘 듣던 황소를 생각하셨다.

어머니는 소를 한 마리 기르고 싶었지만 가난한 시골살림에 비싼 소를 살 돈은 없었다. 해가 갈수록 소를 사고 싶은 어머니의 바람은 간절하셨고, 그러다가 급기야 당신 손으로 돈을 벌어 소를 사겠다고 나섰다. 어머니는 장날에 장에 가서 병아리를 일곱 마리 사가지고 오며 이게 크면 나중에 소를 살 수 있을 것이라고 말했다. 병아리가 커서 닭이 되고 계란을 낳으면 장에 나가 파는 게 어머니의 계획이었다. 시간이 지나면 닭이 많아질 것이고 그러면 닭을 팔아 염소를 사고 염소를 불리면 소를 살 수 있다고 생각하셨다. 어머니가 닭을 기르는 것은 소를 사기 위한 첫 걸음이고, 당연히 닭은 어머니에게 무엇보다 소중한 자산이었다.

그런데 날뛰기 좋아하는 검둥이가 문제였다. 강아지였을 적, 이웃집에서 얻어와 기르고 있는 검둥이는 정신을 쏙 빼놓을 정도로 까불었는데, 그래도 말을 잘 듣고 귀염성이 많아 식구들의 예쁨을 받았다. 검둥이는 특히 어머니를 잘 따랐는데, 매일 제 먹을 밥을 챙겨준다는 걸 아는지 어머니가 어딜 가든 꼬리를 흔들며 졸졸 따라다녔다. 새참을 머리에 이고 논에 가면 구불구불한 논둑길을 따라다녔고, 풀을 뽑으러 밭에 가면 밭둑에 앉아 어머니가 집으로 돌아 갈 때까지 꼼짝 않고 기다렸다. 쑥을 캐러 갈 때도, 나물을 캐러 갈 때도 어머니를 따라나섰다. 가끔 먼 산으로 나물을 뜯으러 갈 때면 어머니는 검둥이를 떼어놓느라 한참을 실랑이를 벌였다.

검둥이는 다른 개들보다 재빠르고 영리했다. 특히 쥐를 잘 잡았다. 어느 날 검둥이가 쥐를 잡아 놓고 있는 모습을 보고 잘했다고 칭찬을 해주자, 그 다음부터 검둥이는 수시로 쥐를 잡아왔다. 양식을 축내는 쥐를 잡아오니 식구들도 좋아했다. 하지만 검둥이가 잘 잡는 것은 쥐뿐만이 아니었다. 한번은 이웃집에서 병아리를 한 마리 얻어와 기른 적이 있는데, 어느 날 검둥이가 병아리를 물어 죽여 입에 물고 다니며 놀고 있는 것을 보고 식구들이 경악했다. 검둥이는 그날 어머니의 부지깽이로 매질을 당했다. 죽은 병아리를 땅에 묻어주고 어머니는 장에 나가 다시 병아리를 두 마리 사왔다. 하지만 그 역시 검둥이가 물어 죽였다. 그 이후로 집에서 닭을 기르는 일이 없었다. 그런데 어머니가 닭을 키워 소를 산다는 야심찬 계획을 세우고 병아리 일곱 마리를 사오신 것이다. 검둥이의 과거를 알고 있던 터라 어머니는 병아리를 각별히 보호했다. 병아리가 중닭이 되기 전까지는 닭장에 가둬 키웠고, 중닭이 되고 나서도 사람이 집에 있을 때만 마당에 풀어놓았다. 나는 학교에 다녀온 뒤 부모님이 들에 나가고 없으면 닭을 마당에 풀어 놓고 벌레나 지렁이를 잡아 먹였다. 그리고 검둥이가 닭 근처에 얼씬도 하지 못하도록 지키고 보초를 섰다.

'째깍, 째깍' 이제 소리는 분명하게 들려왔다. 처음엔 4분의 4박자의 느린 템포로 '철그럭 철그럭' 들려왔는데 그 소리가 가까워지다가 멀어지기를 반복했고, 그렇게 서너 번 멀어지고 가까워지기를 반복하다가 이내 4분의 2박자의 빠른 템포로 변했다. '째깍, 째깍' 가쁜 숨을 몰아쉬듯 빠른 템포로 변한 소리는 어느 순간 더 이상 멀어지지 않고 그 자리에 머물더니 중간 중간 '탁탁' 거리는 소리를 냈다. 그 소리는 영락없이 엿장수가 가위질을 할 때 내는 소리였다.

엿장수는 한 달에 한 번 정도 동네를 찾아왔는데 항상 리어카를 끌고 다녔다. 리어카의 밑바닥은 송판으로 막아놓고 양 옆은 시원하게 뚫려있었다. 그 위에 엿판이 놓여있다. 엿판은 자전거 타이어처럼 생긴 넓은 고무로 붙들어 매있었다. 넓적하게 생긴 가위와 밑 부분은 길고 날카로우며 윗부분은 뭉툭하게 생긴, 엿을 자를 때 쓰는 끌 같은 연장도 엿판 위에 놓여있었다. 가위는 네 손가락이 다 들어가고도 남을 정도로 손잡이가 컸다. 소리가 잘나도록 넓고 길쭉한 직사각형 모양의 날이 손잡이에 연결되어있다.

엿장수는 고갯길을 넘어와 마을 공터에 리어카를 세워놓고 세 곳으로 뻗어 있는 골목길을 돌아다니며 가위질을 한다. 골목길을 다니는 엿장수의 발걸음에 따라 가위질 소리도 크게 들렸다가 작게 들렸다하고 가위질을 하는 엿장수 뒤론 어느 새 아이들이 하나둘 따라다니기 시작한다. 아이들의 손엔 빈병과 비료포대, 찌그러진 스테인리스 그릇 등이 들려 있고, 엿장수는 마을 공터에서 아이들이 가져온 고물을 엿과 바꾸어준다. 엿을 잘라주는 양은 그야말로 대중이 없었는데 손 가는대로 아무렇게나 '툭툭' 잘라주었다. 넓은 끌처럼 생긴 쇳덩어리를 엿판에 대고 가위로 윗부분을 솜씨 좋게 두세 번 내리친 다음, 쇳덩어리 옆 부분을 툭 치면 네모난 엿판에서 엿이 한 조각 떨어져 나왔다. 아이들은 엿장수가 더 많은 엿을 잘라내기를 바라며 목이 빠져라 바라봤지만 엿장수가 건네주는 엿은 언제나 성에 차지 않았다.

나는 엿장수의 가위질 소리를 듣고 벌떡 일어서 마당으로 내려섰다. 그리곤 바쁜 걸음으로 대문간 옆의 보물창고로 갔다. 그러나 네모난 나무상자로 된 보물창고는 텅 비어 있었다. 보물창고는 내가 들판을 돌아다니며 주워온 고물을 모아두는 곳인데, 엿장수가 오면 한두 개씩 가지고 가서 엿으로 바꿔먹곤 했다. 학교에서 돌아오면 가방을 마루에 던져두고 논과 밭, 구릉지의 숲을 뒤지고 다니며 버려진 물건을 찾으러 다녔다. 하지만 스테인리스 그릇보다는 박으로 만든 그릇을 많이 쓰고 병에 담긴 소주보다는 통에 담긴 막걸리를 주전자에 받아 마시는 시골마을에서 고물이 쉽게 눈에 띌 리 없었다. 그래도 며칠 동안 들판을 샅샅이 뒤지다 보면 간혹 흙속에 묻혀 있는 소주 댓병을 발견하거나 녹이 슬어 너덜너덜해진 삽날을 발견하기도 했다.

들판을 쏘다니다가 가끔 숲속으로 들어가곤 했는데 숲으로 들어서는 순간 온전히 세상과 단절되고 혼자 버려진 느낌에 빠져들곤 했다. 햇볕도 잘 들지 않는 숲속엔 뻐꾸기 소리나 소쩍새 소리가 들려오고 무언가 부스럭거리는 소리도 들리곤 했는데 그럴 때마다 머리카락이 곤두섰다. 사람 발걸음에 놀란 꿩이 푸드득 날아오르기라도 하면 간이 콩알만 해지고 우거지게 핀 창꽃 뒤엔 사람의 간을 빼 먹는다는 괴물이 얼굴이며 몸이 다 일그러진 채로 튀어나올 것만 같았다.

논둑을 걷다보면 다 쓰고 버려진 비료포대를 줍는 행운이 찾아오기도 하는데 며칠 동안 헤매고 다녀도 고물을 하나도 줍지 못하면 논에 물꼬를 만들기 위해 논둑에 대놓은 비료포대를 홀딱 벗겨 훔쳐오기도 했다. 이렇게 모아둔 고물로 엿장수가 오는 날이면 보물창고에서 엿과 바꿔 먹었다. 그런데 보물창고가 텅 비어 버렸으니 오늘은 엿을 맛보기는 글렀다. 그래도 혹시나 해서 마당을 샅샅이 살펴보고 뒷마당까지 뒤져 봤지만 엿을 바꿔 먹을 만한 물건은 보이지 않는다.

마당 한쪽에 삽자루가 보이고 호미, 쇠스랑도 보이지만 그걸 엿과 바꾸어 먹었다간 담장이 무너져 내릴 정도로 날벼락이 떨어질 것이다. 하지만 날벼락보다 농기구가 없으면 농사일을 못하니 그게 더 큰일이다. 마루 위에 있는 다듬잇돌과 봉당에 있는 맷돌은 너무 무거워서 들고 나가기 힘들고 선반 위에 있는 숯다리미는 어머니가 동정을 달 때 사용하기 때문에 들고 나갈 수 없다. 부엌 찬장에 있는 노란 양은냄비는 어머니가 몇 달을 벼르고 사다놓은 것이라 차마 엿과 바꿔 먹을 수 없다. 그렇게 온 집안을 뒤지다가 결국 빈손으로 마을 공터로 나갔다. 엿을 바꿔먹을 고물은 없지만 운이 좋으면 동네 친구에게 엿 한 조각을 얻어먹을 수도 있을 터였다. 종종걸음으로 대문을 나서는 나를 검둥이가 멍한 눈으로 바라본다.

마을 공터에는 아이들이 한 가득이다. 족히 열 명은 넘어 보인다. 상위에 만들어놓은 인절미를 앉은 자리에서 반이나 집어 먹어 '떡보'라는 별명이 붙은 친구와 자기 물건은 절대 남에게 빌려주지 않고 다른 사람의 물건은 제 물건같이 빌려 써 '얌생이' 이라는 별명을 가진 친구는 이미 엿을 한 가락씩 손에 쥐고 있다. 학교에 갈 때도 새로 산 신발이 아까워 손에 들고 가다가 교문을 들어설 때야 비로소 신발을 신는, '뱅기' 라고 불리다가 '빵기' 로 별명이 굳어진 친구는 비료포대를 들고 엿장수 앞에서 순서를 기다리고 있다. 다른 몇 명이 고물을 손에 들고 엿장수를 둘러싼 옆에 고물을 가져 오지 못한 아이들이 엿을 툭툭 잘라내는 엿장수의 능속한 손놀림을 바라보거나 엿을 먹는 친구를 따라다니며 한 입만 달라고 조르고 있다.

나는 속으로 '저기 있는 엿이 다 내 것' 이라면 얼마나 좋을까 생각을 하다가 언뜻 엿판 아래에 실린 고물에 시선이 머물렀다. 이미 여러 동네를 거쳐 왔을 엿장수의 리어카에는 온갖 고물이 가득 있었다. 엿장수가 혼자 리어카를 끌고 언덕길을 올라가려면 힘들겠다 생각했다.

엿을 빨아먹고 있는 얌생이에게 다가갔다.
"이거 먹고 싶지?"
나를 흘깃 쳐다 본 얌생이가 염소처럼 '매~매~' 거리며 말을 한다. 염소도 말을 할 수 있다는 사실이 신기하기만 했다.
"한 입만 주라."
오른손 집게손가락을 세우고 왼손으로는 오른 손목을 감싸 쥐며 최대한 애처롭고 간절한 눈빛으로 애원했다

"싫어. 내 꺼야. 안 돼."

엿을 먹고 있는 모습이 꼭 염소가 나무껍질을 핥아대는 것 같다. 나무껍질을 아무리 핥아대도 그대로 있는 것처럼 엿가락도 몇 번을 핥아댔는데도 그대로다. 혓바닥을 엿 가락에 대는 둥 마는 둥 하고 있으니 엿가락이 줄어들 리 만무하다

"딱, 한 입만……."

"싫어. 먹고 싶으면 너도 고물 가져다가 바꿔 먹어."

염소는 제 나무껍질을 나눠주고 싶은 마음이 전혀 없다. 저렇게 혓바닥으로 핥아대다가 엿가락이 뚝 부러져 땅에 떨어져버려라.

떡보에게 갔다.

"한 입만 주라. '

"없어."

떡보가 양손을 펴 보이며 말한다. 넙죽넙죽 인절미를 집어먹듯 엿도 그새 다 먹어버린 모양이다. 제 먹을 걸 다 먹어치웠지만 그래도 아쉬운지 떡보의 시선은 엿장수에게 고정된다. 비료포대를 들고 엿장수 앞에 서 있던 빵기는 그새 어디로 갔는지 보이지 않는다. 아마도 엿을 바꿔 들고 제 집으로 쏜살같이 내뺐을 것이다. 몰래 숨어서 엿을 다 먹어치우고는 다시 공터로 나와 '한 입만 달라' 며 친구들을 쫓아다닐 게 분명하다.

"내가 엿 실컷 먹을 수 있는 방법 알려 줄까?"

솔깃한 말에 귀가 번쩍 뜨인다. 어기적어기적 걷는 모습이 곰을 닮은, 말은 느리지만 행동은 빠른 '곰탱이'가 어느새 다가왔는지 내 옆에 서 있다.

"어떻게?"

엿을 실컷 먹을 수 있는 방법이 있다니, 만약 그렇게 할 수 만 있다면 그 일이 무엇이든 다 할 수 있지!

"엿장수가 장등에 올라갈 때 뒤에서 리어카를 밀어 주는 거여."

"뭔 소리여?"

"잘 들어봐."

곰탱이가 주위를 쓱 둘러보더니 내 옆으로 더욱 바싹 다가온다.

"엿장수가 혼자 리어카를 끌고 장등에 올라가려면 힘들 거 아녀?"

"그렇겠지?"

"그때 우리가 '힘드시겠다'며 리어카를 밀어 주는 겨."

"그래서?"

"그러다가 리어카가 장등 중간까지 올라갔을 때 엿가락을 들고 냅다 튀는 거지."

리어카를 밀어주다가 엿가락을 들고 도망가다니, 이건 무슨 뚱딴지같은 소리인가.

"도망을 간다고?"

"그려. 한꺼번에 튀면 들키니까 내가 먼저 튀고 너는 나중에 튀는 겨."

"그러다가 들키면 혼나지 않을까?"

"너도 장등 꼭대기에 거의 다 올라가면 냅다 내빼는 겨. 그럼 엿장수가 리어카를 세워둔 채 쫓아오진 못할 거 아녀. 만약 그렇게 한다면 리어카가 밑으로 굴러 떨어질 테니까."

"그렇지."

"그런 다음에 너하고 나하고 만나서 엿을 똑 같이 나눠 먹으면 되는 겨."

"엿장수가 나중에라도 쫓아오지 않을까?"

"엿장수가 우리를 몰라보게 해야지."

"어떻게?"

"리어카를 처음부터 밀어주지 말고 장등 중간쯤 올라갔을 때 밀어주는 겨. 그럼 누가 밀어줬는지 모를 거 아녀."

보물창고에 더 이상 고물이 남아있지 않고, 그날따라 엿 한 조각 얻어먹지 못한 나에게 이 제안은 매우 솔깃했다. 당장이라도 실행에 옮기고 싶었다. 그러나 검둥이가 맘에 걸렸다. 엿을 훔쳐 먹는 동안 검둥이가 닭을 쫓아다니며 괴롭히다가 예전처럼 닭을 물어 죽일 수도 있다. 생각이 거기에 미치자 검둥이를 묶어두지 않고 나온 사실이 퍼뜩 떠올랐다. 그새 무슨 일이 벌어졌으면 큰일이다. 있는 힘을 다해 집으로 달렸다.

아니나 다를까. 아무도 없는 집안에서 검둥이는 이리 저리 신나게 닭들을 쫓고 있다. 놀란 닭들은 담장 위로 날아오르고, 봉당을 넘어 마루까지 올라가 있다.

"검둥아!"

냅다 소리를 지른다. 닭들을 쫓느라 주인이 온지도 모른 채 날뛰던 검둥이가 깜짝 놀란다.

"너 이리 안 와?"

막대기를 주워들고 쫓아가자 검둥이는 뒤꼍으로 달아난다. 검둥이가 사라지자 닭들도 그제야 안정을 찾는다. 여기저기 흩어져있는 닭들을 하나씩 닭장 안으로 집어넣으며 물린 곳은 없는지 살펴본다. 다행히 물린 흔적은 없다. 닭들을 모두 집어넣고 세어본다. 그런데 한 마리가 없다. 아무리 세어 봐도 여섯 마리뿐이다. 엿장수 구경을 나간 사이 검둥이가 한 마리를 물어버린 모양이다. 그래도 아직 어딘가에 살아 있을지도 모른다. 온 집안을 돌아다니며 없어진 닭을 찾기 시작했다. 하지만 아무리 찾아도 닭은 고사하고 깃털도 보이지 않는다. 앞마당에도 뒷마당에도 토광에도 보이지 않는다.

얼마나 찾아 헤맸을까. 머리가 빙빙 돌고 어지럽기까지 하다. 힘들고 지쳐 볏짚가리에 털썩 주저앉아 버렸다. 눈을 감고 숨을 몰아쉬고 있는데 순간 어디선가 '푸드득' 소리가 들려온다. 소리를 따라 가보니 볏짚가리 한구석에 암탉 한마리가 날개를 퍼덕이며 빠져나오려고 안

간힘을 쓰고 있다. 걱정을 했던 마음이 사라지고 이내 안도의 한숨이 나온다. 암탉을 품에 안고 닭장에 집어넣었다.

그런데 암탉의 움직임이 이상하다. 닭장 한 구석에서 움직이지도 않고 웅크리고 있는데 한쪽 날개가 축 늘어져있다. 검둥이에게 날개를 물린 모양이다. 안쓰러운 마음에 거름자리에 가서 지렁이를 잡아 부리 밑에 놓아주었다. 그래도 한 동안 꼼짝 않더니 지렁이가 꼼지락거리자 본능적으로 쪼아 먹는다. 그렇게 두어 마리를 쪼아 먹더니 그제야 기운을 차리고 조금씩 움직이기 시작한다. 날개는 여전히 축 늘어져있다. 다행히 어머니는 검둥이가 닭을 물었다는 사실을 눈치 채지 못했다. 한쪽 날개가 성치 않은 닭을 보며 '재가 왜 저러냐'며 걱정을 했지만 검둥이가 사고를 쳤을 거라고는 생각하지 않는 듯했다. 검둥이에게 물린 암탉도 시간이 지나면서 차츰 회복되었다.

봄 소풍을 가는 날이었다. 소풍 갈 때는 항상 할머니가 따라나섰지만 그 날은 할머니가 서울에 있는 작은 아버지 댁에 방문하고 시골에 안 계신 터라, 어머니가 소풍을 따라나서기로 했다. 소풍길에 어머니가 따라나서기는 처음이다. 어머니가 따라온다기에 나는 무척 들떴다. 어머니도 처음 나서는 소풍길이 설레기는 마찬가지였다. 어머니에게 몇 번이나 소풍 장소가 어디인지 말씀드리고 집을 나섰다.

소풍을 가는 길에 보이는 초록의 산과 들이 그날따라 더욱 싱그러웠다. 소풍장소에 도착해 노래를 부르고 장기자랑을 하다가 드디어 점심시간이 됐다. 어머니는 머리에 쪽을 지고 한복을 곱게 차려입고 오셨다. 들에서 일을 하던 평소와는 전혀 다른 모습이다. 어머니가 그렇게 곱고 아름답다는 사실을 그때 처음 알았다. 어머니는 흰밥에 들기름으로 볶은 김치와 멸치볶음을 반찬으로 싸가지고 오셨다. 겨우내 땅에 묻어두었던 밤도 꺼내 삶았다. 몇몇 친구들이 김밥을 싸왔지만 나에겐 김밥보다 흰쌀밥에 볶은 김치와 멸치반찬으로 먹는 밥이 훨씬 맛있었다. 밥풀 하나 남기지 않고 밥을 싹싹 긁어먹고는 삶아온 밤을 먹기 시작했다.

어머니는 목이 막힌다며 사이다를 한 병 사가지고 오셨다. 사이다 뚜껑을 열자 '치익' 하는 소리와 함께 거품이 듬뿍 올라온다. 어머니도 한 모금 먹어보라고 했지만 굳이 손사래를 치신다. 밥을 다 먹은 친구들이 어느새 내 곁으로 몰려든다. 어머니는 친구들에게 삶아온 밤을 나눠주셨다. 친구들은 '이 밤 정말 맛있다'며 연신 밤을 집어먹는다. 그런 모습을 보며 나는 괜스레 우쭐해졌다.

어머니가 먼저 집으로 돌아갔고, 나도 친구들과 함께 집으로 향했다. 집으로 돌아오는 길에는 일부러 산으로 들로 돌아다녔다. 혹시 고물을 주울 수 있지 않을까해서다. 하지만 고물을 줍지는 못하고 삐라만 몇 장 주웠다. 그래도 이게 어디냐 싶은 마음이 들었다. 삐라를 학교에 갖다내면 공책을 선물로 주기 때문이다.

산으로 들로 돌아다니다 저녁이 다 돼서야 집에 도착했다. 그런데 뭔가 이상하다. 평소 같으면 제일 먼저 뛰어와 반겼을 검둥이도 보이지 않고 집안도 너무 조용하다. 아버지와 어머니는 아직 들에서 돌아오시지 않은 모양이다. 비록 사람이 아무도 없다고 하지만 그래도 집안은 너무 고요했다. 이상한 느낌으로 변소에 가려고 볏짚가리를 지나는데 흰 깃털이 눈에 보인다. 닭의 깃털이다. 그러고 보니 닭이 한 마리도 보이지 않는다. '구구' 거리는 소리도 들리지 않는다. 닭장에 갇혀있어도 소리는 들려야 하는데 닭의 기척이 들리지 않는다. 무슨 변고가 일어난 게 틀림없다. 변소에 가려던 마음도 사라지고 서둘러 닭장으로 갔다. 닭이 한 마리도 없다. 집안 이곳저곳을 둘러보았지만 닭은 보이지 않고 곳곳에 숭숭 빠져있는 닭의 깃털만 보인다. 이놈의 검둥이가 결국 큰 사고를 치고 말았구나!

어머니는 닭장에 닭을 몰아넣고 소풍길에 따라나섰다. 그런데 서두르다보니 닭장 문을 닫고는 잠그는 걸 잊어버리신 것이다. 논에 다녀온 아버지도 볼일이 있어 면에 나가고 없었다. 닭장 안에 있던 닭들은 문이 열리자 하나 둘 밖으로 나왔다. 닭이 돌아다니는 모습을 멀뚱멀뚱 쳐다만 보던 검둥이는 한참이 지나도 사람들의 기척이 없자 신이 나서 닭들을 쫓아다니며 일곱 마리를 모두 물어 죽였다. 소풍에서 돌아온 어머니는 처참한 현장을 목격하고 한 동안 넋이 빠져 꼼짝도 못했다. 사건의 당사자인 검둥이는 어머니의 부지깽이 매질을 몸에 멍이 들도록 당해야 했다. 그렇게 소를 사려던 어머니의 계획은 물거품이 됐다.

이제 검둥이는 예전처럼 식구들의 귀여움을 받지 못했다. 어머니는 검둥이만 보면 부지깽이를 휘둘렀다. 나도 검둥이가 다가오면 저리 가라고 발길질을 했다. 식구들의 예쁨을 받지 못한 검둥이는 점점 외톨이가 됐고, 예전처럼 '멍멍' 짖는 일도 사라졌다. 그저 마당에서 햇볕을 쬐며 꾸벅꾸벅 졸기 일쑤였다.

그러다가 검둥이는 다시 쥐를 잡기 시작했다. 쥐를 잡아다가 사람들이 잘 보이게 마당 한 가운데 물어다 놓고는 했는데, 중학교에 다니던 누나가 쥐를 보고 몇 번이나 기겁을 했다. '이놈이 이제 안 하던 짓까지 한다'며 검둥이는 더더욱 혼이 났다. 하지만 시간이 흐르면서 검둥이가 닭을 물어 죽인 사건도 점점 잊혀갔다. 어머니도 검둥이를 용서했는지 더 이상 부지깽이를 휘두르지 않으셨다. 가끔 고기국물에 밥을 말아 주기도 하셨다. 검둥이도 점점 활기를 되찾아 갔고 다시 예전 모습으로 돌아왔다.

쥐약은 보통 가을에 놓는다. 가을에 쥐가 제일 많이 돌아다니고 곡식도 제일 많이 축내기 때문이다. 쥐약을 놓으면 스피커를 이용해 마을 사람들이 다 들을 수 있도록 방송을 한다. 방송이 나오면 동네 사람들은 개를 잘 묶어놓는다. 개가 돌아다니다가 쥐약을 먹고 죽는 경우가 종종 있기 때문이다. 가을에 쥐약을 놓고 겨울이 오기 전에는 모두 치운다. 그런데 어딘가 쥐약을 치우지 않은 곳이 있었던 모양이다.

6월 중순으로 넘어가던 초여름, 밖에서 친구들과 뛰어놀다 집으로 돌아왔는데 어른들이 대문간에 빙 둘러 서있었다. 무슨 일인가 바라보니 어머니가 검둥이를 안고 어쩔 줄 몰라 하며 눈물을 글썽이고 있다. 검둥이는 연신 입에서 흰 거품을 게워내고 있었다. 누군가가 쥐약을 먹으면 소금물을 먹여 토해내게 하면 괜찮다는 말을 했다. 어머니는 숟가락으로 소금물을 떠서 검둥이 입을 벌리고 억지로 먹였다. 고통에 몸부림치며 검둥이는 어머니가 먹여주는 소금물을 힘겹게 받아먹었다. 그러나 너무 늦었다. 쥐약을 먹고 나서 바로 소금물을 먹여야하는데 검둥이는 쥐약을 먹은 지 한참이 지나서 발견됐다. 이미 쥐약이 내장에 퍼지기 시작해서 입에선 흰 거품을 연신 게워내고 있었다. 그렇게 한참을 버둥거리던 검둥이는 어머니 품에서 서서히 죽었다. 어머니는 '불쌍해서 어떻게 하냐' 며 눈물을 뚝뚝 흘렸다. 검둥이가 죽자 사람들은 모두 돌아갔다. 어린 외삼촌인 아재가 홀로 남아 있다가 '이 개, 내가 가져가도 되느냐' 고 물었다. 아버지는 말없이 고개를 끄덕였고 어머니는 눈물을 훔치며 방으로 들어갔다. 어머니는 그 이후로 십 년이 넘도록 개를 키우지 않았고 닭도 더 이상 키우지 않았다.

보름쯤 지나자 엿장수가 다시 동네를 찾았다. 하지만 나는 엿장수 가위질 소리가 동네 골목길마다 울려 퍼져도 밖에 나가지 않았다. 검둥이가 죽고 나서 모든 것에 흥미가 없어지고 친구들과 뛰어노는 것도 재미가 없어졌다. 평소 같으면 고물을 들고나가 엿을 바꿔 먹거나 엿을 먹는 친구들을 쫓아다니며 한 입만 달라고 조를 텐데 흥이 생기지 않았다. 나는 그저 대문간에 앉아 아이들이 엿을 바꿔먹는 모습을 바라만 보았다. 시간이 지나 아이들이 모두 집으로 돌아간 다음 엿장수가 홀로 남아 아이들이 가져온 고물을 차곡차곡 리어카에 싣더니 마을을 떠나 홀로 장등을 힘겹게 오르기 시작했다. 그때 불현듯 엿가락을 훔쳐서 도망치자던 친구의 말이 떠올랐다. 머릿속은 텅 비어 있었지만 내 몸은 어느 순간 리어카를 향해 달려가고 있었다. 엿장수의 리어카는 장등 중간쯤을 오르고 있었다. 나는 뒤에서 힘껏 리어카를 밀었다. 이제 조금만 더 밀어주다가 엿판에 있는 엿을 몽땅 들고 도망칠 속셈이었다. 그리곤 산속에 들어가 훔친 엿을 모두 먹어버릴 계획을 세웠다. 들키면 어떡하지? 잽싸게 도망가면 누가 그랬는지 모를 거야. 오만 가지 생각을 하며 고개를 푹 숙이고 리어카를 미는데 엿장수의 소리가 들려왔다.
"참, 착한 아이구나. 고맙다."

고개를 들어 엿장수를 바라봤다. 반팔 내의가 땀에 절어 있고 그나마 군데군데 구멍이 나있었다. 반팔 내의 밖으로 보이는 엿장수의 팔뚝은 쇠파이프만큼 튼튼했고 피부는 햇볕에 검게 그을려있었다. 머리에 밀짚모자를 쓰고 있었다. 그 모습을 보는 순간 엿판을 들고 도망치려던 마음이 순식간에 사라졌다. 힘겹게 장등을 오른 엿장수가 '이제 그만 밀어줘도 된다' 며 리어카를 세우더니 이리 와보라고 손짓을 하며 부른다. 얼굴은 시커멓고 꾀죄죄했는데 이빨이 유난히 희게 보였다. 리어카를 세운 엿장수는 가위를 들더니 엿판에서 엿을 뚝 잘라 건네준다. 엿장수가 그렇게 크게 엿을 자르는 걸 나는 처음 보았다. 엿장수가 다시 한 번 고맙다고 했다. 나는 깊숙이 허리를 숙여 엿장수에게 '감사합니다' 라고 말했다. 엿장수가 잘라준 엿을 들고 장등을 천천히 내려왔다. 해가 서산에 뉘엿뉘엿 넘어가고 있었다. 노을이 여러 종류의 붉은색을 내며 하늘에 물들고 있었다. 그렇게 어린 시절의 소풍날이 저물었다. 이제는 가고 영영 오지 않을 아름다운 날의 추억이다.

겨울

겨울이야기

겨울이면 온 세상이 하얗게 변한다. 산도들도 하얀 눈을 덮어쓰고 꽁꽁 얼어붙은 앞개울도, 멀리 보이는 학교 운동장도 온통 눈 속에 파묻혀 있다. 동네 골목길도 사람이 다닐 수 있는 작은 길만 바닥이 보이고 나머지는 온통 눈밭이다. 하늘로 솟아있는 나무와 햇볕이 잘 드는 지붕, 담벼락만이 하얀 눈 세상 속에 그나마 제 모습을 간직하고 있다.

눈은 겨울 내내 내렸다. 내린 눈은 그대로 얼어붙고 그 위로 눈이 쌓이고 또 쌓였다. 눈이 내리고, 내린 눈이 쌓이고 쌓여 논밭이 어디인지 가늠할 수 없고 장에 나가는 큰길도 온통 눈 속에 파묻힌다. 온 세상이 하얗게 변해 사람 다니는 길이 어디인지 구분이 안 갈 정도가 되면 동네를 벗어나 나들이를 가는 것도 자제한다. 어디가 길이고 논밭인지 알아볼 수 없을 정도로 온통 눈으로 뒤덮인 세상 속에 까딱 잘못하면 길을 잃고 눈 세상을 헤매고 다니기 십상이기 때문이다. 그래도 외지에 다녀오는 사람들이 있는지 눈길에 나들이를 했던 사람이 눈에 홀려 밤새도록 눈 속을 헤매다가 다음 날 정신이 반은 나간 상태로 간신히 집으로 돌아왔다는 얘기가 심심찮게 들려 왔다.

차갑게 맑았던 날씨가 흐려지고 파란 하늘에 회색 눈구름이 깔리기 시작하면 외출했던 사람들이 서둘러 집으로 돌아온다. 함박눈이 올 징조이기 때문이다. 함박눈은 한번 내리기 시작하면 몇 시간을 쉼 없이 내렸다. 눈송이가 육안으로 보일 정도로 컸고, 커다란 눈송이가 하늘을 가득 메우면 불과 몇 미터 앞도 분간할 수 없을 정도가 되고 세상은 순식간에 눈 속에 파묻힌다. 이런 날은 방안에서 화롯불을 끼고 앉아 고구마를 구워먹으며 어머니가 들려주는 옛날이야기를 들었다. 어머니가 들려주는 옛날이야기를 들으며 얼음이 언 동치미와 함께 먹는 고구마는 얼마나 맛있었던지. 그렇게 한참을 도란도란 이야기를 나누다가 어머니는 이를 잡는다며 속내의를 벗기면 나는 아랫목 이불 속으로 파고들었다. 어머니가 이를 잡아 화롯불에 던져 넣으면 타닥타닥 소리가 났고 그 소리를 들으며 잠에 빠져들곤 했다.

낮에 내리는 눈이 흐린 날씨 때문인지 특별할 것 없는 흰 눈이라면 밤새 내린 눈은 보석처럼 빛이 난다. 밤새 소리 없이 함박눈이 내린 아침, 창호지 문을 열고 밖으로 나서면 온 세상이 하얀 눈으로 덮여있고, 담장, 논밭, 산 위에 쌓인 하얀 눈이 태양빛을 받아 반짝거렸다. 눈길 닿는 곳마다 하얀 눈 세상이 펼쳐진 그 모습은 황홀하고 아름다웠다. 아무도 지나가지 않은 그 길을 달려 학교 운동장까지 뛰어갔다오곤 했다.

아버지는 새벽부터 일어나 눈을 치운다. 대문으로 향하는 길을 먼저 치우고 화장실까지 길을 낸 다음, 부엌으로 향하는 길, 장독대로 가는 길, 무구덩이로 가는 곳까지 차례로 길을 낸다. 넉가래로 마당에 쌓인 눈을 한쪽으로 밀어 두었다가 아침을 먹고 리어카에 담아 가까운 논에 쏟아 붓는다.

아버지를 도와 눈을 치우고, 늦은 아침을 먹고 나면 대문 밖에서 친구들이 눈싸움을 하자며 소리쳐 이름을 불렀다. 아침을 먹느라 조금 늑장을 부리면 친구 녀석들이 대문간에 눈 뭉치를 던지곤 했다. 그러면 애써 치운 마당에 다시 눈이 쌓였다. 한바탕 눈싸움이 벌어진다. 눈싸움이 시작되면 온 동네아이들이 모두 몰려든다. 네편내편 가리지 않고 눈싸움을 했다. 털실로 짠 장갑이 다 젖어서 얼어붙어도 모를 정도로 눈싸움에 푹 빠져들었다. 동네 골목길에서 시작된 눈싸움은 넓은 들판으로까지 이어지고, 이럴 땐 각자 진지를 구축하고 먼저 진지를 무너뜨리는 쪽이 이기는 방식으로 눈싸움이 전개되기도 했다. 눈이 하얗게 쌓인 들판에서 아이들은 이리 뛰고 저리 뛰다 넘어지고, 엉키고 옷 속에 눈을 집어넣고, 그러다 서로 다투고 그렇게 겨울을 보냈다.

눈썰매도 눈싸움 못지않게 아이들이 즐겨하던 놀이다. 주로 동네 어귀에 있는 언덕길에서 눈썰매를 탔는데, 사람들이 많이 다니는 큰길이어서 여러 명이 동시에 탈 수도 있고 경사가 가팔라 눈을 타고 미끄러져 내려오는 속도도 빨랐다. 가끔 길을 지나는 어른들이 길 미끄럽게 만들지 말라며 한마디씩 하기는 했지만 그렇다고 아이들을 혼내거나 하지는 않았다.

비료포대에 볏짚을 넣어 눈썰매를 만들었는데, 짚이 들어가 푹신했고 비닐로 되어 있어서 잘 미끄러져나갔다. 비료포대로 만든 눈썰매를 들고 줄지어 장등으로 올라가는 아이들의 모습은 눈이 내린 날이면 어김없이 연출되는 시골마을의 풍경이었다. 아주 가끔 트럭이 동네를 지나곤 했는데, 트럭은 아이들이 눈썰매를 타고 내려오느라 얼음판으로 변한 언덕길을 오르느라 고생을 하곤 했다. 트럭운전수는 연탄재를 뿌리고 볏짚을 깔아 간신히 언덕길을 넘어가곤 했다. 이따금 눈썰매를 타던 아이들이 트럭이 장등을 넘어설 때까지 밀어주었다.

이제 시골마을의 눈썰매장은 자취를 감추었다. 대신 사람들은 인공으로 만든 눈썰매장에 간다. 자동차를 타고 몇 시간을 달려 눈썰매장에 가고 붐비는 사람들을 비집고 눈썰매를 탄다. 겨울이면 비료포대에 볏짚을 넣고 눈이 쌓여있는 곳이면 어디서나 눈썰매를 탔던 모습과는 너무나 다르다. 예전엔 눈썰매를 타려고 몇 시간씩 갈 필요도 없었고, 눈썰매를 타려고 돈을 낼 필요도 없었다.

다행히 내가 살고 있는 마을은 도심에 있지만 인근에 야산을 공원으로 꾸며놓은 곳이 있어 이곳에서 아이들이 눈썰매를 탄다. 공원에 오르는 산책로가 경사도 있고 넓어 아이들이 눈썰매를 타고 놀기에 제격인데, 여기서 눈썰매를 탄다고 혼내는 어른은 없다. 예전과 달라진 점이 있다면 비료포대로 만든 눈썰매 대신 마트에서 파는 눈썰매를 이용한다는 것이다. 눈썰매를 타는 풍경은 달라졌지만 눈썰매를 타며 즐거워했던 모습은 지금의 아이들에게도 유년시절의 아름다운 추억으로 기억될 것이다.

썰매와 운동화

겨울이면 짐승들이 겨울잠에 빠지듯 산골마을도 겨울이 되면 바쁜 일손을 멈추고 휴식에 들어간다. 들판에 황금색으로 물들었던 벼 수확도 끝나고, 곳간엔 겨우내 먹을 양식이 그득 쌓인다. 뒷마당 처마 밑엔 길고 추운 아궁이를 따뜻하게 지필 장작이 가지런히 쌓이고, 안방 윗목엔 쌀과 함께 겨울의 주요 양식 중 하나인 고구마가 통가리에 오밀조밀 담긴다. 여름엔 동이 트기도 전에 들판에 나가 일을 하지만 겨울엔 해가 중천에 떠도 바깥출입을 하는 사람이 거의 없을 정도로 조용하기만 하다. 아침밥도 느긋하게 먹는다. 여름에야 하루 세끼를 먹고 중간 중간에 참을 먹는다지만 겨울엔 굳이 그럴 필요가 없다. 느지막이 아침을 먹고 저녁은 일찍 먹는다. 점심은 건너뛰거나 아니면 고구마를 삶아먹는다. 양식을 아끼려는 의도도 있지만, 여름처럼 힘들게 몸을 움직일 일도 없어 배가 쉬 꺼지지 않기 때문이기도 하다. 농부들은 사랑방에 모여앉아 새끼를 꼬거나 가마니를 짜고 아낙들은 안방에 모여앉아 바느질을 한다. 일상적인 산골마을 겨울의 모습이다. 산골의 겨울은 이렇게 고즈넉하다.

온 동네가 적막하지만 겨울에 유일하게 북적이는 곳은 얼음판이다.

어른들은 아이들이 겨울에 놀 수 있도록 벼를 수확한 빈 논에 물을 가득 대놓아 아이들이 꽁꽁 얼어붙어 얼음판 위에서 한겨울을 보낼 수 있도록 배려했다. 얼음판에서 가장 많이 하는 것은 썰매타기다. 썰매는 넓은 송판에 각목으로 받침을 대고 날을 달아 만든다. 썰매에 다는 날은 스케이트 날처럼 생긴 것도 있었지만 굵은 철사를 이용해 만드는 것이 대부분이었다. 굵은 철사를 이용해 만든 철사는 스케이트 날로 만든 썰매처럼 날렵하게 내달리지는 못했지만 그렇다고 굼벵이처럼 느리지도 않았다. 넓은 얼음판 위에 썰매를 타는 아이들이라고 해봐야 열댓 명이 전부여서 빙질은 항상 좋기 마련이었다. 질 좋은 빙질 덕분에 굵은 철사로 만든 썰매도 제 역할을 톡톡히 해냈다. 썰매 꼬챙이는 대못을 이용해 만든다. 밤나무나 박달나무 같은 단단한 나무에 대못을 박고, 못대가리를 잘라 뾰족이 갈면 얼음판을 박차고 나갈 훌륭한 꼬챙이가 된다.

썰매로 가장 많이 하는 놀이는 썰매경주다. 일정한 거리를 정하고 출발선에서 동시에 출발해 먼저 도착점에 도달하는 썰매가 승리한다. 썰매경주가 벌어질 때면 경주에 참가하지 않는 아이들은 얼음판 가장자리로 비켜서 경주를 구경하거나 응원을 했다. 썰매경주를 벌이다가 자빠지는 경우도 허다했는데, 장애물이 없는 얼음판이라 크게 다치는 아이는 없었다.
빠른 속도록 썰매를 타다가 급정거하며 회전을 하거나, 앞 사람이 타는 모양을 그대로 흉내 내기, 몇 대의 썰매를 한꺼번에 연결해 기차처럼 타고 놀기 등 썰매를 이용해 할 수 있는 놀이는 많았다. 눈이 많이 쌓인 날은 썰매장 한 가운데 언덕을 만들거나, 얼음판을 깨서 움푹 들어가게 만들기도 했다. 얼음이 두껍게 얼지 않는 늦겨울에는 도끼로 얼음판을 내려쳐 얼음판을 일부러 깨뜨려놓기도 했다. 썰매가 균열이 생긴 얼음판 위를 지날 때면 마치 청룡열차를 타듯 얼음판이 밑으로 쑥 꺼졌다가 다시 올라오곤 했다.

썰매타기가 지겨워 지면 얼음판에서 축구나 아이스하키를 했고, 팽이를 돌리며 놀았다. 얼음판에서 하는 축구는 볼 컨트롤이 잘 안 되다보니 미끄러워 넘어지는 경우가 많았는데 운동장에서 하는 축구와는 또 다른 재미가 있었다. 스틱 대신 나무작대기를 들고 노는 아이스하키도 무척 재미있는 놀이였다. 스케이트도 없이 맨 운동화를 신고 뛰어다녔지만 아이들의 얼굴에서 웃음꽃이 사라지지 않았다. 그때 나무작대기를 들고 납작한 나무 조각으로 된 공을 치고 놀았던 놀이가 아이스하키라는 것을 안 것은 한참 시간이 흐른 후였다.

팽이는 무겁고 단단한 박달나무를 깎아 만든다. 박달나무를 적당한 크기로 잘라 윗부분은 평평하게 하고 밑으로 내려갈수록 가늘게 깎아나가면 된다. 팽이의 평평한 부분에 갖가지 색을 칠하기도 했다. 팽이 채는 헤져서 버리게 된 옷의 천을 길게 잘라 만들었는데, 채의 끝 부분을 여러 갈래로 만든다. 그래야 팽이를 칠 때 더 잘 돌아가기 때문이다. 팽이를 누가 더 오랫동안 멈추지 않고 돌리는지 내기를 하거나 팽이끼리 서로 부딪쳐 싸움을 걸기도 했는데, 팽팽 잘 돌아가는 팽이가 승리하는 것은 당연했다. 팽이는 좌우 균형이 맞게 깎아야 잘 돌아간다. 또래 중에 팽이를 잘 만드는 아이가 있었는데, 마치 시장에서 사온 것처럼 매끈하게 팽이를 만들었다. 그 아이가 만든 팽이는 언제가 팽이 싸움에서 승리를 거머쥐었다. 겨울이면 굵은 철사로 썰매를 곧잘 만들어주던 아버지는 팽이만은 만들어 주지 않았다. 아버지가 아이들이 팽이를 많이 가지고 논다는 것을 몰랐는지, 아니면 연이나 새총처럼 스스로 만들어 갖고 놀기를 바랐는지는 모르겠다.

얼음판 위의 축구나 아이스하키, 팽이 돌리기도 재미있었지만 무엇보다 겨울놀이의 꽃은 아무래도 썰매타기다. 어쩌다 외발 썰매를 타는 아이도 있었는데, 외발썰매는 균형을 잡기 힘들고 속도가 느리면 넘어지기 일쑤여서 썰매 타는 실력이 뛰어나지 않으면 다루기 힘들었다.

한번은 썰매를 타다가 다른 아이와 싸움이 붙었다. 무슨 이유에서 싸우게 됐는지는 모르지만 썰매장에서 시작된 싸움은 집에 돌아가기 직전까지 계속됐다. 썰매장에서 놀던 아이들이 하나 둘 집으로 돌아가고 우리도 집으로 돌아가기 위해 썰매장을 빠져나왔다. 그러나 싸움이 붙은 아이와는 여전히 감정이 남아있는 상태였다. 썰매장 밖으로 먼저 나온 내가 막 썰매장을 빠져 나오는 아이를 밀어 넘어뜨렸다. 그 아이가 넘어지면서 썰매장 가장자리의 얼음이 깨졌던 기억이 여전한 걸 보면 그렇게 춥지는 않았던 겨울날이었다.

논에 만들어 놓은 썰매장이라 얼음이 깨지면서 넘어졌어도 빠질 정도는 아니었다. 그 아이는 한쪽 발이 얼음 속으로 빠진 정도였고 금방 일어서서 썰매장 밖으로 나왔다. 그런데 밖으로 나온 아이가 한순간 놀란 표정을 짓더니 울음을 터뜨렸다. 발이 얼음 속에 빠졌을 때 운동화가 벗겨진 것이다. 그 시절 어른들은 아이들은 발이 빨리 큰다며 늘 발 크기보다 큰 신발을 사줬다. 그 아이 역시 자기 발보다 큰 신을 약간 헐렁한 상태로 신고 있었다. 그 아이 엄마가 큰맘 먹고 생전 처음 사준 운동화였는데 새로 산 지 불과 며칠밖에 되지 않은, 새 운동화를 빠뜨린 것이었다.

나는 운동화를 잃어버린 아이에게 미안하다고 사과하며 얼음을 깨고 운동화를 찾기 시작했다. 울던 아이도 울음을 멈추고 함께 운동화를 찾았다. 해는 뉘엿뉘엿 넘어가고 주위는 금세 어두워졌다. 그러나 그대로 집에 돌아갈 수는 없었다. 운동화를 잃어버리고 집에 갔다가는 그 아이가 호되게 혼이 날 게 뻔했을 뿐만 아니라, 생전 처음 산 운동화를 그대로 포기한다는 것은 말도 되지 않는 일이기 때문이었다. 우리는 그렇게 한참 동안을 맨발로 얼음을 깨고 들어가 운동화를 찾았다. 앞이 안 보일 정도로 어둠이 내려앉고서야 운동화를 찾아 집으로 돌아올 수 있었다. 집으로 돌아오는 우리는 언제 서로 싸웠냐는 듯 운동화를 찾고는 서로 안도하고 기뻐했다.

지게에 걸린 책가방

누가 그런 생각을 먼저 했는지 모른다. 모두가 장난치기 좋아하는 녀석들이라 누구 입에서 먼저 얘기가 나왔는지도 알 수 없다. 학교가 끝나고 친구들이 우르르 집으로 몰려가고 있을 때였다. 동네 어른 한 분이 나무를 한 짐 해서 집으로 가고 있었다. 그 모습을 본 누군가의 입에서 얘기가 시작됐다. 처음엔 나뭇짐을 얹은 지게에 아이들 책가방 하나를 더 얹어도 무게감에 차이는 없을 것이라는 얘기가 나왔다. 뒤를 이어 무겁기 때문에 조금만 무게를 더해도 금방 알 수 있을 것이란 얘기도 나왔다.

양쪽의 주장이 팽팽히 맞섰고 어느 한쪽이 양보할 기색은 보이지 않았다. 양쪽 모두 일리 있는 주장이었기에 직접 실험해보지 않고는 어느 쪽이 옳은지 알 수 있는 방법이 없었다. 급기야 가방을 직접 지게에 걸어보자는 의견이 나왔다. 그렇게만 할 수 있다면 누구의 주장이 옳은지 금방 확인할 수 있겠지만, 문제는 누가 지게 위에 가방을 거느냐는 문제가 남아있었다. 나뭇짐을 지고 힘들게 걸어가는 어른의 지게에 가방을 걸었다가 들키기라도 하는 날에는 혼쭐이 날 것은 뻔하고 잘못하면 지게작대기에 두드려 맞을지도 모를 일이었다.

더군다나 지게를 지고 가는 어른은 동네에서도 엄하기로 둘째가라면 서운하실 어른이었고, 어른들 중에서도 나이가 가장 많은 편에 속하셨다. 그런 어른의 지게에 책가방을 얹는 행위는 돌멩이를 껴안고 스스로 물속으로 뛰어드는 것과 다를 바 없는 일이었다. 모두들 그건 말도 안 되는 소리라며 고개를 절레절레 흔들고 있는데 갑자기 한 녀석이 나를 가리키며 '네가 한번 해 보라'고 부추겼다. 내 가방이 손잡이 부분이 커서 지게에 쉽게 걸 수 있고, 키도 작으니 지게 뒤로 살금살금 걸어가면 들킬 염려도 없다고 장황하게 설명했다.

호기심이 발동하자 일은 걷잡을 수 없이 커졌다. 다른 친구들이 덩달아 성화를 부리기 시작했다. 가방에 지게를 거는 일은 진짜 멋진 일이라는 어처구니없는 말부터 시작해서 그 일을 할 수 있는 사람은 나밖에 없다는 사탕발림으로 꼬드겼다. 내가 시큰둥한 반응을 보이는 사이에 자기네끼리 편을 갈라서 엿장수가 오면 지는 쪽이 이기는 쪽에 엿을 한 가닥씩 사주기로 내기까지 거는 지경에 이르렀다. 그리고 나는 '용감히' 가방을 거는 사람이니 무조건 엿을 주겠노라 약속을 했다. 그 말이 솔깃하게 귓전을 울렸다. 어느 편이 이기든 나는 무조건 엿을 먹을 수 있었다.

결국 나는 못된 실험을 검증하는 임무를 떠맡았다. 친구들은 한참 떨어져 조용히 쫓아오고 나는 살금살금 지게 뒤로 다가갔다. 걸리지 않고 지게 뒤로 접근하는 것은 성공했지만, 가방을 거는 일은 쉽지 않았다. 지게를 진 걸음을 옮길 때마다 지게의 높이가 올라갔다 내려갔다 했기 때문이다. 내가 뒤를 돌아보며 손사래를 쳤지만 친구들은 어서 가방을 걸라며 소리 없는 아우성을 치며 킬킬댔다. 그렇게 몇 번의 시도 끝에 드디어 지게에 책가방을 거는데 성공했다. 그리곤 뒤를 돌아보며 신호를 보내고 다시 지게 뒤를 졸졸 쫓아갔다.

하지만 몇 걸음 못 가서 금방 들통이 나고 말았다. 내 발걸음 때문인지 책가방에서 나는 빈 도시락 소리 때문인지는 잘 모르겠다. 가방을 지게에 걸고 불과 몇 걸음 못가서 '어떤 녀석이냐'며 어른이 걸음을 멈췄고, 나는 재빠르게 책가방을 빼들고 인근 논둑으로 잽싸게 숨었다. 뒤따라오던 녀석들은 저희들끼리 쑥덕대느라 내가 숨는 걸 보지 못했다. 지게를 땅에 세운 어른이 뒤를 돌아보며 '어떤 녀석이 장난질이냐'며 소리를 지르고 나서야 친구들은 뭔가가 잘못됐다는 걸 깨달았다. 친구들이 어른에게 붙잡혀 혼찌검이 나는 볼만한 광경을 뒤로 한 채, 나는 논둑길을 살살 기다가 냅다 집으로 달음박질쳤다.

한참 뒤, 집으로 돌아온 친구 녀석들은 어른을 희롱한 반성의 기미 따위는 없이 여전히 그 실험의 결과를 갖고 입씨름을 하고 있었다. 가방을 지게에 걸었는데 들키지 않았으니 가방의 무게감은 없었다는 주장과 얼마 못가서 들키고 말았으니 가방의 무게 때문이 아니겠냐는 주장이 다시 팽팽히 맞섰다. 그날의 내기는 양쪽편이 서로 옳다고 우기다 끝이 났다. 결국 나는 엿을 얻어먹지 못했다.

설날

어머니의 설날은 다른 사람들 보다 며칠 앞당겨온다. 설날에 쓸 음식을 미리 준비해야 하기 때문이다. 엿은 섣달에 고아놓은 것을 사용하지만 다식, 과자, 가래떡 등 다른 음식들은 보통 열흘이나 일주일 전부터 준비한다. 세배를 오는 손님들까지 대접하려면 양도 넉넉해야 한다.

다식은 보통 쌀다식, 송화다식, 콩다식, 검은깨다식, 잡곡다식 등 다섯 가지를 준비한다. 각각의 곡물을 익혀서 가루로 만든 다음, 조청을 섞어 반죽을 하고 이를 다식판에 넣고 찍으면 여러 모양의 다식이 완성된다. 다식은 재료에 따라 흰색(쌀), 연노란색(송화), 파란색(청태), 검은색(검은 깨) 등 여러 가지 색깔을 띤다. 다식판에는 다섯 개의 틀이 있는데 각각의 틀에 각기 다른 다섯 개의 재료를 넣고 한꺼번에 찍어낸다. 다식판을 한번 찍어낼 때마다 오색의 다식이 완성되는 것이다.

다식 중에서 가장 맛있는 것은 송화다식이다. 송화다식은 다른 다식에 비해 부드럽고 단맛이 강해 아이들이 특히 좋아했다. 하지만 송홧가루는 채취하기가 어려워 많은 양을 만들지 못했다. 어머니는 보통

사랑방에서 다식을 만들었다. 다식을 만들 때면 어머니 옆에 찰싹 달라붙어 혹시나 송화다식을 하나 맛볼 수 있지 않을까 입맛을 다시곤 했지만 어머니는 차례 상에 올릴 것도 모자란다며 송화다식 대신 쌀다식이나 콩다식을 하나 쥐어줄 뿐이었다. 송화다식을 맛보지 못해 아쉽기는 했지만 쌀 다식이나 콩 다식도 조청으로 반죽해 입맛을 달래기엔 충분했다.

과자는 밀가루를 반죽해 만든다. 어머니는 밀가루 반죽을 마치 국수를 만드는 것처럼 넓게 펴서 네모나게 잘라낸다. 네모로 잘려진 밀가루 반죽에 젓가락으로 구멍을 뚫거나 가운데 홈집을 내 중간을 뒤집으면 꽈배기처럼 꼬아진 과자 모양이 완성됐다. 신기했던 건 가로 2센티미터, 세로 5센티미터 정도 밖에 되지 않는 크기인데 가운데 홈집을 내면 잘려지거나 끊어지지 않고 중간 부분이 뒤집어진다는 것이다. 어린 내가 보기엔 틀림없이 중간 부분에서 툭 끊어질 것 같지만 신기하게도 밀가루 과자는 끊어지지 않고 뒤틀린 모양을 유지했다. 그럴 때 어머니의 손은 마치 마술사의 손 같았다. 밀가루 반죽이 어머니의 손을 거쳐 날렵하고 예쁜 모습으로 변하고 난 뒤, 기름에 살짝 튀겨내면 밀가루 과자가 완성되었다. 어머니는 완성된 밀가루 과자에 귀하디귀한 설탕을 살짝 뿌렸다. 이렇게 만든 밀가루 과자는 토광 선반 위에 보관해 두었다가 차례 상에 올렸다.

설날을 앞둔 방앗간의 풍경은 줄지어있는 빨간 고무통과 하얀 수증기, 두 개의 구멍에서 쑥쑥 뽑혀져 나오는 김이 풀풀 나는 가래떡과 따뜻한 사랑방이 떠오른다. 인근 오 리 안에 가래떡을 뽑을 수 있는 방앗간이 한 곳 밖에 없다보니 설날을 앞둔 방앗간은 그야말로 북새통이다. 이른 아침부터 오 리 길을 걸어온 아낙들이 이고 온 쌀가루를 빨간 고무통에 쏟아 부으면 주인은 간을 했는지 먼저 물어본 다음, 적당량의 소금을 끼얹어 간을 맞췄다. 주인은 간혹 엄지와 검지로 쌀가루를 집어 입에 털어 넣으며 간이 맞는지 맛을 보기도 했다.

고무통에 담겨진 쌀가루는 순서를 기다렸다가 찜통으로 옮겨진다. 네모나게 생긴 찜통은 연신 쌀가루를 쪄내느라 가쁘게 하얀 김을 뿜었다. 그 모습은 마치 옛날 영화에서 기차가 출발할 때 뿜어져 나오는 연기 같기도 했다. 보슬보슬했던 쌀가루가 찜통에서 적당히 익어 찰기가 더해지면 가래떡을 뽑아내는 기계에 붓는다. 넓적하게 생긴 입구에 잘 쪄진 쌀가루를 쏟아 부으며 나무공이로 꾹꾹 눌러내면 두 개의 동그란 구멍으로 가래떡이 연신 뽑아져 나온다. 가래떡이 나오는 곳엔 두세 명의 아낙들이 쪼그리고 앉아 한 명은 가위로 가래떡을 일정한 크기로 잘라내고 다른 두 명은 잘려진 가래떡을 찬물로 헹궈내는 역할을 담당했다. 떡 주인은 이렇게 나온 가래떡을 가지고 온 고무통에 담는다. 갓 만들어진 가래떡을 주위 사람들에게 나눠주는 일도 잊지 않는다. 아낙들은 주인이 건네준 가래떡을 먹으며 맛있다며 웃음꽃도 피어올랐다.

가래떡을 뽑는 방앗간은 쌀을 쪄내고 가래떡을 뽑아내는 과정에서 발생하는 수증기가 늘 가득 찼다. 그 수증기에선 고소한 냄새가 났다. 가래떡을 만들기 위해 며칠 동안 수고한 시골 아낙들의 값진 희생과 설날에 대한 기대로 들떠있는 꼬맹이들의 설렘도 묻어났다. 방앗간을 가득 채우고 있던 수증기는 미닫이로 된 방앗간 문이 열리면 앞 다퉈 방앗간을 빠져나갔다. 수증기의 모습은 역동적이고 황홀했다. 그 모습은 마치 어마어마한 물보라를 일으키며 웅장하게 떨어지는 폭포수 같다. 폭포수는 땅으로 떨어지지만 방앗간의 수증기는 하늘로 오른다. 하늘로 오른 수증기가 정겨운 설날의 소식을 전하면 조용하던 시골마을이 술렁이기 시작한다.

설날을 앞둔 방앗간은 그야말로 북새통을 이루기 마련이라, 주인 혼자서는 도저히 일을 감당할 수 없을 지경이 된다. 끊임없이 몰려드는 사람들로 방앗간은 분주하다. 하지만 네일 내일 가리지 않고 도움을 주고받는 일에 익숙한 시골 아낙들은 분주한 방앗간에서도 척척 손발을 맞춘다.

아낙들은 시키지 않아도 순서대로 가래떡을 뽑아내는 기계에 나무공이질을 하고 가위로 가래떡을 잘라내고 가래떡을 찬물에 헹궈내는 역할을 분담한다. 당신네 가래떡이 네 번째 순번이 되면 나무공이질을 하고 세 번째 순서가 되면 뽑혀 나오는 가래떡을 가위로 잘라내고 두 번째 순번이 되면 가래떡을 찬물에 헹궈낸다. 그리고 드디어 본인의 가래떡이 뽑아져 나올 때면 역시 다른 아낙들이 똑같은 과정을 되풀이하고 본인은 다른 아낙들의 도움을 받아 가래떡을 집으로 가져가기 좋게 가지런히 담는다.

아침 일찍 방앗간에 가더라도 보통은 점심때나 되어서야 가래떡을 뽑아갈 수 있다. 방앗간 주인은 기다리는 사람들을 위해 사랑방에 장판이 탈 정도로 불을 지피고 아낙들은 거기에서 사는 얘기를 나누며 삶의 고단함을 달랬다. 사랑방에는 연신 갓 뽑아져 나오는 가래떡이 조청과 함께 들어오고, 꼬맹이들은 조청에 가래떡을 찍어먹으며 조잘대다가 두꺼운 이불을 뒤집어쓰고 잠이 들곤 했다.

설날 아침이 되면 어머니와 작은 어머니의 도란거리는 소리에 잠을 깼다. 어머니가 이른 새벽부터 아궁이에 불을 지펴 구들방은 따뜻했다. 창호지 사이로 기분 좋은 설날 아침 햇살이 쏟아져들어 왔다. 어머니와 작은 어머니의 속삭임과 창호지 사이로 쏟아지는 햇살을 받는 설날의 아침은 평온하고 행복했다.

설날의 아침은 여느 아침과 다르다. 기름진 음식 냄새가 집안을 가득 메우고 어른들의 얼굴에도 웃음이 가시질 않는다. 꼬맹이들도 이른 아침부터 '까치 까치 설날'을 노래하며 마당을 뛰어다녔다.

정성스럽게 차려진 음식으로 차례를 지내고 친척들이 둘러앉아 새해 첫 식사를 함께 했다. 평소에는 맛보기 힘든 쇠고기, 돼지고기, 닭고기가 푸짐하게 차려지고 전과 나물도 한 가득이었다.

차례를 지내고 나면 웃어른들께 세배를 했다. 요즘에야 세배를 하면 세뱃돈을 주는 걸 당연하게 여기지만 예전에는 세배를 한다고 해서 세뱃돈을 주지는 않았다. 세뱃돈 대신 웃어른들로부터 한해를 축복하는 덕담을 들었다. 가족들 세배가 끝나면 성묘를 다녀온 다음, 같은 동네에 살고 있는 친척들에 세배를 했다. 동네에 사는 친척들에게 세배가 끝나면 다음에는 동네에서 가장 나이가 많은 할아버지, 할머니가 사는 집부터 찾아가 세배를 했다. 이렇게 설날에는 온 동네를 돌아다니며 세배를 했다.

보통, 어른들은 세배를 하러온 아이들에게 떡과 과일, 감주를 내주었다. 하지만 돼지농장을 하고 있는 윗마을 정씨 아저씨는 세뱃돈을 주었다. 정씨 아저씨는 설날이 되면 십 원짜리를 잔뜩 준비해 놓고 세배를 하러오는 아이들에게 십 원짜리 하나씩을 쥐어주었다. 그 시절에는 세뱃돈을 받을 수 있는 유일한 곳이라 꾀 많은 아이들은 다른 사람들보다 빨리 정씨 아저씨네로 세배를 가기 위해 서둘렀다. 행여 세배를 하러오는 아이들이 많아 정씨 아저씨가 준비한 세뱃돈이 동나면 어떻게 할까하는 고민이 설날의 유일한 고민거리였다.

아이들이 세배를 오면 떡과 과일을 냈지만 성년이 된 사람들이 세배를 오면 여기에 술을 더했다. 어른들은 이집저집 세배를 다니며 한두 잔씩 술을 마시게 되고 그러다 보면 거나하게 취기가 오르기도 했다. 어느 해 설날, 그렇게 취기가 오른 여섯 살 터울의 선배가 자신에게 세배를 하면 세뱃돈 100원을 주겠다며 으스댔다. 세배는 집안 어른이 아니면 결혼을 한 기혼자들에게 하는 것인데 이제 갓 고등학교를 졸업한 여섯 살 터울의 동네 선배에게 세배를 하는 건 말도 안 되는 일이었다. 하지만 나는 세뱃돈 100원에 욕심이 나 눈을 질끈 감고 넙죽 세배를 했다. 다행이 그 선배는 진심이었고 나는 당시로써는 도저히 손에 쥐어볼 일이 없는 100원짜리 동전을 세뱃돈으로 받았다. 그 알토란같은 100원을 주머니에 넣고 다니다가 혹시라도 잃어버릴까봐 담장 밑에 고이 묻어두었다. 그렇게 안심이 되자 밖으로 나가 또래들과 제기도 차고 딱지치기도 하며 신나게 뛰어 놀았다. 그런데 노는 데 정신이 팔려 세뱃돈을 묻어둔 걸 까맣게 잊어버리고 말았다. 며칠 뒤 갑자기 생각이 나서 담장 밑을 헤집고 다녀보았지만 숨겨둔 100원은 영영 찾을 수가 없었다.

달집태우기

정월대보름이면 아침 일찍 눈을 뜬다. 대문을 열고 밖으로 나가 처음 마주치는 사람의 이름을 부른다. 더위를 팔기 위해서다. 부르는 소리를 듣고 상대방이 대답을 하면 '내 더위 사가'라고 말한다. 정월대보름날 더위를 팔면 그 해는 더위를 먹지 않는다고 했다. 그렇다고 더위를 산 사람이 여름 내내 다른 사람보다 더 더워하거나 더위를 판 사람이 시원한 여름을 보내지는 않는다. 더위를 파는 건 예부터 내려오는 전통풍속이고 재미있는 놀이였다.

더위를 팔고 집으로 돌아오면 어머니는 차려 준 오곡밥에 오색나물로 아침밥을 먹는다. 오곡밥을 한술 뜨고 뜨끈한 국물을 마시면 밤새 허했던 속이 든든해진다. 정월대보름엔 밥을 열 그릇 먹고 산에 가서 나무도 열 짐을 해갖고 와야 한다고 어른들은 말했다. 하지만 아이들에겐 그것보다 중요한 일이 있었다. 대보름날 밤에 할 수 있는 달집태우기와 망우리 놀이였다.

대보름이면 빈 들판에 생솔가지로 높게 나뭇단을 쌓고 불을 붙이는 달집태우기를 했다. 달집태우기가 액운을 막아주고 한 해의 풍년을 점치는 전통놀이라는 것을 알게 된 것은 나중의 일이다. 아이들에겐 다른 무엇보다 이웃동네보다 더 높게 달집불꽃을 피워 올리는 게 중요했다. 언제부터인가 이웃동네와 달집태우기 경쟁이 시작됐다. 그전에는 서로 언제 어디서 달집을 태우는지 관심을 두지 않았다. 그런데 어느 해인가 서로 비슷한 시간에 달집에 불을 붙이게 됐고 이웃동네의 불길 올라가는 모습까지 환히 볼 수 있었다. 그 해에 이웃동네보다 불길을 더 높게 치솟게 하고 달집도 더 오래 불타오르게 하는 경쟁 아닌 경쟁이 시작됐고, 이후 매년 대보름마다 경쟁은 반복됐다.

아이들은 점심때부터 모여 나뭇단을 쌓기 시작한다. 여름 내내 고추말뚝으로 사용됐던 나무막대를 모으고 산에 가서 마른 나뭇가지와 생솔가지를 꺾어온다. 나뭇단을 쌓다가 손이 닿지 않으면 다른 사람의 어깨를 밟고 올라가 쌓고, 그래도 성에 차지 않아 생솔가지를 나뭇단 위로 휙휙 던져 올린다. 해가 떨어지기 전에 준비를 마치고 집에 돌아가 이른 저녁을 먹고는 다시 들판으로 모인다. 그러면 어느 쪽이 먼저 불을 붙이느냐하는 문제가 남는다. 먼저 불을 붙이는 쪽이 불도 일찍 사그라지기 때문에 서로 눈치를 본다. 그렇게 대치하고 있다가 보름달이 휘영청 하늘로 솟아오르면 누가 먼저랄 것도 없이 달집을 태우기 시작한다.

달집에서 피어오른 불꽃이 밤하늘로 솟아오르고 아이들은 달집 주위

를 뛰어다녔다. 신이 나서 빈 들판을 뛰어 다니다가 고꾸라지기도 했
다. 아이들의 꿈을 하늘로 올려 보낸 달집이 사그라질 때쯤이면 망우
리를 돌리기 시작한다. 망우리는 빈 깡통에 숭숭 구멍을 뚫고 철사 줄
을 길게 묶어 바싹 마른 나뭇가지를 넣고 불을 붙인 다음 손으로 빙빙
돌리는 놀이다.

망우리 놀이를 하기 위해선 미리 준비를 해야 한다. 가장 중요한 것은
망우리 놀이에 사용할 깡통을 구하는 일이다. 시골마을에 변변한 가
게 하나 없던 시절이라 빈 깡통을 구하기가 쉽지 않았다. 아이들은 산
과 들을 뛰어다니며 놀면서도 틈만 나면 빈 깡통을 찾아 나섰는데, 알
맞은 크기의 빈 깡통을 하나 구하면 그 해 망우리 준비는 끝난 것이나
마찬가지다. 빈 깡통을 구하면 깡통에 알맞은 크기의 나무를 안에 집
어넣고 못을 이용해 구멍을 뚫는다. 입구에 철사 줄까지 매달고 나면
이제 남은 일은 깡통에 넣어 불을 붙일 고주박을 구하는 일이다. 나무
를 베어내고 남은 바싹 마른 밑둥치나 가지를 동네에선 고주박이라
불렀다. 비료포대로 한 가득 고주박을 준비해야 대보름에 모자라지
않게 망우리 놀이를 할 수 있다.

아이들은 밤이 깊을 때까지 망우리를 돌리며 들판을 뛰어다녔다. 누
구의 망우리가 더 활활 타오르고 잘 돌아가는지를 놓고 경쟁을 벌이
기도 했다. 망우리가 빨리 돌아갈수록 불길을 활활 타올랐고, 나뭇가

지를 집어넣기 위해 돌리기를 멈추면 불길을 잦아들었다. 그렇게 밤이 깊도록 놀다가 맨 마지막에는 망우리를 힘껏 공중으로 집어던졌는데 그럴 때면 불꽃 별들이 하늘 가득 쏟아져 내렸다.

어느 해 인가, 그렇게 던진 망우리 불꽃이 이웃집 아저씨가 추수하고 쌓아 놓은 볏짚에 옮겨 붙은 적이 있다. 망우리 놀이를 하던 아이들이 불을 끄기 위해 모두 달려들었다. 어떤 아이는 불이 붙은 짚단을 빼내고 어떤 아이는 불길이 번지지 못하도록 주위의 짚단을 치웠다. 그렇게 난리를 피운 끝에 불길을 잡았지만 이미 꽤 많은 양의 볏짚이 타버린 후였다. 며칠 뒤 아버지는 이웃집 아저씨에게 리어카로 우리 집에 있는 볏짚을 실어다 주어야 했다.

이제 달집태우기는 TV에서나 볼 수 있게 됐다. 대보름이면 각 지자체에서 한 해의 액운을 쫓고 소원도 빌기 위해 공설운동장이나 백사장 등에서 달집태우기 행사를 하지만 왠지 형식에만 치우치는 것 같다. 지자체장을 비롯한 단체장들이 나와 달집에 불을 붙이고 시민들은 빙 둘러 그 모습을 지켜보는데 어렸을 때 빈 들판에서 하던 달집태우기처럼 재미있어 보이진 않는다. 다시금 그 시절로 돌아가 맘껏 뛰어다니며 달집도 태우고 망우리도 돌려볼 수 있다면 얼마나 좋을까.

변소는 무서워

어려서 부터 부터 초저녁잠이 많아 밤 9시가 되면 졸렸다. 9시 뉴스가 시작되기 전 TV에서 흘러나오는 '어린이 여러분, 이제 잠자리에 들 시간입니다' 라는 소리가 자장가처럼 들렸는데, 어떤 날은 이 소리도 듣지 못하고 잠드는 경우도 있었다.

초저녁잠이 많은 대신 새벽잠이 없다. 9시에 잠을 자면 새벽 4시면 일어나는데 눈을 뜨면 제일 먼저 하는 일이 화장실에 가는 거다. 부모님이 깨지 않도록 조용히 방을 빠져 나와도 어찌 아셨는지 내가 잠자리에서 깨어나면 항상 같이 일어난다. 어떤 날은 방문을 나서는 나에게 '변소에 가냐' 며 물어보고, 어떤 날은 변소에 갔다가 집안으로 들어오는 소리를 듣고 '변소에 갔다 오냐' 며 기척을 했다.

변소는 안방과 멀리 떨어져 뒷산과 이어지는 담장 바로 앞에 있었는데, 안방에서 변소까지 걸어가는 길이 천리 길처럼 느껴졌다. 여름에는 그럭저럭 괜찮지만 추운 겨울새벽에 변소까지 걸어가는 건 보통 문제가 아니었다. 그러나 추위보다도 곤란한 건 변소에 가는 시간이 깜깜한 밤중이라는 사실이다. 동이 트려면 한참을 더 기다려야 하는 어두운 새벽에 홀로 변소에 앉아있기가 정말 싫었다.

변소는 온갖 공포가 자라는 곳이다. 변소 아래서 손이 쑥 올라와 '빨간 종이 줄까, 파란 종이 줄까' 물어본다는 고전부터 시작해 변소에 빠져 죽은 어린 아이 이야기, 변소에서 목을 맨 처자의 이야기가 끝없이 떠올랐다. 밤 12시에 변소에 가서 대야에 물을 떠놓고 입에 가위를 문 다음 가만히 물을 바라보면 미래의 배우자를 볼 수 있다는 황당무계한 이야기도 떠돌았는데 미래의 배우자에 대한 궁금증과 밤 12시에 화장실에 앉아 있어야 한다는 공포감이 동시에 교차되는 묘한 기분이 단순한 공포와는 차원이 달랐다. 말도 안 되는 소리라며 친구들끼리 티격태격 하다가 오늘 밤에 한번 해보자는 이야기가 나왔지만 실천에 옮기는 친구는 없었다. 예전에 어떤 총각이 그렇게 해서 배우자의 얼굴을 봤는데 너무 놀라 입에 물고 있던 가위를 물속에 떨어뜨렸다는 이야기가 있었는데 나중에 결혼을 했는데 배우자의 이마에 상처가 있더라는 결말로 이어졌다.

지금 생각해 보면 헛웃음밖에 안 나오는 이야기지만 당시 어린마음에는 하루에도 몇 번씩 드나드는 변소에 온갖 무서운 이야기가 도사리고 있었기에 심각한 문제가 아닐 수 없었다. 그런 이야기를 듣고 나면 환한 대낮에도 변소에 가기가 겁났고, 볼 일을 보다가도 오싹한 기분이 들어 몸을 부르르 떨기도 했다. 낮에도 기분 나쁜 변소를 밤에 혼자서 간다는 건 엄두도 내지 못할 일이었다. 불빛 하나 없는 어두운 밤중에 집에서 멀찍이 떨어져있는 변소에서 꼭 무엇인가 튀어나올 것 같았다. 거적을 달아놓은 변소가 덩치가 어마어마한 귀신의 입처럼 보이기도 했다.

밤에 자주 변소에 드나들었던 나는 귀신 얘기를 싫어했다. 그러나 친구들끼리 모여 수다를 떨다보면 귀신 얘기가 빠질 수가 없다. 서울에서 놀러온 사촌동생들은 특히 무서운 얘기를 좋아했다. 저녁밥을 먹고 옹기종기 방에 둘러 앉아 있으면 사촌동생은 무서운 얘기를 해달라고 졸랐다. 집에 놀러온 친구 녀석은 신이 나서 자기가 알고 있는 온갖 귀신 이야기보따리를 풀었다. 친구 녀석은 무서운 이야기를 실감나게 잘 표현했다. 느린 속도로 조용조용히 얘기하다가 어느 순간 속도가 빨라지고 고개를 이리저리 돌리며 눈을 껌벅이며 표정을 섞어 이야기를 하는데 얼마나 실감나던지 어느새 나도 귀를 쫑긋 세우고 이야기에 빠져들었다. 그러다가 친구 녀석이 갑자기 소리를 지르면 서로 이불을 집어 당겨 뒤집어썼다.

식구들이 아직 잠에서 깨어나지 않은 어두운 새벽, 눈을 뜨자마자 변소에 가고 싶었던 나는 엄습하는 공포와 싸우며 날이 밝을 때까지 눈물이 찔끔 나도록 참아야 했다. 그러다가 도저히 견디지 못하면 사랑방에서 주무시고 있는 할머니를 깨웠다. 변소에 가고 싶다고 말하면 할머니는 조용히 따라 나와 변소 앞에서 나를 지켜 주었다. 나는 변소에 앉아 '할머니 아직 거기 있지?' 라는 말을 몇 번이고 되풀이 했다.

지금이야 고급 화장지를 사용하지만 당시 시골에서는 변변한 종이 한 장 없었다. 휴지나 종이대신 변소에서 사용했던 것은 볏짚이다. 볏짚을 추려 지푸라기를 없애고 말끔하게 다듬어 변소 벽면에 세워두고 조금씩 뽑아 사용했다. 변소에 들어가기 전에 반드시 볏짚이 있는지를 확인부터 했다. 식구들이 모두 들에 나가고 아무도 없는 집에서 혼자 변소에 갔다가 볏짚이 없으면 보통 낭패가 아니었다.

변소에서 종이를 쓰기 시작한 건 시골마을에 신문이 배달되기 시작하면서부터였다. 비록 하루 이틀 늦은 신문이 배달되기는 했지만 종이 한장 구할 수 없는 시골에서 신문은 축복과 같았다. 할머니와 부모님은 변소에서 신문을 사용하면 개운하지 않다고 말하시며 끝끝내 볏짚을 사용했지만 나는 아랑곳하지 않고 신문지를 사용했다. 변소에 갈 때마다 신문지를 들고 가는 내게 할머니는 '예전에는 볏짚도 귀해 새끼줄을 매달아놓고 사용했다' 는 말을 지나가는 말처럼 했다.

겨우내 얼어있던 땅이 풀리고 밭에 모종을 심을 때가 다가오면 아버지는 변소에 가득 차있는 인분을 퍼서 두엄자리에 뿌렸다. 변소는 1년에 한 번씩 봄이 돼야 퍼냈는데, 아버지는 며칠 동안 그 일만 반복했다. 비록 지독한 냄새가 나긴 했지만 나는 아버지가 변소를 치우는 걸 기다렸다. 인분이 치워지면서 변소에서 냄새도 덜 나고, 변소가 비워질수록 변소에 사는 무서운 이야기들도 사라졌다.

내가 결혼을 하고 나서 아버지는 서울에서만 자란 아내가 시골에 오면 화장실에 갈 수 없어 고생이라고 하자 그길로 세면장을 만들고 거기에 양변기가 설치했다.

국수

찬바람이 매섭던 겨울 어느 날, 연탄을 나르는 봉사 현장에 취재를 갔다. 봉사활동을 나온 사람들과 이야기를 나누고 사진도 촬영했다. 그렇게 취재를 마치고 돌아서는데 통장님이 불러 세운다. 국수를 삶았다며 먹고 가란다. 집안으로 들어서자 주민들이 소박한 밥상에 금방 삶은 국수를 건져 말아준다.

솜씨가 없어서 맛이 어떨지 모르겠네. 뭐 넣을 것도 없고 그냥 삶은 거라서……. 통장님의 말끝이 흐려진다. 국수에 김치를 얹어 후루룩 한입 먹는다. 맛있다. 시골에 계시던 어머니가 삶아주시던 국수와 같은 맛이다.

국수 정말 맛있어요. 김치도 맛있고요. 이 김치는 어떻게 담근 거래요. 한 그릇 뚝딱 비우고 국수가 남았으면 더 달라며 빈 그릇을 내밀었다. 통장님이 손으로 국수를 집어 그릇에 넣어준다. 옆에 있던 동네 분이 젓가락으로 해야지 왜 손으로 그러냐며 한소리 거든다. 통장님이 이렇게 손으로 줘야 더 맛있는 거라며 껄껄 웃는다. 국수를 왜 좋아하게 됐는지는 모르겠다. 어렸을 때부터 국수를 좋아했다.

어머니는 국수를 자주 삶아주셨다. 양은으로 만든 함지박에 밀가루를 넣고 물을 조금씩 부어가며 반죽을 만들고 홍두깨로 쓱쓱 밀어 넓게 편 다음 칼로 채를 썰 듯 잘라내면 국숫발이 완성됐다.

밀가루가 반죽으로 변해가는 과정은 신기했다. 가루가 뭉쳐져 반죽이 되는 것도 신기했지만 백옥보다 하얀 밀가루가 누렇게 변하는 것도 신기했다. 밀가루 반죽이 누렇게 변하는 건 어머니의 손 때문이라고 생각을 했다. 어머니의 손이 밀가루 반죽처럼 누랬기 때문이다. 어머니의 손은 한시도 편할 날이 없다. 봄부터 가을까지는 농사일로 쉴 틈이 없었고 겨울이면 털실로 장갑을 짜고 스웨터를 짜고 밤이면 바느질을 하느라 늘 바빴다. 어머니의 손은 흙을 닮았다. 평생을 흙을 만지던 손이 흙을 닮는 건 당연한지도 모른다. 마른 흙을 닮은 어머니의 손은 거칠고 갈라져있었다. 손으로 치댄 밀가루는 어머니의 손에 배어있는 흙을 빨아들여 누래졌고 그럴수록 어머니의 손은 밀가루처럼 하얘졌다.

다된 밀가루 반죽은 회 포대를 바닥에 깔고 홍두깨로 밀어 넓게 편다. 홍두깨에 밀가루 반죽이 둘둘 말리고 그 위를 어머니의 손이 미끄러지듯 움직인다. 어머니의 손에서 '챠락챠락' 소리가 났다. 어머니의 손길이 스치고 지나갈수록 밀가루 반죽은 넓어졌다.

두툼했던 밀가루 반죽이 밥상 두 개 정도로 넓어지면 이불 포개듯 접어 도마에 올려놓고 칼로 썰었다. 동강동강 칼로 썰어놓은 면발은 자로 재어 썬 듯 일정했다.

끓는 물에 면발을 넣고 전통간장으로 알맞게 간을 했다. 이렇게 끓인 칼국수에 다진 고추를 섞어 김치를 얹어먹으면 정말 맛있었다.

여름에는 봉당에 걸어놓은 양은솥에 국수를 끓였다. 특히 비 오는 여름날에 자주 국수를 해 먹었다. 마당에 떨어지는 빗소리에 국수 삶는 소리가 파묻혔고 면발을 넣은 양은솥에선 나뭇가지에 매달린 빗방울처럼 볼록볼록 물방울이 솟아났다.

집에서 해먹는 칼국수가 투박하고 껄쭉한 맛이라면 잔칫집에서 먹는 국수는 깔끔한 맛이 났다. 공장에서 만든 가는 면발은 후루룩 입속으로 넘기기 편했고, 국수 위에 얹은 계란, 실고추는 국수의 맛을 더해줬다.

옛날, 아버지와 어머니는 집에서 기르던 소를 팔아 서울로 상경했다. 봉천동에 세를 얻어 서울살림을 시작했던 부모님은 불과 일 년을 버티지 못하고 다시 시골로 내려왔다. 농사만 짓던 부모님이 서울에 뿌리를 내리고 산다는 건 생각처럼 쉽지 않은 일이었다.
우리 가족은 서울살림을 시작하고 나서 대부분 국수로 끼니를 때웠다.

아버지가 돈을 벌어 보겠다고 나섰지만 쉽지 않았다. 날이 갈수록 소
판돈은 야금야금 없어졌고, 끼니도 하루 세 끼에서 두 끼로 줄었다.

어느 날, 시골에서 함께 살던 아버지의 외사촌 동생이 봉천동으로 놀
러 왔다. 어머니는 대접할 것이 마땅찮다며 국수를 삶았다.
어머니는 식구들 저녁거리였던 국수를 푹 퍼지도록 삶았다. 세 명이
먹을 국수를 네 명이 먹을 수 있도록 푹 퍼지게 삶아 대접한 후에 어
머니는 그날 저녁 아버지에게 다시 시골로 가자는 말을 꺼냈다.

어머니는 요즘도 가끔 국수를 삶는다. 이모가 먼저 세상을 뜨고 왕래
가 뜸했던 이모부가 친척 결혼식에 참석한 길에 집에 온다는 전화를
받고 나서도 부랴부랴 밀가루 반죽을 해서 국수를 삶았다. 이모부는
어머니가 삶아주신 국수를 먹으며 이렇게 맛있는 국수는 처음 먹어본
다며 껄껄 웃었다. 동네어귀에 걸어 놓은 스피커에서는 마을 대청소
를 할 계획이니 동민 여러분은 회관 앞으로 나와 달라는 방송이 흘러
나오고 있었다.

밥

밥을 한다. 쌀 두 컵을 푸고 잡곡도 조금 퍼 담는다. 잡곡엔 까만 콩도 섞여있다. 오톨도톨한 양재기에 쌀과 잡곡을 넣고 수돗물을 틀어 빡빡 씻어낸다. 쌀뜨물을 따라낸 다음. 맑은 물이 나올 정도로 서너 번 더 씻어낸다. 전기밥솥에 쌀을 안치고 손등에 물이 찰랑거릴 정도로 밥물을 맞춘다.

전기밥솥은 1인용이다. 앙증맞게도 생겼다. 그래도 취사, 보온 등 기본적인 기능은 모두 갖추고 있다. 그런데 콩이 설익는다. 4~5인용의 전기 압력밥솥은 콩도 잘 익고 밥에도 윤기가 흐르는데 1인용 전기밥솥은 그렇지 못하다. 똑같은 밥을 해도 어떤 밥솥에 하느냐에 따라 윤기가 달라지고 맛도 달라지니 밥의 재료인 쌀보다 도구가 되는 밥솥이 더 중요한지도 모르겠다.

밥은 생존이다. 밥이 생존에 꼭 필요했던 시절이 있었다. 밥이 없으면 굶었고, 쌀을 아끼기 위해 무밥, 콩나물밥을 해먹던 시절이 있었다. 밥을 할 때마다 작은 항아리에 쌀 한줌을 덜어냈다. 쌀에 보리를 섞어 밥을 했다. 쌀보다 오히려 보리가 많았다. 우물가에서 물을 길어 쌀을 씻고, 조리로 쌀을 일어 돌을 골라냈다. 가마솥에 쌀을 안치고 아궁이에 불을 지펴 밥을 했다. 물이 끓기 시작하면 수증기가 하얗게 피어오르고, 시간이 흐르면 가마솥 뚜껑 사이로 눈물이 흘렀다. 가마솥에 눈물이 흐르면 아궁이에 더 이상 불을 지피지 않고 남아있는 불씨로 뜸을 들였다. 밥을 하는 동안 아낙들은 가마솥과 함께 맵고 고단한 삶의 연기에 눈물을 흘리며 부엌 아궁이를 지켜야 했다. 아낙의 노력과 정성이 들어간 가마솥 밥맛은 최첨단 전기 압력밥솥이 결코 따라갈 수 없다.

사람들은 이제 더 이상 가마솥에 밥을 하지 않는다. 굴뚝에서 밥 짓는 연기가 모락모락 솟아나는 풍경도 사라졌다. 부엌은 집안으로 들어와 주방이 됐고, 전기밥솥은 가마솥을 대신하고 있다. 전자레인지에 2분만 데우면 먹을 수 있는 즉석 밥도 있고, 빵, 피자, 라면 등 밥을 대신해 먹을 수 있는 것도 많아졌다. 대부분의 사람들은 이제 밥을 굶을 걱정은 하지 않는다. 오히려 밥 대신 다른 먹을거리를 찾는 사람들이 늘어나고 있다. 요즘 세상은 이제 더 이상 밥이 생존의 필수요소가 아니다.

그러나 모든 것이 넘쳐나는 시대에도 쌀이 생존의 필수적 요소인 사람들은 여전히 존재한다. 하루 벌어 하루를 먹고 살아야 하는 사람들, 돈벌이가 없어 쌀을 구하지 못하는 사람들도 있다. 부모 없이 삭막한 세상을 헤쳐 나가야하는 가난한 아이들과 자식 없이 좁은 방에서 하루를 힘겹게 살아가는 노인들도 있다. 아직도 이들에게 여전히 밥은 생존을 위한 필수요소이다. 윤기가 잘잘 흐르는 전기 압력밥솥 따위는 이들에게 필요 없다. 밥솥보다 한줌의 쌀이 더 필요하다. 이들에게 밥솥은 사치이다.

그러니 1인용 전기밥솥이 밥에 윤기가 없고, 콩이 설익는다고 불편을 하거나 불만을 가질 게 아니다. 쌀 한줌이 절실한 사람에 비해 1인용 전기밥솥은 얼마나 사치인가? 쌀 한줌이 필요한 사람에게 쌀을 나눠주고 있는가에 대해 나는 반성해야 한다.

편지

고등학교 1학년인 딸이 아빠의 생일 선물이라며 편지를 건넨다. 작은 수첩을 한 장 뜯어 볼펜으로 적은 편지에는 그동안 철도 없었고 속만 썩여 죄송하다며 앞으로 말 잘 듣는 착한 아이가 되겠다는 다짐이 적혀있다. 쑥스럽고 부끄러워서 말은 못하지만 부모님을 사랑하고 있다는 걸 알아달라는 말도 있다.

교통카드를 충전해 주는 것 이외에 일주일에 5천원의 용돈을 아이에게 준다. 고등학교에 입학하고 나서 2천원이 오른 금액이다. 한참 클 나이에 먹고 싶은 것도 많을 텐데 용돈이 너무 적은 게 아니냐고 하면 아내는 지금도 충분하다고 한다. 가끔 아이에게 별도로 용돈을 주기도 하지만 그럴 때마다 '없어도 된다' 며 거절하는 경우가 더 많다.
편지속엔 선물을 드리지 못해 죄송하다는 말도 적혀있다. 아빠의 생일선물을 사고 싶었지만 그렇게 하지 못한 딸의 안타까운 마음이 글자들 사이로 보인다. 편지를 쓰면서도 내내 속상했을 것이다. 하지만 마음이 담긴 이 편지야 말로 돈으로는 살 수 없는 세상에서 가장 귀하고 소중한 선물이다.

고향집에 가면 오래된 편지 뭉치가 있다. 대학 다닐 때 주고받았던 편지들이다. 대학 교정에 발을 들여놓으며 만났던 동기들, 어려서부터 함께 자란 고향 친구들이 보내온 편지가 세월처럼 켜켜이 쌓여있다.

P는 대학교 1학년 때 가깝게 지낸 여학생이다. 공부를 하겠다며 도서관에 드나들다가 친해졌다. 긴 생머리를 하고 있었고 수수하게 아름다운 얼굴이었다. 웃을 때 살짝 보이는 덧니가 매력적이었다. 나는 P를 좋아했다. 그러나 P는 나와 일정한 거리를 유지했다. 나를 좋아하는 것 같다가도 어떨 땐 친구 이상의 감정을 갖고 있지 않다고 느껴지기도 했다. 우리는 그렇게 1년을 애매한 관계로 지냈다. 나는 1학년을 마치고 군대에 가기 위해 휴학계를 제출했다. 자유와 이성의 전당이라고 여겼던 대학 교정에 악취처럼 풍기던 환락과 이기적인 생각들에 대해 환멸을 느끼던 참이었다.

휴학을 하고 P에게 편지를 보냈다. P는 우리의 헤어짐에 대한 아쉬움이 실린 답장을 보내왔다. 돌이켜보면 나 역시 P에게 확실한 마음을 표현하지 못했다. 좋아한다는 말을 하지도 못했고, 사귀자는 말도 건네지 못했다. 우리의 사랑은 그렇게 어설펐다.

대학에서 가장 친하게 지냈던 J의 편지는 스무 살의 슬픈 자화상을 얘기하고 있다. 자신의 정체성에 대한 고민, 친구에 대한 우정과 사랑, 세상을 향한 차가운 분노가 편지에 담겨있다. 이제 막 세상에 내 던져진 방황하는 스무 살, 현실에 상처 받고 현실을 아파하면서도 세상과 맞닥뜨려 싸워 나가겠다는 굳은 의지가 J의 편지 속에 들어있다.

군대에 갔던 시골 친구 L은 친구들과 함께 뛰어 놀던 어린 시절에 대한 그리움을 적은 편지를 보냈다. 군대에 와보니 무엇보다도 친구들의 소중함을 알겠다며 영원히 변치 않을 우정을 약속했다. 여학생 K는 군에 입대하기 전에 한 번 만날 수 있었으면 좋겠다는 편지를 보냈으며, 대학입시를 준비하던 동생은 대학보다는 기술을 배우겠다는 편지를 보내왔다.

가장 많이 편지를 보낸 친구는 S다. S와는 문학이야기를 하며 가까워졌다. 문학에 뜻을 두었던 동기 4명이 문학모임을 구성했고 한 달에 한 번 습작한 시나 수필을 함께 읽으며 토론했다. 방학을 맞아 헤어지며 우리는 일주일에 한 편씩 시를 써서 보내기로 약속했다. 하지만 그 약속을 지킨 사람은 S뿐이었다.

나의 대학 1학년은 이렇게 꿈과 열정, 어설픈 사랑, 아픔과 혼란이 혼재된 시기였다. 고등학교를 졸업하고 갑자기 찾아온 자유 앞에 당황했고 때론 길을 잃고 헤매기도 했다. 학교라는 울타리 안에 갇혀 살다가 아무런 준비 없이 방목된 현실 앞에서 정체성을 찾기 위해 고민했고 세상에 대한 불만을 온 몸으로 터뜨렸다.

결혼을 하면서 아내에게 매년 결혼기념일에 시(詩)를 한 편씩 써서 선물하겠노라 약속했다. 결혼 50주년이 되면 시를 모아 시집으로 만들자는 약속도 했다. 종이에 적은 시를 코팅해서 선물하거나 결혼식 사진에 시를 인쇄해 선물하기도 했다.

그러나 한동안 이어지던 결혼기념일의 시(詩) 선물은 세월이 흐르면서 흐지부지됐다. 아내를 향한 마음이 희미해져서가 아니라 결혼 생활이 차츰 안정을 찾아 가면서 시를 대신해 물질을 선물을 할 수 있을 정도로 경제적 여유가 생겼기 때문이다. 처음 아내에게 시를 선물하겠다는 약속은 돈 벌이가 변변찮은 않았던 나를 포장하기 위한 것이었음을 이실직고할 수밖에 없다. 결혼기념일 선물을 마련하기 벅찼던 결혼 초년기, 시는 내 마음을 표현할 수 있는 유일한 방법이었다.
결혼한 지 10년이 지나고 나서는 아내에게 시를 써서 주겠다는 약속을 아예 지키지 못했다. 그러나 아직도 가끔은 시를 써서 아내에게 보낸다. 책을 읽다가 좋은 시가 있으면 보내주기도 한다.

아내에게 시를 적어 보내기는 했지만 편지는 한 번도 써서 보내지 않았다는 사실을 깨닫고 편지를 써서 보내기로 했다. 편지지 4장을 넘어가는 장문의 내용을 담아보냈다. 전화로 편지를 보냈다는 말도 했다. 편지를 보낸 다음 날, 아내에게서 '편지가 왔다' 는 짧은 전화가 걸려왔다. 그리고 나선 이렇다저렇다 아무 말이 없다. 편지를 잘 읽었다는 말도 없다. 그래도 괜찮다. 아내가 그 편지를 읽고 고마워했을 것임을 알기에.

편지는 그리움을 담는다. 종이 위에 꾹꾹 눌러쓴 글자에는 상대방에 대한 애틋한 그리움이 담겨있다. 함께 보냈던 시간들, 즐거웠던 기억, 행복했던 순간들이 편지 속에 담긴다. 멀리 떨어진 아쉬움과 다시 만날 수 있다는 기대감도 있다.
편지는 아픔을 담기도 한다. 헤어짐에 대한 아픔, 쓰라렸던 기억, 다시는 만날 수 없는 안타까운 마음을 담기도 한다.

편지는 마음을 담는다. 미처 전하지 못했던 마음, 차마 하지 못했던 말이 편지로 전해진다. 마음은 단어에만 있지 않다. 정성스레 쓴 글씨체, 글자의 크기, 강조된 문장부호, 여백에도 마음이 담겨 있다. 빠르게 쓴 글씨체와 모양만 보더라도 그 사람의 기분까지 알 수 있는 게 편지이다.

편지는 수채화다. 단어를 이용해 그리는 한 폭의 수채화다. 그리움이 담긴, 아픔이 담긴, 마음이 담긴 수채화다. 그 수채화속에 사랑이 있고 삶이 있고 희망이 있다.

편지는 시대를 담는다. 편지 속에 쓴 낱말이 시대를 이야기하고 편지

속에 그려진 모습이 시대를 이야기한다. 서두에 전하는 인사말도, 생활이나 주변 환경에 대한 묘사도 시대의 이야기를 담고 있다. 그 시대를 살고 있는 삶의 모습들이 편지에 있다.

고향집의 오래된 편지 뭉치 속에도 치열하게 삶을 고뇌하던 스무 살 청년들의 모습이 있다. 20년이 훨씬 지난 지금, 과연 그 시절 치열하게 고민했던 결과대로 나는 살고 있는 것일까. 20년이 지난 미래에 지금의 나는 어떻게 기억될까. 삶의 무게에 짓눌려 숨조차 쉬기 힘들었던 모습으로 기억될까. 아니면 열정적인 삶을 살았던 모습으로 기억될까.

편지를 써야겠다. 내 주변에 있는 사람들에게, 소중한 추억을 함께 간직한 사람들에게, 오늘을 치열하게 함께 살아가고 있는 사람들에게 편지를 쓸 것이다. 편지를 보내면 마음을 읽을 것이고 오늘을 살아가는 우리의 모습을 되돌아볼 것이다. 보낸 편지를 복사해서 오래된 편지 뭉치 속에 보관해 두어야겠다. 먼 훗날 다시 오늘을 읽을 수 있도록.

두 대의 핸드폰

"아직도 이런 핸드폰 갖고 다니세요?"

검정색 폴더(folder) 핸드폰을 본 사람들의 대체적인 반응이다. 어떤 사람들은 '진짜 통화가 되느냐'고 묻기도 하고, '이런 핸드폰을 사려면 어디로 가야 하느냐'고 물어보는 사람도 있다. 대부분의 사람들이 최첨단 스마트 폰을 갖고 다니는데 시대에 아직도 구닥다리 핸드폰을 갖고 다니는 게 신기한 모양이다. 2G 핸드폰은 3G나 4G 스마트 폰에 비해 확실히 생긴 모양도 둔탁하고 디자인도 떨어진다. 색 바랜 검정색은 화려한 칼라로 무장한 스마트 폰에 비해 초라해 보인다. 수채화 옆에 덩그러니 놓여있는 검은 묵화 같다. 그 모습이 마치 현대에 갑자기 나타난 과거처럼 어색하기만 하다.

2G 핸드폰을 본 사람들의 두 번째 질문은 '왜 핸드폰을 바꾸지 않느냐'는 것이다. 손 안의 컴퓨터로 불리는 스마트 폰의 다양한 기능에 비해 통화나 문자 송수신이 전부인 2G가 불편하지 않느냐는 뜻이다. 스마트 폰에서 연동되는 다양한 기능을 사용할 수 없으니 사람들과의 관계망에서 소외되지 않겠느냐는 뜻도 포함돼 있다. 스마트 폰이 편리하고 좋은 점이 많으니 핸드폰을 바꾸는 게 어떻겠느냐고 권유하는

사람들도 있다. 하지만 굳이 스마트 폰으로 바꿔야할 필요성을 찾지 못하고 있다. 지금 가지고 있는 핸드폰을 가지고도 필요한 연락은 충분히 주고받을 수 있다.

스마트 폰에 얽매여 살아가기 싫다는 것도 핸드폰을 바꾸지 않는 이유이다. 스마트 폰을 가지고 있는 사람들을 보면 하루 종일 스마트 폰을 손에서 놓지 않는다. 수시로 알림을 확인하고 게임을 하고 영상물을 시청한다. 지하철 안에서는 물론이고 심지어는 걸을 때조차 스마트 폰에서 눈을 떼지 못한다. 이제 지하철에서 독서를 하거나 신문을 읽는 사람들을 거의 찾아볼 수 없다. 집안에서도 스마트 폰만 바라본다. TV도 각자 스마트 폰으로 본다. 이제 가족끼리 거실에 앉아 대화를 나누는 모습을 찾아보기 어렵게 됐다. 어쩌다가 가족들이 거실에 모여 있어도 각자 스마트 폰만 바라본다. 핸드폰이 처음 등장했을 때도 어디를 족쇄를 찬 것 같아 싫었는데, 스마트 폰의 감시망에 놓이고 스마트 폰의 지배를 받는 삶은 더더욱 싫다

구닥다리 핸드폰을 가지고 다니는 또 다른 이유는 오랫동안 알고 지내던 사람들과 관계가 끊어질까 두렵기 때문이다. 스마트 폰으로 바꾸기 위해선 예전부터 사용하던 전화번호를 바꾸어야 한다. 전화번호가 바뀐다고 오래전부터 알고 지내던 사람들과 일시에 관계가 단절되지는 않겠지만 그래도 꽤 많은 사람들과 연락이 끊기거나 관계가 단

절될 건 분명한 일이다. 주소나 집 전화번호를 수첩에 적어 가지고 다니던 시절에는 편지나 유선전화를 이용해 연락을 주고받았다. 수첩을 뒤적이며 '이 사람은 어떻게 지내고 있을까' 궁금해 하던 기억이 아직도 남아있다. 핸드폰이 등장하고 수첩에 적힌 전화번호를 핸드폰에 옮겨 저장하는 과정에서 많은 사람들과 연락이 끊기고 말았다. 스마트 폰으로 바꾸게 되면 또 다시 이런 일이 반복될 텐데 똑같은 우를 두 번 다시 범하고 싶지는 않다.

전화번호가 바뀌면 2년 동안 자동으로 안내음성이 나오고 그 이후로도 몇 년이건 안내를 연장할 수 있다고는 하지만 그렇다고 불안한 마음이 없어지는 것은 아니다.
2년간 한 번도 연락이 없는 사람이라면 관계를 단절하는 게 맞지 않느냐고 말하기도 하지만 사람의 관계라는데 단칼에 무 자르듯 쉽게 정리할 수 있는 것은 아니다. 오히려 몇 년의 시간이 흐른 후 연락이 된 사람이 더욱 그립고 반가운 맘도 커지기 마련이다.

가깝게 지내다가 갑자기 연락이 끊겼던 사람이 몇 년이 지난 뒤 다시 전화를 걸어온 적이 여러 번 있다. 스마트 폰 전화번호가 아닌, 옛날 전화번호를 보다가 혹시나 하는 마음에 전화를 걸었다고 한다. 그런데 정말로 전화가 연결돼 얼마나 반가운지 모르겠다는 말도 덧붙인다. 오랜만에 연락이 닿은 사람과 마주 앉아 이야기를 나누는 시간은 즐겁고 행복하다. 헤어져 지내던 기간 동안 살아온 삶의 이야기에 시간가는 줄 모른다. 어떤 사람은 예전과 전혀 다른 직종에서 근무하고 있기도 하고, 서울을 떠나 시골에 귀농한 사람도 있고, 몇 년간 외국에 나가 살다왔다는 사람도 있다. 그간의 이야기를 함께 나누며 서로 경험했던 것을 들려주기도 하고 즐거웠던 추억의 한 페이지를 꺼내 보기도 하는데 그 시간이 얼마나 소중하고 즐거운지 모른다.

대학 친구와도 십여 년 만에 연락이 됐다. 친구로부터 '아직도 이 전화번호를 그대로 쓰고 있느냐'며 면박 아닌 면박을 받아야 했다.

대학교 4학년 때 학원에 다니며 편집자의 꿈을 함께 꾸던 친구들이 있다. 같은 꿈을 가진 친구들이라 더 없이 가깝게 지냈고 책을 읽으며 함께 밤을 새우기도 했다. 우리가 살고 있는 사회와 우리가 만들어갈 미래에 대해 함께 고민했던 친구들이다. 밤새 술을 마시고 새벽거리를 방황했던 적도 여러 번이다. 언제까지나 마음 변치 말고 서로 연락하며 지내자고 약속했다. 하지만 이 친구들 중 지금 연락이 되는 사람은 한 명도 없다. 당시 함께 만들었던 책에 주소와 집 전화번호가 있지만 주소도 바뀌었고 집 전화도 바뀌었다. 이들과 연락이 닿지 않는다는 게 나에겐 무척 가슴 아픈 일이다.

모든 게 빠르게 변하는 세상이 야속하다. 쫓아가기 버거울 정도로 빠르게 변화하는 세상, 소중하게 간직했던 것들이 쉽게 잊히는 세상에 '나는 그렇지 않다'고 맞서고 싶다.

핸드폰을 바꾸지 않음으로써 얻는 반사이익도 있다. 옛날 전화번호를 그대로 쓰면서 얻는 좋은 점은 스팸전화나 문자가 오지 않는다는 것이다. 대부분의 사람들이 스마트 폰을 갖고 다니는 세상에 옛날 전화번호는 아마도 스팸대상에서조차 빼버리지 않았을까 되레 짐작한다. 처음 보는 사람이나 은행에 전화번호를 알려줄 때 두 번 이상 알려줘야 한다는 불편한 점도 있기는 하다. 하지만 이런 불편이야 전화번호를 바꾸지 않음으로써 가질 수 있는 장점에 비하면 충분히 상쇄되고도 남는다.

핸드폰을 바꾸지 않는, 보다 근본적인 이유는 지금 가지고 있는 핸드폰 번호가 예전에 아내가 처음 핸드폰을 선물해 줬을 때 사용하던 번호이기 때문이다.

핸드폰이 대중화되면서 거리를 지나는 많은 사람들이 핸드폰을 갖고 다녔지만 그때 까지 핸드폰을 갖지 못했다. 1997년 외환위기가 닥치면서 다니던 회사에서도 쫓겨났고 그렇게 몇 달을 백수로 지내던 시절이라 핸드폰을 구입한다는 건 꿈도 꾸지 못했다. 몇 달을 하릴없이 지내다가 아는 사람의 소개로 체육기구를 만드는 공장에 어렵사리 취직을 했다. 하지만 가진 기술이 없어 월급은 적을 수밖에 없었다. 거리를 걷는 사람들이 저마다 핸드폰을 가지고 다녔지만, 그 모습을 부러운 시선으로 바라볼 수밖에 없었다. 쥐꼬리만한 월급으로 살림을 꾸려나가기도 빠듯했던지라 아내도 조금이라도 보탬이 되겠다며 집에서 할 수 있는 부업을 시작했다.

그렇게 1년여가 지난 어느 날 저녁, 식사를 마치고 TV를 보고 있는데 아내가 선물이라며 핸드폰을 꺼내놓았다. 지나가는 말로 핸드폰을 갖고 싶다고 했던 말을 가슴에 새기고 있었던 모양이다. 핸드폰을 선물하기 위해 아내는 몇 달 동안 새벽 2~3시까지 부업에 매달렸다. 아내가 꺼내놓은 핸드폰을 보는 순간, 핸드폰 타령을 왜 했을까하는 자괴감과 아내에 대한 미안함이 솟구쳐 올랐다.

그 이후로 몇 번 전화기를 바꾸기는 했지만 전화번호는 바꾸지 않고 계속 사용하고 있다. 스마트 폰을 갖기 위해 전화번호를 바꾼다면 자칫 아내에 대한 애틋한 기억과 고마운 마음이 사라질까 두렵다. 전화번호가 바뀐다고 아내에 대한 사랑이 변하지는 않겠지만 아내가 몇 달 동안 밤샘 부업을 하며 고생하고 힘들었을 그 마음을 행여 잊게 되지 않을까하는 마음 때문이다. 전화번호에 깃든 아내에 대한 고마움이, 애틋함이 희미해지지 않을까 우려되는 마음을 감출 수 없다.

시 모음

미련

겨울옷을 집어넣고
봄옷을 꺼낸다.

안 입는 옷은 버려야지
오래된 옷도 버려야지.

그러나 막상 버리려고 하면
그래도 입을 때가 있겠지,
그냥 버리기엔 아까운데.

옷장은 이미 한 가득인데
공간도 없는 곳을 비집고
겹겹이 또 집어넣는다.

버리지 못하고

내려놓지 못하니

버겁고 무거울 수밖에.

봄소식

청사포에 갔더니
봄이
매화나무에 머물고 있더이다.

쉽게 이별을
허락하지 않는
꽃샘추위를 다독이고

봄도
곧
그곳으로 간다 하니,

맘속에
봄이 머물
자리 하나 비워두소.

꽃

수영강변에 꽃이 피었다.
달맞이꽃은 좀 늦나보다.

그러면 어뗘랴.
같은 가지의
꽃도
달리 피는데.

사월

벚꽃 핀 강변에 앉아 책을 읽는다.

유모차를 끌고 온 부부, 라디오를 손에 쥔 사람
불편한 걸음으로 서두르지 않고 천천히 걷는 노인
벚꽃 나뭇가지 사이로 펼쳐진 구름 떠있는 하늘.

하늘이 품고 있던 사월의 이야기들이 바람에 실려와
벚꽃으로 피어나고, 흐드러진 벚꽃 잎 사이로
다른 표정의 사람들이 다른 발걸음으로 찾아와
새로운 사월을 이야기한다.

눈꽃처럼 벚꽃 잎이 흩날리던 사월의 교정과
벚꽃처럼 한순간 피었다가 져버린 사랑과
꽃잎처럼 흩날려간 살아온 세월만큼의 사월.

꽃잎 하나에 사랑과

꽃잎 하나에 추억과

꽃잎 하나에 이별과

꽃잎 하나에 그리움

벚꽃 핀 강변에 앉아 책을 읽는다.

민들레

구석진 골목 틈새에
민들레가 피었다.

물 한방울 머물기 힘든
메마른 곳에서
겨울을 견뎌내더니
예서 꽃을 피웠구나.

바람타고 훨훨 날아올라
푸른 물가를 지나고
기름진 들판을 지나더니

햇살도 머물지 않는
예서 꽃을 피웠구나.

지친 발걸음에

봄을 알리려고

예서 꽃을 피웠구나.

미역국

미역을 물에 불려놓았다가
손으로 물기를 꾹 눌러 짜낸 후
미역국을 끓인다.

'미역 볶으려면 참기름을 넣어야 해'
거실에서 TV를 보던 아내가 참견한다.
'왜?'
'그건 참기름한테 물어봐'

조선간장으로 간을 하고
마늘을 넣고 다시다도 넣고
맛을 본다. 국물이 뽀얗다.

요리사가 된 딸은
당근, 오이, 버섯을 채로 썰더니

잡채를 만들고, 지단을 더해
일곱 색깔 칠절판을 담아낸다.

오늘은 아내의 생일이다.

오줌싸개

오줌을 싸면
키를 머리에 뒤집어쓰고
소금을 얻으러 다녔다.

옆집 대문을 밀고 들어가
인기척도 못 내고 마당에 서있으면
아주머니가 부지깽이를 들고 나오며
"아이고 저 녀석 또 오줌 또 쌌네."

부지깽이로 키를 두드리며
바가지에 소금을 담으며
"다시는 오줌 싸지 마라."
나는 신기하다.
"어떻게 알았지?"

도망치듯 대문을
빠져나오는 귓전으로
뒤따라 달려오는
웃음소리.

꿈속에서 시원하게 오줌을 눈
내 유년시절의 어느 날.

김치볶음밥을 만들다가

김치볶음밥을 만들기로 했다. 김치를 꺼내 송송 썰고 프라이팬에 넣어 들기름을 두르고 볶는다. 김치가 노릇해진 다음 밥을 얹어 함께 볶았다. 맛을 본다. 싱겁다. 김치가 적다. 밥은 많다. 하나는 적고 하나는 과하다.

김치통에 있는 국물로 간을 맞추고 날달걀을 넣어 다시 볶기 시작했다. 달걀이 잘 섞이도록 주걱으로 푹푹 퍼서 뒤집는데 밥알이 프라이팬 밖으로 튕겨 나간다. 행주를 꺼내 닦았다.
시선이 행주를 따라가다가 주방 벽면에 점점이 번진 자국을 발견한다. 그동안 보이지 않던 자국이다.

벽면에 튄 자국이야 닦아내면 되지만 내 안에 있는 자국은 어떻게 해야 할지 모르겠다. 내가 모르는, 나에게 보이지 않는, 어쩌면 감추고 있을지도 모를 자국이나 흠집이 내 안에도 있을 텐데 말이다.

냉장고

밥을 먹으려고
반찬을 꺼내는데
냉장고 귀퉁이에
까맣게 잊고 있던
반찬통이 보인다.

저게 언제 적 거야?
꺼내 열어보니
한 달 전쯤에 넣었던
피망 썰어둔 것
흐물~ 흐물~
상하기 직전이다.

내 맘속에 잊고 있는 건 뭐지?
버리지 못하는 건?

몰랐었네

아내가 함께 있을 땐
출근 준비를 하는데 30분이면 족했다.
밥 먹는 시간 10분, 세면하는 시간 10분
옷 입고 집을 나서는 시간 10분.

아내와 떨어져 살고 있는 지금은
출근 준비에 1시간 이상 걸린다.
아침 밥상 차리는 시간 15분
밥 먹고 설거지하는 시간 25분
세면하는 시간 10분, 집안 정리하는 시간 5분
옷 입고 출근하는 시간 10분
가스불은 잠갔는지, 창문은 닫았는지
잊어버리거나 빠트린 것은 없는지
되돌아보는 시간 5분.

아내가 함께 있을 땐 몰랐는데
아내가 해야 할 일이 정말 많다는 걸
새삼 깨닫는다.

퇴근을 하고 집에 돌아오니 저녁 7시
세탁기를 돌리고, 국을 데우고
햄에 계란을 입혀 요리를 하고
밥 먹고 설거지하고
아침에 먹을 밥까지 안치고 나니
시간은 벌써 9시.

잠시 한숨 돌리는데
방안에 널브러져 있는 잡동사니가 보이고
제 임무를 마친 세탁기는 삑삑 울어댄다.
방안을 치우고 빨래를 꺼내 널고 보니
시계 바늘은
10시를 향해 달려가고 있다.

티 나는 일도 아닌데
마음은 바쁘고 몸은 힘들다.
혼자 사는 살림도 이럴진대

아내는 오죽할까.
그러니 바깥일 한다고
유세 떨 일이 아니다.

빈 공간

양말을 깁는다.
벌어진 틈을 당기고
바늘에 실을 꿰어
한 땀, 한 땀.

꿰맨 자국이
상처처럼 남지만
구멍은 사라진다.

네가 떠난 빈 공간도
양말을 깁듯
바늘로 꿰매면
사라질까.

휴게소

고속버스가 휴게소로 들어선다.
20분 후에 출발합니다.
사람들이 내린다.
식사를 하기엔 짧은 시간
라면은 먹을 수 있겠지?

라면 하나주세요.
직원이 면발을 집어올리고
계란을 풀어 넣는다.
시간은 벌써 8분이 지났다.
익은 거 같은데 그냥 주시면 안 돼요?

라면을 들이키고
물 한잔 마시고
화장실에 다녀오고

버스에 오른다.
자리에 앉자마자, 출발
어휴~ 조금만 늦었으면~

휴게소에서 먹는 라면이
맛있고 재밌다.

창문

집에 돌아오면
창문을 열고 환기를 시킨다.

내 마음에도 창문이 있어
낡고, 더럽고, 나쁜 생각들은
빠져 나가고

맑고, 착하고
아름다운 생각들만
들어오면 좋겠다.

혼자 먹는 밥

밥을 먹기 위해 쌀을 안쳤다.
미리 불려놓은 콩과 잡곡을 섞어
쌀눈이 떨어지지 않도록 적당히 문대고
수도를 틀어 헹구고 전기밥솥에 부어
밥물을 맞춘 후 취사버튼을 눌렀다.

밥이 익어가는 동안 김치찌개를 끓인다.
지난해 담근 묵은지에
먹다 남은 햄과 멸치 스무 마리
마트에서 사온 파를 썰어 넣고
중간 불에 십오 분 정도 끓여냈다.

둥그런 쟁반 상을 펴고 냉장고에서
김장 김치와 무장아찌 오뎅무침을 꺼내고
점심에 먹다 남은 계란찜과 김치찌개를 차리고

수북이 밥을 담아 퍼먹는다.
혼자 먹는 밥이라 이 반찬 가지고도
한참동안 먹을 수 있겠구나 생각했다.

혼자 밥을 먹으며
점심시간이면 분식집을 찾아가
라면에 공깃밥을 말아먹고
김칫국물, 고추장에 밥을 비벼먹던
스무 살의 가난했던 청춘을 떠올렸다.

그때에 비하면 지금은 얼마나 풍족한가.
김치찌개에 햄도 넣고 계란찜도 있고
아내가 해준 오뎅무침도 있으니.

냄비

냄비의 국을 다시 데울 때마다
옆구리가 검게 그을린다.
아내에게 얘기하니
불을 밑바닥에만 닿게 하란다.

불이 세서 옆으로 번지면
냄비가 그을린다며

급한 마음에 빨리 데우려고
불이 삐져나오든 말든
화력만 세게 했으니.

천천히 할일이다.

국 데우는 일도, 세상일도

과하지 않게, 급하지 않게
천천히.

울음터

한바탕 울어볼 일이다.
이유도 모를
까닭도 모를
외로움이 엄습해올 때는

한바탕 울어볼 일이다.
오장육부가 터져버릴 듯
가슴이 답답할 때는
슬픔이 북받쳐오를 때는
분노가 치밀어오를 때는
사무치도록 미워질 때는

한바탕 울어볼 일이다.
그리움이 바위처럼 짓누를 때는
사랑이 못내 보고 싶어질 때는